W9-CDK-589
Francés
para todos
Iniciación

FRANCÉS PARA TODOS / Iniciación



PRIMERA EDICIÓN — 12ª reimpresión

ISBN 2-266-03414-6 (Presses Pocket)
ISBN 970-607-324-8 (Ediciones Larousse)



Impreso en México — Printed in Mexico

**SYLVIANE NOUSCHI • NICOLE GANDILHON**
**VERÓNICA KUGEL**

Asistidas por

**ELINOR SIGLER**

*Av. Diagonal 407 Bis-10*
*08008 Barcelona*

*Dinamarca 81*
*México 06600, D. F.*

*21 Rue du Montparnasse*
*75298 París Cedex 06*

*Valentín Gómez 3530*
*1191 Buenos Aires*

# Contenido

# Prefacio

Este libro pretende ser una **herramienta sencilla y cómoda** para todos aquellos que quieran aprender el francés o refrescar sus conocimientos de este idioma.

La preocupación principal de los autores ha sido satisfacer los requisitos de aquellos que buscan **una buena comprensión y un manejo fácil** del idioma. Su propósito ha sido permitirles a todos una progresión gradual para llegar a un nivel operativo.

Para alcanzar esta meta, fijaron su atención en **los elementos y las estructuras básicas**. Más que tratar de describir cada mecanismo, citar todas las excepciones o formas irregulares, han tratado de proporcionar **puntos de referencia claros y exactos.**

Pensando siempre en la **eficacia**, deliberadamente restringieron al mínimo la cantidad de términos gramaticales y escogieron **explicaciones exactas pero sencillas.**

**El enfoque es gradual**, tanto en las lecciones como en el conjunto del libro: los puntos principales son tratados uno por uno, de una manera constructiva. Su propósito es asegurar el dominio de cada punto antes de continuar con el siguiente.

Cada estructura estudiada es ilustrada con oraciones del **francés de todos los días**. Para evitar ambigüedades, **todas ellas están relacionadas a una situación** o contexto que se indica brevemente en español.

**El libro se compone de:**

- Unidades sencillas y fáciles de asimilar, que tratan de una sola dificultad a la vez, para asegurar el dominio del punto estudiado.
- Explicaciones y comentarios que con sus traducciones al español muestran claramente las estructuras básicas.
- Ejercicios en los que las estructuras y el vocabulario se practican repetidas veces para asegurar una compresión total.
- Explicaciones concisas de expresiones típicas e información práctica relacionadas con los puntos estudiados, para proporcionarle conocimientos sobre la vida diaria en Francia.

# Cómo usar este libro

Esta descripción y estas explicaciones van a ayudarle a organizar su tiempo y aprovechar al máximo este libro.

El libro consta de:

— 40 lecciones de seis páginas cada una;
— un breve resumen gramatical.

Todas las lecciones están organizadas según el mismo modelo para facilitar el auto-aprendizaje. Incluyen tres partes, A, B y C, de dos páginas cada una. Esto es para ayudarle a trabajar según su ritmo personal. Aunque no disponga del tiempo para aprender una lección completa, puede empezar una y estudiar sólo parte de ella, sin tener la impresión de estar perdiendo su tiempo.

**Esquema de las lecciones**

**La parte A** está dividida en cuatro secciones: A1, A2, A3, A4.

**A1: Presentación**

La primera sección introduce la información nueva (gramática, vocabulario y pronunciación) que va a tener que aprender y usar para hacer oraciones en francés.

**A2: Ejemplos**

Esta sección, basada en el material presentado en A1, incluye ejemplos que luego deberá reconstruir por usted mismo.

**A3: Comentarios**

Comentarios adicionales con respecto a las oraciones en A2 para clarificar puntos de gramática, vocabulario o pronunciación.

**A4: Traducción**

La última sección incluye la traducción completa de la parte A2.

**La parte B** está subdividida en cuatro secciones: B1, B2, B3, B4, y tiene el mismo esquema que la parte A, añadiendo nuevas explicaciones a los puntos de gramática y más vocabulario.

**La parte C** las cuatro secciones C1, C2, C3 y C4 contienen ejercicios, información práctica y algunos comentarios sobre la vida en Francia.

**C1: Ejercicios**

Use los ejercicios para verificar su comprensión de los puntos de gramática aprendidos en las partes A y B.

**C3: Respuestas**

Se incluyen todas las respuestas correctas a los ejercicios de la parte C1, para que pueda comprobar la exactitud de su trabajo.

**C2 y C4: Información práctica y notas sobre la vida en Francia**

Estas secciones dan expresiones de uso corriente, información sobre la vida y la cultura en Francia y la evolución de la lengua francesa.

El **resumen gramatical** repasa todos los puntos básicos de la gramática.

■ **Algunos consejos**

- **Estudie con regularidad**

Es más eficiente trabajar a intervalos regulares, aunque sea por corto tiempo, que tratar de aprender varias lecciones al mismo tiempo a intervalos muy espaciados. Estudiar media hora diaria, aunque sea sólo una de las tres partes de cada lección, es más eficaz que sobrevolar varias lecciones por tres horas cada diez días.

- **Programe sus esfuerzos**

Trabaje una lección después de otra, y no pase a B sin antes haber entendido y aprendido A.
Este principio también se aplica a las diferentes lecciones: no empiece una lección nueva sin haber entendido perfectamente la anterior.

- **Repase las lecciones**

No dude en repasar las lecciones que ya aprendió y repetir los ejercicios. Asegúrese de haberlas entendido y de recordarlas.

## ■ Método de trabajo sugerido

- **Para las partes A y B:**

1. Después de haber estudiado A1 (o B1), lea las series de oraciones en A2 (o B2) varias veces.
2. Lea los comentarios de A3 (o B3).
3. Vuelva a A2 (o B2) y traduzca las oraciones al español, sin mirar A4 (o B4).
4. Verifique la exactitud de su traducción leyendo A4 (o B4).
5. Trate de reconstruir las oraciones de A2 (o B2) partiendo de A4 (o B4) sin mirar A2 (o B2). Verifique la exactitud de su trabajo, y así sucesivamente.

- **Para la parte C:**

1. Siempre que pueda, escriba las respuestas de los ejercicios de C1 antes de compararlas con los resultados corregidos de C3.
2. Estudie cada lección hasta que pueda:
   — traducir A4 o B4 al francés sin mirar A2 o B2.
   — hacer todos los ejercicios de C1 sin equivocarse.

- **Uso del vocabulario**

El vocabulario (página 277) puede usarse para ubicar las palabras en su contexto. Conforme estudie cada lección, escriba la traducción de las palabras nuevas de A y B en los márgenes. Así puede constituir su propio diccionario.

●● Grabaciones del libro

La grabación es el compañero audio-oral natural del libro; le permitirá practicar su comprensión del francés y hablarlo.

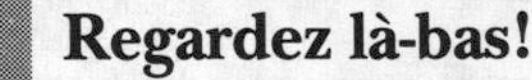

# 1 Regardez là-bas!

## A1 PRESENTACIÓN

### ■ Gramática

• Imperativo

El imperativo francés es una de las formas verbales más sencillas.

La segunda persona del plural se usa para dirigirse tanto a una persona a la que se le habla de usted como a varias personas.

Normalmente termina en **-ez.**

| | |
|---|---|
| **Regardez!** | *¡Mire (n)!* |
| **Regardez Anne!** | *¡Mire (n) a Anne!* |

### ■ Vocabulario

| | |
|---|---|
| **où?** | *¿dónde?* |
| **là** | *allí* |
| **là-bas** | *allá* |
| **oui** | *sí* |
| **et** | *y* |

• **Notre-Dame** es la catedral de París.

• **Anne, Louis** son nombres.

## A2 EJEMPLOS *(Visitando París)*

1. **Regardez!**
2. **Louis, regardez!**
3. **Regardez Notre-Dame!**
4. **Où?**
5. **Là!**
6. **Là-bas?**
7. **Oui, là-bas!**
8. **Regardez là-bas!**
9. **Anne et Louis, regardez!**
10. **Regardez Notre-Dame, là-bas!**

## A3 COMENTARIOS

### ■ Pronunciación

- La **r** francesa [**r**], se pronuncia en el fondo de la boca, como gargarizando.
- La primera **e** de **regardez** se pronuncia [ə].
- **ez** (**regardez**) y **et** se pronuncian [**e**]. Es la *e* de *mire.*
- **a** o **à** se pronuncian [**a**], como en español.
- **o** (**Notre-Dame**) se pronuncia [**o**], como en español.
- **ou** se pronuncia [**u**].
- **oui** se pronuncia [**ui**].
- La **e** final no se pronuncia (**Anne, Notre-Dame**).

⟶ Por lo general, las consonantes finales no se pronuncian en francés: **Pari (s), Loui (s), ba (s).**

### ■ Gramática

⟶ Note que no hay preposición después de **Regardez!**:
**Regardez Louis!** ¡Mira a Louis!

## A4 TRADUCCIÓN

1. ¡Mira!
2. ¡Louis, mira!
3. ¡Mira, Notre-Dame!
4. ¿Dónde?
5. ¡Allí!
6. ¿Allá?
7. Sí, ¡por allá!
8. ¡Mira, allá!
9. Anne y Louis, ¡miren!
10. ¡Mira, Notre-Dame, allá!

# 1 Hélène, reste ici!

## B1 PRESENTACIÓN

### ■ Gramática

| imperativo | singular | plural |
|---|---|---|
| 2ª persona | **reste/regarde**<br>*quédate/mira* | **restez/regardez**<br>*quédese/mire*<br>*quédense/miren* |

- Para tutear, use esta forma verbal:
  Ej.: **regarde!** *¡mira!* **reste!** *¡quédate!*

### ■ Vocabulario

**reste!** *¡quédate!*
**à côté de** *al lado de*
**ici** *aquí*
**s'il te plaît** *por favor (tú)*
**s'il vous plaît** *por favor (usted)*
**merci** *gracias*

**Hélène** es un nombre de mujer.

## B2 EJEMPLOS *(Sacando una foto)*

1. **Hélène, reste ici!**
2. **Anne, reste là!**
3. **Reste là, s'il te plaît!**
4. **Hélène, reste à côté de Louis!**
5. **Hélène et Anne, restez là!**
6. **Hélène, regarde Louis!**
7. **Regarde Louis, s'il te plaît!**
8. **Anne et Hélène, regardez Louis!**
9. **Regardez Louis, s'il vous plaît!**
10. **Merci.**

## B3 COMENTARIOS

### Gramática

- Recuerde: la segunda persona del plural se usa para hablarle de usted a alguien o para hablarle a varias personas (ver lección 1, A1).
- Recuerde:

| | |
|---|---|
| **s'il te plaît** | por favor (tú) |
| **s'il vous plaît** | por favor (usted, ustedes) |

### Pronunciación

- la **e** de **reste** o **restez** se pronuncia [**ɛ**]. Esta **e** se asemeja a la de *miércoles.*
- **ai** tiene el sonido de [**ɛ**]: **plaît**.
- **i** suena simplemente como [**i**]: **ici**.
- **o** en **côté** suena simplemente como [**o**:].
- en **merci, er** se pronuncia [**ɛr**].
- la **c** antes de **e** o **i** se pronuncia [**s**]: **merci**.
- la **h** nunca se pronuncia cuando está al principio de una palabra.

## B4 TRADUCCIÓN

1. Hélène, ¡quédate aquí!
2. Anne, ¡quédate allí!
3. ¡Quédate allí por favor!
4. Hélène, ¡quédate al lado de Louis!
5. Hélène y Anne, ¡quédense allí!
6. Hélène, ¡mira a Louis!
7. ¡Mira a Louis, por favor!
8. Anne y Hélène, ¡miren a Louis!
9. ¡Miren a Louis por favor!
10. Gracias.

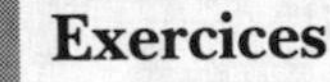

## C1 EJERCICIOS

**A. Ponga el verbo en la forma imperativa:**

1. Anne, (regarder)! (tú)
2. Anne et Hélène, (rester) là!
3. Hélène, (regarder) Louis! (usted)
4. Louis, (rester) là! (tú)

**B. ●● Hablándoles de tú:**

1. Dígale a Anne que se quede al lado de Louis.
2. Dígale a Louis y a Hélène que miren a Anne.
3. Dígale a Anne que mire allá.
4. Dígale a Hélène que mire a Anne.

**C. Añada el equivalente de <u>por favor</u> a cada oración de B:**

## C2 VERBOS

| Imperativo | Infinitivo | |
|---|---|---|
| **regarde/regardez** | **regarder** | *mirar, mirar a* |
| **reste/restez** | **rester** | *quedarse* |

- **er** es la terminación del infinitivo de muchos verbos. Todos pertenecen al mismo grupo y se conjugan del mismo modo.

- **er** se pronuncia [e].

## C3 RESPUESTAS

**A.** 1. Anne, regarde!
2. Anne et Hélène, restez là!
3. Hélène, regardez Louis!
4. Louis, reste là!

**B.** 1. Anne, reste à côté de Louis!
2. Louis et Hélène, regardez Anne!
3. Anne, regarde là-bas!
4. Hélène, regarde Anne!

**C.** 1. Anne, reste à côté de Louis, s'il te plaît!
2. Louis et Hélène, regardez Anne, s'il vous plaît!
3. Anne, regarde là-bas, s'il te plaît!
4. Hélène, regarde Anne, s'il te plaît!

## C4 ACENTOS ORTOGRÁFICOS

■ ´ ` ^ son acentos que se colocan en las vocales. A diferencia del español, no corresponden al acento tónico sino a una modificación de la pronunciación de la vocal. Por lo tanto, observará que una misma palabra puede tener varios acentos ortográficos.

- ´ es el acento agudo. Sólo se usa en la **e**.
  Esta **é** se pronuncia como la **e** en español.
- ` es el acento grave. Se usa principalmente en la **e**.
  Esta è se pronuncia [ɛ].
  — también se usa en la **a** y la **u**, sin afectar su pronunciación.
- ^ es el acento circunflejo. Se usa en todas las vocales.
  Por lo general alarga el sonido.

→ Mire las oraciones de A2 y B2, y fíjese en las siguientes palabras:

**plaît, où, Hélène, à côté.**

# 2 N'écoute pas Antoine!

## A1 PRESENTACIÓN

### ■ Gramática

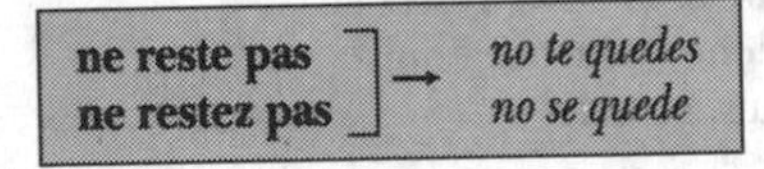

**ne reste pas** / **ne restez pas** → *no te quedes* / *no se quede*

- El negativo del imperativo se construye colocando: ●●

  **ne ... pas** *no*
  **n' ... pas** (con verbos que empiezan con vocal o **h**)

  de uno y otro lado del verbo.

### ■ Vocabulario

**écouter** *escuchar, escuchar a*
**chanter** *cantar*
**ne… pas encore** *no… todavía*
**maintenant** *ahora*

**Antoine** es un nombre masculino.

## A2 EJEMPLOS *(En el escenario, antes del espectáculo)*

1. **Reste ici!**
2. **Ne reste pas là!**
3. **Restez ici, s'il vous plaît!**
4. **Ne restez pas là!**
5. **Hélène, écoute, s'il te plaît!**
6. **N'écoute pas Antoine!**
7. **Hélène et Anne, écoutez, s'il vous plaît!**
8. **Ne chantez pas!**
9. **Ne chantez pas maintenant!**
10. **Ne chantez pas encore!**

## A3 COMENTARIOS

■ Gramática: el negativo del imperativo

| | | |
|---|---|---|
| singular | **ne reste pas** | *no te quedes* |
| singular<br>plural | **ne restez pas**<br>**ne restez pas** | *no se quede*<br>*no se queden* |
| singular | **n'écoute pas** | *no escuches* |
| singular<br>plural | **n'écoutez pas**<br>**n'écoutez pas** | *no escuche*<br>*no escuchen* |

■ Pronunciación

- **an/en:** [ɑ̃]; dos maneras de escribir el mismo sonido (**chantez, encore**). Esta vocal nasal no existe en español.
- **ain:** [ɛ̃]. Ej.: **maintenant.**
- **oi** se pronuncia [**wa**]. Ej.: **Antoine.** Es semejante al español *guante.*
- **ch** de **chante** se pronuncia [ʃ]. Es semejante a *mucho,* pero sin la *t.*
- **c + a, o, u** se pronuncia [**k**], como *carro* en español (**encore, écoutez**).

## A4 TRADUCCIÓN

1. ¡Quédate aquí!
2. ¡No te quedes allí!
3. ¡Quédese aquí, por favor!
4. ¡No se quede allí!
5. ¡Hélène, escucha por favor!
6. ¡No escuches a Antoine!
7. ¡Hélène y Anne, escuchen por favor!
8. ¡No canten!
9. ¡No canten ahora!
10. ¡No canten todavía!

# 2 Parlons français ensemble.

## B1 PRESENTACIÓN

### ■ Gramática

- La primera persona del plural del imperativo siempre termina en: **-ons.**

| | |
|---|---|
| **reste** | *quédate* |
| **restons** | *quedémonos* |
| **restez** | *quédense, quédese* |

### ■ Vocabulario

**parler** *hablar*
**français** *francés*
**ensemble** *juntos*
**ou** *o*
**avec** *con*

## B2 EJEMPLOS *(Hablar o no hablar)*

1. **Parlons français.**
2. **Parlons français ensemble.**
3. **Parlons avec Anne ou Louis.**
4. **Parlons français avec Anne ou Louis.**
5. **Restons ensemble.**
6. **Ne restons pas ici.**
7. **Ne parlons pas ici.**
8. **Ne parlons pas maintenant.**
9. **Chantons!**
10. **Chantons ensemble!**

## B3 COMENTARIOS

### ■ Pronunciación

- **on,** en **restons,** es una vocal nasal: [ɔ̃].
- **em,** [ɑ̃], se pronuncia como **en,** [ɑ̃]. Ej.: **ensemble**.
- **ç** + vocal se pronuncia [s] **(français)**.
- en **avec,** la **c** final se pronuncia [**k**].
- **s** entre una vocal y una consonante se pronuncia [s] (**dansons, ensemble**).

### ■ Recuerde

**où** = *dónde,* pero ⟶ **ou** = *o*

## B4 TRADUCCIÓN

1. Hablemos francés.
2. Hablemos francés juntos.
3. Hablemos con Anne o Louis.
4. Hablemos francés con Anne o Louis.
5. Quedémonos juntos.
6. No nos quedemos aquí.
7. No hablemos aquí.
8. No hablemos ahora.
9. ¡Cantemos!
10. ¡Cantemos juntos!

## C1 EJERCICIOS

**A. [●●] Dando órdenes (en francés):**

1. Dígale a Anne y a Louis que canten juntos.
2. Dígale a Antoine que no escuche.
3. Dígale a Hélène y a Anne que escuchen.
4. Dígale a Hélène que no mire todavía.
5. Dígale a Louis y a Anne que no canten.

**B. [●●] Convierta en la primera persona del plural:**

1. Regardez!
2. Reste!
3. Écoute!
4. Parlez!

**C. [●●] Traduzca al francés:**

1. ¡Quedémonos aquí!
2. ¡No hablemos!
3. ¡Miremos para allá!
4. ¡Cantemos ahora!

## C2 PREPOSICIONES Y EXPRESIONES PARA INDICAR EL LUGAR

→ recuerde **où** = *¿dónde?*

**par ici** *por aquí*
**par là** *por allá*
**dans** *en*
**devant** *delante de*
**derrière** *detrás de*
**entre** *entre*
**sous** *debajo de*
**dessous** *abajo*
**près** *cerca*
**près de Louis** *cerca de Louis* (nótese la preposición **de** cuando lo que sigue es un nombre propio).

## Ejercicios

### C3 RESPUESTAS

**A.** 1. Chantez ensemble!
2. N'écoute pas!
3. Écoutez!
4. Ne regarde pas encore!
5. Ne chantez pas!

**B.** 1. Regardons!
2. Restons!
3. Écoutons!
4. Parlons!

**C.** 1. Restons ici!
2. Ne parlons pas!
3. Regardons là-bas!
4. Chantons maintenant!

### C4 "LIAISON"

- La consonante final de una palabra se pronuncia cuando la palabra siguiente empieza con una vocal o una **h**. Las palabras se enlazan, esto en francés se llama **liaison**.

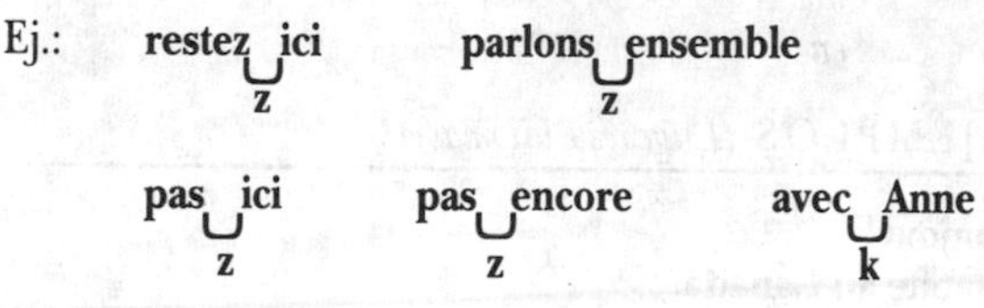


- Cuando una palabra termina con **e**, ya que ésta es muda, el enlace se efectúa con la siguiente vocal.

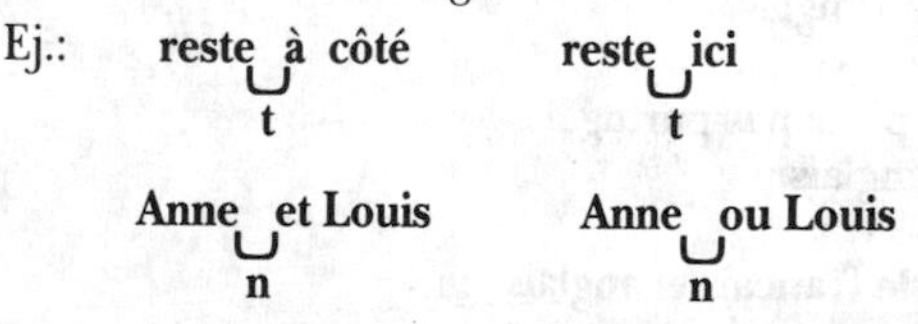

# 3 J'habite Montréal.

## A1 PRESENTACIÓN

■ Gramática

- Pronombres personales: sujeto / singular

| **je, j'** | **tu** |
|---|---|
| *yo* | *tú* |

- **je** se convierte en **j'** cuando precede a una vocal o a una **h**:
  **j'habite...,** *vivo en...*

- **Tiempo presente**
  **Je parle.** *Yo hablo.*
  **Tu parles.** *Tú hablas.*

- Note: el pronombre personal sujeto no se puede omitir en francés.

■ Vocabulario

**habiter** *vivir en*
**espagnol** *español, castellano*
**portugais** *portugués*
**anglais** *inglés*
**bonjour** *buenos días / buenas tardes*
**non** *no*
**en** *en*

## A2 EJEMPLOS *(Lugares e idiomas)*

1. **Bonjour!**
2. **J'habite au Canada.**
3. **J'habite Montréal.**
4. **Je parle français et espagnol.**
5. **Tu parles portugais?**
6. **Non.**
7. **Non, je ne parle pas portugais.**
8. **Tu parles anglais?**
9. **Oui.**
10. **Oui, je parle français et anglais.**

## A3 COMENTARIOS

■ Pronunciación

- **j** se pronuncia [ʒ] (ej.: **je, bonjour**).
- El sonido de **u** en **tu** se pronuncia [y].

■ Gramática

- En francés hablado, la manera más sencilla de convertir una afirmación en una pregunta es modificando la entonación, subiéndola al final:
  Ej.: **Tu parles portugais?** *¿Hablas portugués?*
- Note que no se necesita una preposición después de **habiter** cuando se trata de una ciudad:
  **J'habite Montréal.** *Vivo en Montreal.*
- Note, también, las preposiciones usadas para países masculinos y femeninos.
  La France: **J'habite en France.** *Vivo en Francia.*
  Le Mexique: **J'habite au Mexique.** *Vivo en México.*
- Recuerde que en la negación, **ne** y **pas** se colocan a uno y otro lado del verbo (ver lección A2, 7).

## A4 TRADUCCIÓN

1. ¡Buenos días!
2. (Yo) vivo en Canadá.
3. (Yo) vivo en Montreal.
4. (Yo) hablo francés y español.
5. ¿(Tú) hablas portugués?
6. No.
7. No, (yo) no hablo portugués.
8. ¿(Tú) hablas inglés?
9. Sí.
10. Sí, (yo) hablo francés e inglés.

# 3 Nous visitons Paris.

## B1 PRESENTACIÓN

### ■ Gramática

- Pronombres personales plural:

| **nous** | **vous** |
|---|---|
| *nosotros* | *ustedes, usted* |

- Presente:

| | |
|---|---|
| **nous parlons** | *nosotros hablamos* |
| **vous parlez** | *ustedes hablan / usted habla* |

- Note que la conjugación de **vous**, tanto cuando representa un singular como cuando representa un plural, es la misma.

⟶ El tiempo presente del francés puede traducirse al español de dos maneras:

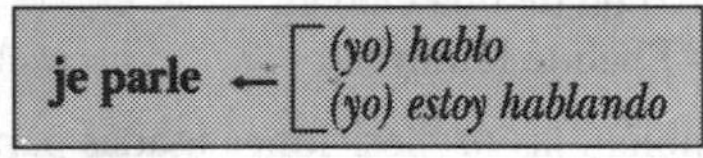


### ■ Vocabulario

| | |
|---|---|
| **j'aime bien** | *me gusta* |
| **visiter** | *visitar* |
| **trouver** | *encontrar* |
| **très** | *muy* |
| **bien** | *bien* |
| **aussi** | *también* |
| **boulevard Saint-Germain** | una avenida muy conocida de París |
| **Saint-Germain-des-Près** | parte del Barrio Latino en París |

## B2 EJEMPLOS *(Vivir en París)*

1. **Nous visitons Paris.**
2. **Vous visitez Paris aussi?**
3. **Non, nous habitons ici.**
4. **Nous habitons boulevard Saint-Germain.**
5. **Vous habitez près de Saint-Germain-des-Près?**
6. **Oui, très près.**
7. **Vous parlez très bien français!**
8. **Vous trouvez? Merci!**
9. **Vous aimez bien Paris?**
10. **Oui, nous aimons bien Paris.**

## B3 COMENTARIOS

### ■ Pronunciación

- **o, au**: dos maneras de escribir el mismo sonido, pronunciado [o] **(aussi, côté)**.
- **ien** en **bien** se pronuncia [jɛ̃].
- la **g** antes de **e** o **i** se pronuncia [ʒ] **(Germain)**.
- **s** entre dos vocales se pronuncia [z] **(visiter)**.
- **ss** entre dos vocales se pronuncia [s] **(aussi)**.

### ■ Gramática

- Recuerde: **Vous aimez bien Paris?** *¿Le gusta París?*
  Como en español, la entonación ascendente convierte una afirmación en pregunta.

## B4 TRADUCCIÓN

1. Estamos visitando París.
2. ¿Ustedes también están visitando París?
3. No, nosotros vivimos aquí.
4. (Nosotros) vivimos en el bulevar Saint-Germain.
5. ¿Viven cerca de Saint-Germain-des-Prés?
6. Sí, muy cerca.
7. ¡(Ustedes) hablan francés muy bien!
8. ¿Les parece? ¡Gracias!
9. ¿Les gusta París?
10. Sí, nos gusta París.

# Exercices

## C1 EJERCICIOS

**A. Haga coincidir los pronombres y los verbos:**

je, j', tu, nous, vous;
regarde - visitez - chantons - habite - regardes - écoutons - parlez

**B. Ponga el verbo entre paréntesis en la forma correcta:**

1. Nous (habiter) là-bas.
2. Je (rester) ici.
3. Vous (danser)?
4. Tu (regarder) Louis.

**C. Convierta las afirmaciones en negaciones:**
(usando **ne... pas** o **n'... pas**)

**D.** ●● **Traduzca al francés:**

1. Estamos mirando a Anne.
2. Ustedes no están cantando juntos.
3. Hablo portugués y francés.
4. Yo también estoy visitando París.

## C2 L'EUROPE ET L'AMERIQUE ●●
## *EUROPA Y AMÉRICA*

| **Pays** | *País* |
|---|---|
| **Angleterre (fem.)** | *Inglaterra* |
| **Argentine (fem.)** | *Argentina* |
| **Brésil (masc.)** | *Brasil* |
| **Canada (masc.)** | *Canadá* |
| **Colombie (fem.)** | *Colombia* |
| **Equateur * (masc.)** | *Ecuador* |
| **Espagne (fem.)** | *España* |
| **Etats Unis ** (masc. pl.)** | *Estados Unidos* |
| **France (fem.)** | *Francia* |
| **Mexique (masc.)** | *México* |
| **Pérou *** (masc.)** | *Perú* |

* Equateur: **eu** = [œ:]. ** Etats‿Unis: **liaison.** (z) *** Pérou: **ou** = [u].

● No confunda: **Le Mexique** *México*
**Mexico** *Ciudad de México.*

## C3 RESPUESTAS

**A.** Je regarde - J'habite - Tu regardes - Nous chantons - Nous écoutons - Vous visitez - Vous parlez.

**B.** 1. Nous habitons là-bas.
2. Je reste ici.
3. Vous dansez?
4. Tu regardes Louis.

**C.** 1. Nous n'habitons pas là-bas.
2. Je ne reste pas ici.
3. Vous ne dansez pas?
4. Tu ne regardes pas Louis.

**D.** 1. Nous regardons Anne.
2. Vous ne chantez pas ensemble.
3. Je parle portugais et français.
4. Je visite Paris aussi.

## C4 EXPRESIONES

**Bonjour - Bonsoir - Au revoir**

- El *día* **(jour)** se divide en:
  **matin** *(mañana)* **après-midi** *(tarde)* **soir** *(noche)*
- Cuando salude a una persona durante el día, dígale: **bonjour** *(buenos días, buenas tardes)*. Al final del día, use: **bonsoir** *(buenas noches)*.
- Cuando se despida de alguien, diga: **au revoir** *(hasta luego)*. También puede decir **bonsoir** cuando se despida de alguien en la noche.
- **Bonne nuit** se usa para desearle a alguien que duerma bien.

| Ej.: | **Bonjour Louis.** | *Buenos días, Louis.* |
|---|---|---|
| | **Au revoir Anne.** | *Hasta luego, Anne.* |
| | **Bonne nuit Antoine.** | *Buenas noches, Antoine.* |

- En **jour, au revoir, soir,** se pronuncia la **r** final.

# 4 Ils visitent Paris aujourd'hui.

## A1 PRESENTACIÓN

■ Gramática

- pronombres personales sujeto: 3ª persona

| | masculino | femenino |
|---|---|---|
| singular | **il** *(él)* | **elle** *(ella)* |
| plural | **ils** *(ellos)* | **elles** *(ellas)* |

Ej.: **il parle** *él habla* **elle parle** *ella habla*
**ils parlent** *ellos hablan* **elles parlent** *ellas hablan*

- Recuerde: el pronombre personal sujeto no puede omitirse en francés.

■ Pronunciación

- En el caso de **il**, **ils** se pronuncia la **l**.
- En el caso de **elle**, **elles**, la primera **e** se pronuncia [ɛ], la segunda no se pronuncia. La doble **l** se pronuncia [**l**].
- Note que **-e** / **-es** / **-ent**, las terminaciones verbales del presente, se consideran como una **e** final y por lo tanto no se pronuncian.

■ Vocabulario

| | | | |
|---|---|---|---|
| **aimer** | *querer, gustar* | **souvent** | *frecuentemente* |
| **voyager** | *viajar* | **parfois** | *a veces* |
| **aujourd'hui** | *hoy* | **mais** | *pero* |

**Agnès** y **Philippe** son nombres.

## A2 EJEMPLOS *(De viaje)*

1. **Agnès et Philippe habitent aux Etats Unis.**
2. **Ils habitent ensemble.**
3. **Elle voyage souvent.**
4. **Il voyage souvent aussi.**
5. **Ils ne restent pas souvent ici.**
6. **Ils voyagent parfois ensemble.**
7. **Il parle très bien français, mais il ne parle pas espagnol.**
8. **Elle parle anglais.**
9. **Ils visitent Paris aujourd'hui.**
10. **Elle aime Paris.**

## A3 COMENTARIOS

### ■ Gramática

- Los verbos que terminan en **-er** en infinitivo son de un mismo grupo:

| | | | | | |
|---|---|---|---|---|---|
| **aimer** | *gustar, querer* | **rester** | *quedarse* | **écouter** | *escuchar* |
| **parler** | *hablar* | **danser** | *bailar* | **visiter** | *visitar* |
| **habiter** | *vivir* | **chanter** | *cantar* | **voyager** | *viajar* |

Pertenecen al primer grupo. Presente:

| singular | | plural | |
|---|---|---|---|
| **je parle** | *yo hablo* | **nous parlons** | *nosotros hablamos* |
| **tu parles** | *tú hablas* | **vous parlez** | *usted habla, ustedes hablan* |
| **il/elle parle** | *él/ella habla* | **ils/elles parlent** | *ellos/ellas hablan* |

- Cuando hay varios sujetos y por lo menos uno de ellos es masculino, al igual que en español, el pronombre siempre es: **ils.**
  Ej.: **Anne et Louis parlent français = ils parlent français.**

### ■ Pronunciación

- Note que **oy** en **voyage** se pronuncia **[wa]** + [j] (como *ya* en español).
- Recuerde: **en**, [ɑ̃], de **souvent** es un sonido nasal que no existe en español.

## A4 TRADUCCIÓN

1. Agnès y Philippe viven en los Estados Unidos.
2. (Ellos) viven juntos.
3. Ella viaja frecuentemente.
4. Él también viaja frecuentemente.
5. (Ellos) no se quedan aquí frecuentemente.
6. (Ellos) a veces viajan juntos.
7. Él habla muy bien francés, pero (él) no habla español.
8. Ella habla inglés.
9. (Ellos) visitan París hoy.
10. Ella ama París.

# 4 On arrive demain.

## B1 PRESENTACIÓN

### ■ Gramática

- **on**
- en la conjugación, **on** es considerado como tercera persona del singular. En francés hablado, **on** se usa muchas veces en lugar de **nous.**

  Ej.: **On habite ici.** *(Nosotros) vivimos aquí.*

### ■ Vocabulario

| | |
|---|---|
| **arriver** | *llegar* |
| **déjeuner** | *almorzar* |
| **demain** | *mañana* |
| **dix heures** | *las diez (horas)* |
| **du matin** (ver C4) | *de la mañana* |
| **midi** | *mediodía* |
| **après** | *después* |

## B2 EJEMPLOS *(La llegada)*

1. **On arrive!**
2. **On arrive demain.**
3. **On arrive demain à dix heures.**
4. **On arrive demain à dix heures du matin.**
5. **On déjeune ensemble.**
6. **On déjeune ensemble à midi.**
7. **On visite Paris demain après-midi.**
8. **On ne visite pas Notre-Dame.**
9. **On ne parle pas très bien français.**
10. **On ne parle pas encore très bien.**

## B3 COMENTARIOS

### Gramática

- El presente puede usarse, como en español, para expresar una acción futura, siempre y cuando haya una palabra en la oración que indique el futuro.
  Ej.: **On arrive demain.** *Llegamos mañana.*

### Expresiones

- **A dix heures du matin :** ver C4, p. 33.

### Pronunciación

- **jeu** en **déjeune** se pronuncia como **je.**
- Note los enlaces:

  **on arrive** (n) **dix heures** (z)

- Recuerde: **on,** [ɔ̃], es una vocal nasal.
- **ain,** [ɛ̃], en **demain** también es una vocal nasal.

## B4 TRADUCCIÓN

1. ¡(Nosotros) vamos a llegar!
2. (Nosotros) vamos a llegar mañana.
3. (Nosotros) vamos a llegar mañana a las diez.
4. (Nosotros) vamos a llegar mañana a las diez de la mañana.
5. (Nosotros) vamos a almorzar juntos.
6. (Nosotros) vamos a almorzar juntos a mediodía.
7. (Nosotros) vamos a visitar París mañana en la tarde.
8. (Nosotros) no vamos a visitar Notre-Dame.
9. (Nosotros) no hablamos muy bien francés.
10. (Nosotros) no hablamos muy bien todavía.

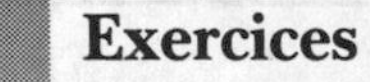

# Exercices

## C1 EJERCICIOS

**A. Seleccione la forma correcta:**

1. Il (parlons, parles, parle) français.
2. Elles (visitent, visitez, visites) Montréal.
3. Elle ne (voyages, voyagent, voyage) pas souvent.
4. Ils (aimons, aimes, aiment) Paris?
5. On (chante, chantez, chantes) bien!

**B. Use <u>ils</u> o <u>elles</u> para reemplazar los nombres:**

1. Antoine et Louis habitent Paris.
2. Agnès et Philippe ne parlent pas espagnol.
3. Hélène et Agnès arrivent demain.
4. Hélène, Agnès et Antoine déjeunent ensemble.

**C. Esto es lo que sabemos de Marc. ¿Y usted?**

1. Il habite en France.
2. Il habite Paris.
3. Il ne parle pas anglais.
4. Il aime voyager.
5. Il va souvent à Montréal.

## C2 NOMBRES / *NÚMEROS* (vea también lección 6, C4)

| **un** | **deux** | **trois** | **quatre** | **cinq** | **six** | **sept** | **huit** | **neuf** | **dix** | **onze** | **douze** |
|---|---|---|---|---|---|---|---|---|---|---|---|
| **1** | **2** | **3** | **4** | **5** | **6** | **7** | **8** | **9** | **10** | **11** | **12** |

⟶ Note que:

- **sept** suena como *set.*
- **ui** se pronuncia [**yi**].
- El sonido **eu** de **neuf, heure** se pronuncia [œ:].
- En **cinq, huit, neuf** se pronuncia la consonante final.
- En **six, dix** la **x** final se pronuncia [**s**].

⟶ No confunda: **nombre** *número*
**nom** *nombre.*

## C3 RESPUESTAS

**A.** 1. Il parle français.
2. Elles visitent Montréal.
3. Elle ne voyage pas souvent.
4. Ils aiment Paris?
5. On chante bien!

**B.** 1. Ils habitent Paris.
2. Ils ne parlent pas espagnol.
3. Elles arrivent demain.
4. Ils déjeunent ensemble.

**C.** 1. J'habite ...
2. J'habite ...
3. Je ne parle pas (o: je parle) anglais.
4. J'aime (o: je n'aime pas) voyager.
5. Je vais (o: je ne vais pas) souvent à Montréal.

## C4 DIRE L'HEURE / *DECIR LA HORA*

**midi/minuit**

**onze heures** — **une heure**
**dix heures** — **deux heures**
**neuf heures** — **trois heures**
**huit heures** — **quatre heures**
**sept heures** — **cinq heures**

**six heures**

- Las expresiones: **du matin** *(mañana)*, **de l'après-midi** *(tarde hasta las seis)*, **du soir** *(después de las seis de la tarde)* se usan para especificar.
  Ej.: **six heures du matin**
  **quatre heures de l'après-midi**
  **dix heures du soir**
- **qu** en **quatre** se pronuncia [**k**].
- Note este enlace particular: **neuf heures.** (v)

# 5 Tu vas trop vite!

## A1 PRESENTACIÓN

### ■ Gramática

- **aller** *(ir)* es un verbo irregular. Tiempo presente:

| | |
|---|---|
| **je vais** | *yo voy* |
| **tu vas** | *tú vas* |
| **il, elle va** | *él, ella va* |
| **nous allons** | *nosotros vamos* |
| **vous allez** | *usted, ustedes van* |
| **ils, elles vont** | *ellos, ellas van* |

### ■ Vocabulario

**monsieur (M.)** *señor*
**madame (Mme)** *señora*
**trop** *demasiado*
**vite** *rápido*
**loin** *lejos*
**à** *a*
**toujours** *siempre*

**Niza** es una ciudad en la Riviera francesa.
**Tours** es una ciudad en el río **Loire**.

## A2 EJEMPLOS *(Yendo a distintos lugares)*

1. **Je vais à Tours.**
2. **Je vais souvent à Tours.**
3. **Tu vas trop vite.**
4. **Il ne va pas à Paris.**
5. **Ils vont souvent à Paris.**
6. **On ne va pas souvent à Montréal.**
7. **Nous allons parfois à Paris.**
8. **Vous allez à Montréal?**
9. **Vous allez loin?**
10. **M. et Mme Martin ne vont pas loin.**
11. **Ils vont à Nice.**
12. **Ils vont toujours à Nice.**

## A3 COMENTARIOS

### ■ Gramática

• Adverbios que indican frecuencia, como **parfois, souvent, toujours,** suelen colocarse después del verbo en la afirmación y después de **pas** en la negación. Ej.:

| | |
|---|---|
| **Je vais souvent au Canada.** | *Voy a Canadá con frecuencia.* |
| **On ne va pas souvent à Buenos Aires.** | *No vamos a Buenos Aires seguido.* |
| **On va parfois à Paris.** | *A veces vamos a París.* |

### ■ Pronunciación

• **oin** se pronuncia [**wɛ̃**]. Ej.: **loin.**

• **ain, in:** dos maneras de escribir el mismo sonido (**maintenant, Martin**). (Ver lección 2, A3.)

## A4 TRADUCCIÓN

1. (Yo) voy a Tours.
2. (Yo) voy a Tours con frecuencia.
3. ¡Vas demasiado rápido!
4. (Él) no va a París.
5. (Ellos) van a París seguido.
6. (Nosotros) no vamos a Montreal seguido.
7. (Nosotros) a veces vamos a París.
8. ¿(Usted) va / (ustedes) van a Montreal?
9. ¿(Usted) va / (ustedes) van lejos?
10. El señor y la señora Martin no van lejos.
11. (Ellos) van a Niza.
12. (Ellos) siempre van a Niza.

## 5 Mlle Smith va travailler en France.

### B1 PRESENTACIÓN

■ Gramática

- **Aller** con un verbo en infinitivo expresa o una intención o el futuro inmediato. Es el equivalente en francés de *"ir a"*.

Ej.:

| | |
|---|---|
| **je vais rester** | *(yo) voy a quedarme* |
| **tu vas travailler** | *(tú) vas a trabajar* |
| **nous allons parler** | *(nosotros) vamos a hablar* |

■ Vocabulario

| | |
|---|---|
| **travailler** | *trabajar* |
| **mademoiselle (Mlle)** | *Señorita* |
| **octobre** | *octubre* |
| **décembre** | *diciembre* |
| **juillet** | *julio* |
| **bientôt** | *pronto* |
| **puis** | *luego* |

### B2 EJEMPLOS *(Proyectos)*

1. **Mlle Smith va travailler en France.**
2. **Elle va bientôt travailler à Paris.**
3. **Elle va travailler avec Mme Lenoir.**
4. **Elles vont travailler ensemble.**
5. **Vous allez habiter Paris?**
6. **Oui, je vais habiter Paris.**
7. **Je vais habiter boulevard Saint-Germain, avec Hélène.**
8. **Nous allons parler ensemble.**
9. **Nous allons parler français ensemble.**
10. **Je vais rester à Paris en octobre.**
11. **Puis je vais aller en Espagne.**
12. **Je vais rester en Espagne en décembre.**

## B3 COMENTARIOS

### ■ Gramática

• **à / en**

— Por lo general, **à**, *en* o *a*, se usa con nombres de ciudades:

| | |
|---|---|
| **à Paris** | *en* o *a París* |
| **à Nice** | *en* o *a Niza* |
| **à Rome** | *en* o *a Roma* |

• — **en** (fem.) y **au** (masc.), *en* o *a*, se usan con nombres de países:

| | |
|---|---|
| **en Espagne** | *en* o *a España* |
| **au Mexique** | *en* o *a México* |
| **en France** | *en* o *a Francia* |

### ■ Pronunciación

• Note que en francés hablado la **e** que se encuentra en medio de una palabra muchas veces no se pronuncia.

Ej.: **mademoiselle, boulevard**

## B4 TRADUCCIÓN

1. La señorita Smith va a trabajar en Francia.
2. (Ella) va a trabajar en París pronto.
3. (Ella) va a trabajar con la señora Lenoir.
4. (Ellas) van a trabajar juntas.
5. ¿(Usted) va a vivir en París?
6. Sí, (yo) voy a vivir en París.
7. (Yo) voy a vivir en el bulevar Saint-Germain, con Hélène.
8. (Nosotras) vamos a hablar juntas.
9. (Nosotras) vamos a hablar francés juntas.
10. (Yo) voy a quedarme en París en octubre.
11. Luego (yo) voy a España.
12. (Yo) voy a quedarme en España en diciembre.

# Exercices

## C1 EJERCICIOS

**A. Use la forma correcta del verbo <u>aller</u>:**

1. Vous (aller) loin.
2. Tu (aller) vite.
3. Je (aller) là-bas.
4. Nous (aller) à Paris.
5. Il (aller) parler.
6. Elles (aller) écouter Louis.
7. Agnès et Philippe (aller) habiter près de Nice.

**B. Use <u>a</u> o <u>en</u>:**

1. Je vais… Tours.
2. Il voyage… France.
3. Ils vont souvent… Argentine.
4. Nous travaillons… Nice.
5. Elle va rester… Espagne… septembre.

**C. Ponga el adverbio en el lugar adecuado:**

1. Nous allons à Madrid (parfois).
2. On ne travaille pas ensemble (souvent).
3. Je parle anglais (souvent).
4. Elle reste à côté de Louis (toujours).

## C2 MOIS / *MESES*

| | |
|---|---|
| **janvier** | *enero* |
| **février** | *febrero* |
| **mars** | *marzo* |
| **avril** | *abril* |
| **mai** | *mayo* |
| **juin** * | *junio* |
| **juillet** | *julio* |
| **août** ** | *agosto* |
| **septembre** | *septiembre* |
| **octobre** | *octubre* |
| **novembre** | *noviembre* |
| **décembre** | *diciembre* |

* **uin** se pronuncia **[yẽ]: juin.**
** En **août**, la **a** no se pronuncia.

## C3 RESPUESTAS

**A.** 1. Vous allez loin.
2. Tu vas vite.
3. Je vais là-bas.
4. Nous allons à Paris.
5. Il va parler.
6. Elles vont écouter Louis.
7. Agnès et Philippe vont habiter près de Nice.

**B.** 1. Je vais à Tours.
2. Il voyage en France.
3. Ils vont souvent en Argentine.
4. Nous travaillons à Nice.
5. Elle va rester en Espagne en septembre.

**C.** 1. Nous allons parfois à Madrid.
2. On ne travaille pas souvent ensemble.
3. Je parle souvent anglais.
4. Elle reste toujours à côté de Louis.

## C4 monsieur (M.), madame (Mme), mademoiselle (Mlle)

• Pueden usarse con un nombre.
Ej.: **monsieur Lenoir**
**madame Lenoir**
**mademoiselle Lemercier**

• También pueden usarse como equivalentes de *señor, señora, señorita.*

• **on** de **monsieur** se pronuncia [ə].

• En plural: **messieurs, mesdames, mesdemoiselles**; **mes** se pronuncia **mé.**

■ Para presentarse o presentar a alguien, la expresión comúnmente usada es:

**je m'appelle** * ... — *(yo) me llamo* ** ...
**tu t'appelles** * ... — *(tú) te llamas* ...
**il, elle s'appelle** * ... — *(él, ella) se llama* ...
**nous nous appelons** ... — *(nosotros) nos llamamos* ...
**vous vous appelez** ... — *(usted, ustedes) se llama / se llaman* ...
**ils, elles s'appellent*** ... — *(ellos, ellas) se llaman* ...

* Note la doble **l** (recuerde que se pronuncia [**l**]): en este caso, la primera **e** se pronuncia [ɛ]. En el caso de **appelons** y **appelez**, sólo hay una **l** y la **e** no se pronuncia.

** **Nom, prénom** / *Apellido, nombre.*

# 6 Elle est très jolie.

## A1 PRESENTACIÓN

### ■ Gramática

| être | | *ser/estar* |
|---|---|---|
| je | suis | *(yo) soy / estoy* |
| tu | es | *(tú) eres / estás* |
| il, elle | est | *(él, ella) es / está* |

- Note que en francés hay un solo verbo para *ser* y *estar:* **être.**

### ■ Vocabulario

| | |
|---|---|
| **français(e)** | *francés(a)* |
| **espagnol(e)** | *español(a)* |
| **mexicain(e)** | *mexicano(a)* |
| **américain(e)** | *americano(a)* |
| **grand(e)** | *grande* |
| **joli(e)** | *bonito(a), lindo(a)* |
| **blond(e)** | *rubio(a)* |
| **intelligent(e)** | *inteligente* |
| **sympathique** (masc. y fem.) | *simpático(a)* |

## A2 EJEMPLOS *(Gente)*

1. **Je suis français.**
2. **Je suis française.**
3. **Tu es sympathique.**
4. **Tu es intelligent.**
5. **Tu es intelligente.**
6. **Nicolas n'est pas espagnol.**
7. **Il est mexicain.**
8. **Il est grand et blond.**
9. **Il est très sympathique.**
10. **Anne est américaine.**
11. **Elle est très jolie.**
12. **Elle n'est pas très grande.**

# Es muy bonita.

## A3 COMENTARIOS

■ Gramática

- Para formar un adjetivo femenino en singular por lo general se le añade una **e** al adjetivo masculino:

| | masculino | femenino |
|---|---|---|
| *bonito/a, lindo/a* | **joli** | **jolie** |
| *rubio/a* | **blond** | **blonde** |

- Cuando el adjetivo masculino termina con una **e** muda, no se modifica en el femenino:

| | masculino | femenino |
|---|---|---|
| *simpático/a* | **sympathique** | **sympathique** |

- Cuando un adjetivo masculino termina con una consonante, la consonante no se pronuncia. Pero cuando un adjetivo femenino termina en **e**, la consonante final sí se pronuncia:

| | masculino | femenino |
|---|---|---|
| *alto/a* | **grand** | **grande** |
| *inteligente* | **intelligent** | **intelligente** |

## A4 TRADUCCIÓN

1. Soy francés.
2. Soy francesa.
3. Eres simpático/a.
4. Eres inteligente. (masc.)
5. Eres inteligente. (fem.)
6. Nicolás no es español.
7. Es mexicano.
8. Es alto y rubio.
9. Es muy simpático.
10. Anne es americana.
11. Es muy bonita.
12. No es muy alta.

# Ils sont tristes.

## B1 PRESENTACIÓN

■ Gramática

| être | | ser/estar |
|---|---|---|
| **nous** | **sommes** | *nosotros somos / estamos* |
| **vous** | **êtes** | *usted es / está* |
| | | *ustedes son / están* |
| **ils, elles** | **sont** | *ellos, ellas son / están* |

- El plural de los adjetivos se forma casi siempre añadiéndole una s al singular:

| | | singular | plural |
|---|---|---|---|
| *inteligente* | masc. | **intelligent** | **intelligents** |
| | fem. | **intelligente** | **intelligentes** |

■ Pronunciación

- argentin = [ɛ̃].
- argentine = [**in**].

■ Vocabulario

| | |
|---|---|
| **argentin(e)** | *argentino(a)* |
| **jeune** | *joven* |
| **content(e)** | *contento(a)* |
| **triste** | *triste* |
| **gentil/gentille** | *amable* |

## B2 EJEMPLOS *(Gente)*

1. **Nous sommes argentins.**
2. **Nous sommes argentines.**
3. **Vous êtes trop jeunes.**
4. **Vous êtes contentes?**
5. **Elles ne sont pas contentes.**
6. **Elles sont tristes.**
7. **Ils sont tristes.**
8. **Philippe est gentil.**
9. **Anne aussi est gentille.**
10. **Anne et Philippe sont gentils.**
11. **Ils ne sont pas contents.**
12. **Elles ne sont pas gentilles.**

## B3 COMENTARIOS

### ■ Gramática

- Cuando un adjetivo se refiere a varios sustantivos, de los cuales por lo menos uno es masculino, el adjetivo está en masculino plural:

  **Pierre et Marie sont gentils.**
  *Pierre y Marie son amables.*

- En francés, los adjetivos que se refieren a nacionalidades no se escriben con mayúscula (ver lección 3, A3), pero los sustantivos que se refieren a nacionalidades sí.

  | | | |
  |---|---|---|
  | Adj.: | **Nous sommes argentins.** | *Somos argentinos.* |
  | Sust.: | **Un Argentin.** | *Un argentino.* |

### ■ Pronunciación

- **g + e** o **i** se pronuncia [ʒ] (ej.: **gentil**); en los demás casos se pronuncia [**g**] (ej.: **anglais**).
- **ill** + vocal se pronuncia [**i:j**], como la *ll* en español (ej.: **gentille**).

## B4 TRADUCCIÓN

1. Somos argentinos.
2. Somos argentinas.
3. (Ustedes) son demasiado jóvenes.
4. ¿Están contentas?
5. No están contentas.
6. Ellas están tristes.
7. Ellos están tristes.
8. Philippe es amable.
9. Anne también es amable.
10. Anne y Philippe son amables.
11. No están contentos.
12. No son amables.

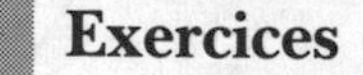

# 6 Exercices

## C1 EJERCICIOS

**A. Llene los espacios en blanco:**

1. ... sont blondes.
2. Je ... près de Frédéric.
3. Elle ... petite.
4. Vous ... très sympathique.
5. ... sommes à Paris.
6. Ils ... devant Notre-Dame.

**B. Haga ocho oraciones tomando un elemento de cada columna:**

| | | |
|---|---|---|
| je | sommes | sympathique |
| tu | sont | tristes |
| il | es | jeune |
| elle | suis | jolies |
| nous | êtes | contents |
| vous | est | |
| ils | | |
| elles | | |

**C. ●● Traduzca al francés:**

1. Son simpáticos (3 posibilidades).
2. Anne y Sophie no son muy guapas.
3. Anne y Nicolas son altos.

## C2 NATIONALITES / *NACIONALIDADES* ●●

Adjetivos

| masculino | femenino | |
|---|---|---|
| **anglais** | **anglaise** | *inglés/a* |
| **espagnol** | **espagnole** | *español/a* |
| **français** | **française** | *francés/a* |
| **canadien** | **canadienne** | *canadiense* |
| **américain** | **américaine** | *americano/a* |
| **mexicain** | **mexicaine** | *mexicano/a* |
| **colombien** | **colombienne** | *colombiano/a* |
| **péruvien** | **péruvienne** | *peruano/a* |
| **équatorien** | **équatorienne** | *ecuatoriano/a* |
| **argentin** | **argentine** | *argentino/a* |
| **brésilien** | **brésilienne** | *brasileño/a* |

# 6 Ejercicios

## C3 RESPUESTAS

**A.**
1. Elles sont blondes.
2. Je suis près de Frédéric.
3. Elle est petite.
4. Vous êtes très sympathique.
5. Nous sommes à Paris.
6. Ils sont devant Notre-Dame.

**B. Éstas son algunas posibilidades:**
1. Je suis sympathique.
2. Tu es sympathique.
3. Il est jeune.
4. Elle est jeune.
5. Nous sommes contents.
6. Vous êtes tristes.
7. Ils sont contents.
8. Elles sont jolies.

**C.**
1. Ils sont sympathiques. / Elles sont sympathiques. / Vous êtes sympathiques.
2. Anne et Sophie ne sont pas très jolies.
3. Anne et Nicolas sont grands.

## C4 NOMBRES / *NÚMEROS* (ver lección 4, C2)

| | | | |
|---|---|---|---|
| 20 | **vingt** | 60 | **soixante** |
| 30 | **trente** | 70 | **soixante-dix** *(sesenta diez)* |
| 40 | **quarante** | 80 | **quatre-vingts** *(cuatro veintes)* |
| 50 | **cinquante** | 90 | **quatre-vingt-dix** *(cuatro veinte diez)* |

→ Note la manera curiosa de decir **70, 80, 90.**

| | |
|---|---|
| 100 | **cent** |
| 1000 | **mille*** |

* Aquí **ill** se pronuncia **[il]**.

# 7 Nous préparons un repas froid.

## A1 PRESENTACIÓN

### Gramática

- Recuerde la conjugación del presente:

| | |
|---|---|
| **je demande** | **nous demandons** |
| **tu demandes** | **vous demandez** |
| **il, elle demande** | **ils, elles demandent** |

- Éste es el artículo indefinido singular:

| masculino | femenino |
|---|---|
| **un** | **une** |
| *un* | *una* |

### Vocabulario

**manger** *comer*
**préparer** *preparar*
**acheter** *comprar*
**demander** *preguntar, pedir*
**repas** (masc.) *comida*
**bouteille** (fem.) *botella*
**vin** (masc.) *vino*
**samedi** (masc.) *sábado*

**chaud(e)** *caliente*
**froid(e)** *frío(a)*
**baguette** (fem.) *pan blanco de forma muy alargada*
**croissant** (masc.) *medialuna (pan dulce)* (Puede comprar un **croissant** y una **baguette** en la panadería)
**de** *de*

## A2 EJEMPLOS *(Pan y vino)*

1. **Elle mange un croissant.**
2. **Il mange un croissant chaud.**
3. **Il mange souvent un croissant chaud à neuf heures.**
4. **Vous préparez un repas froid?**
5. **Oui, nous préparons un repas froid.**
6. **Ils vont acheter une baguette.**
7. **Achète une salade et une bouteille de vin pour demain!**
8. **Nous allons dans un restaurant argentin samedi?**
9. **Non, nous allons dans un restaurant mexicain.**
10. **Un croissant s'il vous plaît!**
11. **Elle demande un croissant.**
12. **Elle demande un croissant et une baguette.**

# 7 Estamos preparando una comida fría.

## A3 COMENTARIOS

### ■ Gramática

- Recuerde que el presente francés se traduce al español de dos maneras:

| | |
|---|---|
| **elle mange** | *ella come* |
| | *ella está comiendo.* |

- Casi siempre, como en español, los adjetivos se colocan después del sustantivo que acompañan.

| Ej.: | | |
|---|---|---|
| | **un croissant chaud** | *un 'croissant' caliente* |
| | **un repas froid** | *una comida fría* |
| | **un restaurant mexicain** | *un restaurante mexicano* |

### ■ Pronunciación

- **un**: esta vocal nasal se pronuncia [œ̃].
- **une**: la **u** se pronuncia como en **tu** (ver pág. 23) seguida de **n**. La **e** final es muda.
- **eille** en **bouteille** se pronuncia [ɛ:j].

## A4 TRADUCCIÓN

1. (Ella) está comiendo un 'croissant'.
2. (Él) está comiendo un 'croissant' caliente.
3. (Él) muchas veces come un 'croissant' caliente a las nueve.
4. ¿(Ustedes) están preparando una comida fría?
5. Sí, (nosotros) estamos preparando una comida fría.
6. (Ellos) van a comprar una 'baguette'.
7. ¡Compra una ensalada y una botella de vino para mañana!
8. ¿Vamos a un restaurante argentino el sábado?
9. No, vamos a un restaurante mexicano.
10. ¡Un 'croissant', por favor!
11. (Ella) está pidiendo un 'croissant'.
12. (Ella) está pidiendo un 'croissant' y una 'baguette'.

# 7 Elle habite avec des amis.

## B1 PRESENTACIÓN

### ■ Gramática

- El artículo indefinido tiene nada más una forma en plural, tanto para el masculino como para el femenino. No se puede omitir.

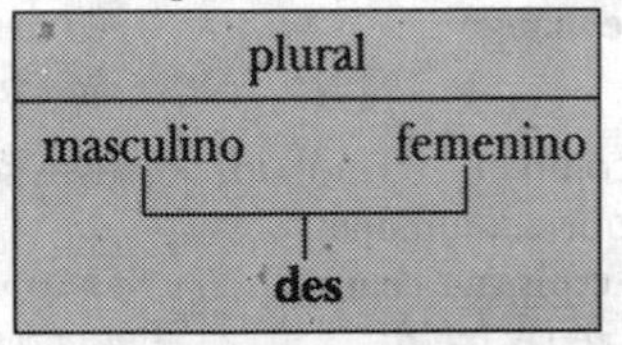


- Por lo general, el plural se forma añadiéndole una **s** al singular.
  Ej.: **des étudiants / des étudiantes** *unos / unas estudiantes*

### ■ Vocabulario

| | | | |
|---|---|---|---|
| **rencontrer** | *encontrarse, entrevistarse con, conocer* | **magazine** (masc.) | *revista* |
| **voici** | *aquí está* | **journaliste** (masc., fem.) | *periodista* |
| **photo** (fem.) | *foto* | **artiste** (masc., fem.) | *artista* |
| **étudiant** (masc.) | *estudiante* | **écrivain** (masc.) | *escritor* |
| **ami** (masc.) | *amigo* | **étranger** | *extranjero* |
| **examen** (masc.) | *examen* | **célèbre** | *famoso* |
| **livre** (masc.) | *libro* | | |

## B2 EJEMPLOS *(Estudiando en el extranjero)*

1. **Voici des photos de María, une étudiante mexicaine.**
2. **Ici, elle parle avec des étudiants étrangers.**
3. **Là, elle visite une cathédrale avec des amis français.**
4. **Elle habite avec des amis.**
5. **Elle prépare des examens.**
6. **Elle va acheter des magazines et des livres français.**
7. **Pedro et Juan sont des journalistes mexicains.**
8. **Ils parlent avec des artistes.**
9. **Ils rencontrent des journalistes français.**
10. **Ils rencontrent aussi des écrivains célèbres.**
11. **Nous rencontrons souvent des amis ici.**
12. **Nous allons souvent dans des restaurants étrangers.**

# 7 Vive con unos amigos.

## B3 COMENTARIOS

### Gramática

- En plural, no olvide que sólo hay un artículo indefinido: **des.** En francés es prácticamente imposible usar un sustantivo solo. Casi siempre se necesita un artículo.

  Ej.: **des photos** *unas fotos*
  **des examens** *unos exámenes*

- Los sustantivos que terminan en **s** en el singular no cambian en el plural.

  Ej.: **un repas - des repas** *comidas*
  **un pays - des pays** *países*

### Pronunciación

- **es** en **des** se pronuncia [ɛ].
- Note que en **cathédrale: th** se pronuncia [t].
- No olvide el enlace:

  **des‿amis, des‿artistes, des‿étudiants, des‿écrivains.**
  z z z z

## B4 TRADUCCIÓN

1. Aquí están unas fotos de María, una estudiante mexicana.
2. Aquí, está hablando con unos estudiantes extranjeros.
3. Allí, está visitando una catedral con unos amigos franceses.
4. Vive con unos amigos.
5. Prepara unos exámenes.
6. Va a comprar unos libros y revistas franceses.
7. Pedro y Juan son unos periodistas mexicanos.
8. Están hablando con unos artistas.
9. Se entrevistan con unos periodistas franceses.
10. Se entrevistan también con escritores famosos.
11. Muchas veces nos encontramos con amigos aquí.
12. Muchas veces vamos a restaurantes extranjeros.

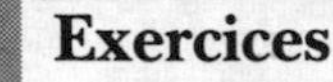

# 7 Exercices

## C1 EJERCICIOS

**A. Ponga el artículo correspondiente:**

un - une - des:

restaurants - amie - portrait - amis - photo - amies - photos - ami - bouteilles de vin - repas - baguette - étudiant - livre - artiste - journaliste.

**B. Haga corresponder los artículos, sustantivos y adjetivos:**

| | | |
|---|---|---|
| pays | un | française |
| amie | une | intelligents |
| photo | des | français |
| portrait | | sympathiques |
| étudiants | | étranger |
| livres | | célèbre |
| écrivains | | étrangers |
| restaurants | | froids |
| repas | | colombienne |
| amis | | |
| journaliste | | |

## C2 UN AMI / UNE AMIE
*UN AMIGO / UNA AMIGA*

- Por lo general, para formar un sustantivo femenino se le añade una **e** al masculino.

  Ej.: **ami** — **amie**
  **étudiant** — **étudiante**

- Sin embargo, algunos sustantivos pueden usarse tanto para el masculino como para el femenino:

  Ej.: **journaliste**
  **artiste**

- La **e** final no se pronuncia; sin embargo la consonante que la precede sí se pronuncia: **un étudiant - une étudiante.**

## C3 RESPUESTAS

**A.** Des restaurants - Une amie - Un portrait - Des amis - Une photo - Des amies - Des photos - Un ami - Des bouteilles de vin - Un repas - Une baguette - Un étudiant - Un livre - Un artiste - Une journaliste.

**B. Algunas posibilidades:**
Un pays étranger.
Une amie française.
Une amie colombienne.
Une photo célèbre.
Un portrait célèbre.
Des étudiants intelligents.
Des livres français.
Des écrivains étrangers.
Des restaurants sympathiques.
Des repas froids.
Des amis français.
Une journaliste colombienne.
Un journaliste étranger.

## C4 AUJOURD'HUI... DEMAIN
*HOY* *MAÑANA*

| | |
|---|---|
| **lundi** | *lunes* |
| **mardi** | *martes* |
| **mercredi** | *miércoles* |
| **jeudi** | *jueves* |
| **vendredi** | *viernes* |
| **samedi** | *sábado* |
| **dimanche** | *domingo* |

- Los días de la semana, como en español, son masculinos.
- Note que en francés el nombre del día se usa sin artículo:

Ej.: **lundi** *el lunes.*
**dimanche** *el domingo.*

# 8 C'est une maison confortable.

## A1 PRESENTACIÓN

■ Gramática

- **c'est** puede ser el equivalente de *(éste) es, (ésta) es, o (esto) es,* cuando le sigue un sustantivo en singular:

  Ej.: **C'est un ami.** *(Éste) es un amigo.*
  **C'est une amie.** *(Ésta) es una amiga.*
  **C'est un studio.** *(Esto) es un estudio.*

- A **c'est** puede seguirle también un adjetivo o un adverbio solo. En ese caso es el equivalente de *es,* o *eso es.*

  Ej.: **C'est gentil.** *(Esto) es simpático.*

- La forma negativa es **ce n'est pas,** *no es,* (en francés hablado: **c'est pas**).

■ Vocabulario

**à louer** *en alquiler*
**voisin** (masc.) *vecino*
**appartement** (masc.) *apartamento*
**immeuble** (masc.) *edificio*
**maison** (fem.) *casa*
**petit(e)** *pequeño(a)*
**grand(e)** *grande*
**confortable** *cómodo*
**moderne** *moderno(a)*
**pas cher** *barato*
**vraiment** *realmente*

## A2 EJEMPLOS *(Buscando un apartamento)*

1. **C'est Anne.**
2. **C'est une amie.**
3. **C'est Pierre.**
4. **C'est un voisin.**
5. **C'est un appartement à louer.**
6. **C'est un petit appartement dans un grand immeuble.**
7. **C'est une maison confortable.**
8. **Ce n'est pas une maison très moderne.**
9. **C'est loin?**
10. **Non, ce n'est pas loin.**
11. **Ce n'est pas cher.**
12. **Ce n'est vraiment pas cher!**

## A3 COMENTARIOS

### ■ Gramática

- Ya vimos que la mayoría de los adjetivos en francés se colocan detrás del sustantivo que acompañan. (Vea lección 7, A3)
  Sin embargo, algunos adjetivos cortos y comunes se colocan antes del sustantivo (vea la lista en C2).
  Ej.: **C'est un petit appartement.** *Es un apartamento pequeño.*
- Note que en francés hablado se dice muchas veces **c'est pas,** en vez de **ce n'est pas.**
  Ej.: **C'est pas grand (ce n'est pas grand).**
  *No es grande.*

### ■ Pronunciación

- **c'est** se pronuncia [**s**].
- **ce** se pronuncia [**s**].
- **im** de **immeuble** se pronuncia [**imm**].

## A4 TRADUCCIÓN

1. Ésta es Anne.
2. Es una amiga.
3. Éste es Pierre.
4. Es un vecino.
5. Es un apartamento en renta.
6. Es un apartamento pequeño en un edificio grande.
7. Es una casa cómoda.
8. No es una casa muy moderna.
9. ¿Está lejos?
10. No, no está lejos.
11. No es caro.
12. ¡Es realmente barato!

# Ce sont des immeubles modernes.

## B1 PRESENTACIÓN

### ■ Gramática

- Cuando le sigue un sustantivo en plural, **c'est** se convierte en **ce sont.**

  Ej.: **Ce sont des appartements très chers.**
  *Son apartamentos muy caros.*
- La forma negativa es **ce ne sont pas.**
- Note que: **ce sont,** al contrario de **c'est,** nunca se usa con un adjetivo solo.

### ■ Vocabulario

| | |
|---|---|
| **pièce** (fem.) | *cuarto* |
| **chambre** (fem.) | *recámara* |
| **chaise** (fem.) | *silla* |
| **lampe** (fem.) | *lámpara* |
| **fenêtre** (fem.) | *ventana* |
| **rideau** (masc.) | *cortina* |
| **tapis** (masc.) | *tapiz* |
| **cher** | *caro* |
| **sombre** | *oscuro* |
| **beau** (masc.) / **belle** (fem.) | *bello / bella* |
| **bon marché** | *barato* |

## B2 EJEMPLOS *(Amueblando un apartamento)*

1. **Ce sont des immeubles chers.**
2. **Ce sont des appartements très confortables.**
3. **Ce sont des pièces sombres.**
4. **Ce ne sont pas de grandes pièces.**
5. **Ce sont de petites chambres.**
6. **Ce ne sont pas des chaises confortables.**
7. **Ce sont de jolies lampes.**
8. **Ce sont de grandes fenêtres.**
9. **Ce sont de beaux rideaux.**
10. **Ce ne sont pas des tapis bon marché!**
11. **Ce ne sont pas de beaux tapis.**
12. **Ce sont des immeubles modernes.**

# 8 Son edificios modernos.

## B3 COMENTARIOS

### ■ Gramática

- Note que **des** se convierte en **de** cuando hay un adjetivo delante del sustantivo.

**Ce sont des lampes.**
*Son (unas) lámparas.*
**Ce sont de jolies lampes.**
*Son (unas) lámparas bonitas.*

- Las palabras que terminan en **-eau** forman su plural con **x** en vez de **s**.
  Ej.: **De beaux rideaux.** *Unas cortinas bonitas.*

### ■ Pronunciación

- **o, au, eau:** tres maneras de escribir el mismo sonido: [**o**].
  Ej.: **Sophie, restaurant, beau, rideau.**

## B4 TRADUCCIÓN

1. Son edificios caros.
2. Son apartamentos muy cómodos.
3. Son cuartos oscuros.
4. No son cuartos grandes.
5. Son recámaras pequeñas.
6. No son sillas cómodas.
7. Son lámparas bonitas.
8. Son ventanas grandes.
9. Son cortinas bonitas.
10. No son tapices baratos.
11. No son tapices bonitos.
12. Son edificios modernos.

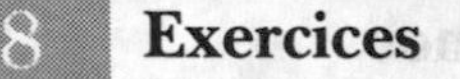

# 8 Exercices

## C1 EJERCICIOS

**A.** ●● **Use c'est o ce sont en las siguientes oraciones:**

1. … un ami.
2. … une voisine.
3. … des immeubles modernes.
4. … Michel.
5. … de belles maisons.
6. … un écrivain célèbre.
7. … un étudiant étranger.
8. … des croissants chauds.

**B. Ponga los adjetivos en su lugar y hágalos coincidir en género y número con el sustantivo:**

1. moderne: c'est une lampe.
2. joli: c'est une chambre.
3. mauvais: c'est un restaurant.
4. froid: c'est un repas.
5. petit: c'est une maison.
6. bon: ce sont des bouteilles.
7. confortable: ce sont des appartements.
8. jeune: ce sont des étudiants.

**C.** ●● **Lea estas oraciones y fíjese en el enlace:**

1. C'est Anna, c'est une amie.
2. Ce n'est pas une journaliste, c'est une étudiante.
3. Elle habite un petit appartement dans un petit immeuble.

## C2 ADJETIVOS DE USO FRECUENTE QUE SE COLOCAN POR LO GENERAL ANTES DEL SUSTANTIVO

| Masculino | Femenino | |
|---|---|---|
| **bon** | **bonne** | *bueno / a* |
| **cher** | **chère** | *caro / a* |
| **grand** | **grande** | *grande* |
| **jeune** | **jeune** | *joven* |
| **joli** | **jolie** | *bonito / a, guapo / a* |
| **long** | **longue** | *largo / a* |
| **mauvais** | **mauvaise** | *malo / a* |
| **petit** | **petite** | *pequeño / a* |
| **beau** * | **belle** | *bello / a* |
| **vieux** * | **vieille** | *viejo / a* |
| **nouveau** * | **nouvelle** | *nuevo / a* |

* Note algunos adjetivos cuyo femenino es irregular.

# 8 Ejercicios

## C3 RESPUESTAS

**A.** 1. C'est un ami.
2. C'est une voisine.
3. Ce sont des immeubles modernes.
4. C'est Michel.
5. Ce sont de belles maisons.
6. C'est un écrivain célèbre.
7. C'est un étudiant étranger.
8. Ce sont des croissants chauds.

**B.** 1. C'est une lampe moderne.
2. C'est une jolie chambre.
3. C'est un mauvais restaurant.
4. C'est un repas froid.
5. C'est une petite maison.
6. Ce sont de bonnes bouteilles.
7. Ce sont des appartements confortables.
8. Ce sont de jeunes étudiants.

**C. Muestra el lugar donde hay enlace:**
1. C'est—Anna, c'est—une—amie.
2. Ce n'est pas—une journaliste, c'est—une—étudiante.
3. Elle habite—un petit—appartement dans—un petit—immeuble.

## C4 LOGEMENT / *VIVIENDA*

| | |
|---|---|
| **séjour** (masc.) | *sala de estar* |
| **salon** (masc.) | *salón* |
| **salle à manger** (fem.) | *comedor* |
| **cuisine** (fem.) | *cocina* |
| **salle de bains** (fem.) | *cuarto de baño* |
| **jardin** (masc.) | *jardín* |
| **garage** (masc.) | *garaje* |

# 9 Tu as des enfants aussi?

## A1 PRESENTACIÓN

■ Gramática

| **Avoir** | *Tener, haber* |
|---|---|
| **j'ai** | *(yo) tengo, he* |
| **tu as** | *(tú) tienes, has* |
| **il, elle a** | *(él, ella) tiene, ha* |

⟶ Note que **avoir** es el equivalente tanto de *tener* como de *haber*. Veamos ejemplos en los que **avoir** significa *tener:*

*(Yo) tengo un auto.* — **J'ai une voiture.**
*(Él) tiene dos hijos.* — **Il a deux enfants.**
*(Tú) tienes una casa bonita.* — **Tu as une belle maison.**

■ Vocabulario

**rue** (fem.) — *calle*
**enfant** (masc., fem.) — *niño/a*
**fils** (masc.) — *hijo*
**fille** (fem.) — *hija*
**docteur** (masc.) — *doctor*
**métier** (masc.) — *profesión*
**chat** (masc.) — *gato*
**en (avion)** — *en (avión)*
**intéressant** — *interesante*

**Évry** es una ciudad cerca de París.
**Nantes** es una ciudad en el río **Loire**.

## A2 EJEMPLOS *(Hablando de la familia)*

1. **J'ai un appartement rue Monge à Paris.**
2. **J'ai une maison près de Nantes.**
3. **Il a une maison à Nice, il y va en avion.**
4. **J'ai deux enfants.**
5. **Tu as des enfants aussi?**
6. **Oui, un fils et une fille.**
7. **Agnès a un métier intéressant.**
8. **Elle travaille à Évry, elle y va en train.**
9. **Guy est docteur, il a une grande maison.**
10. **Il a des enfants.**
11. **Il a un chat.**
12. **Il a une petite voiture.**

# 9 ¿Tú también tienes hijos?

## A3 COMENTARIOS

### Gramática

- Recuerde:
  — **à** es una preposición: **à Nice, à Évry** (el acento no afecta la pronunciación).
  — **a** es la 3ª persona singular del verbo **avoir**.
- **rue Monge:** note que en la mayoría de los casos no se usa ni artículo ni preposición delante de la expresión: **rue…**
- **y**, *allí*, se refiere a un lugar que ya se mencionó antes. Se coloca justo delante del verbo.
  Ej.: **Il y va en avion** (**y** se refiere a Niza).
  *Va allí en avión.*
  **Elle y va en train** (**y** se refiere a Évry).
  *Va allí en tren.*

### Pronunciación

- Note que **gu + i** / **gu + e** / **gu + y** → se pronuncia [**g**] (ej.: *Guy*).
- **ion** en **avion** se pronuncia [jɔ̃].
- En **fils,** la **s** se pronuncia [**s**], pero la **l** no se pronuncia.
- **y** (allí) se pronuncia [**i**].

## A4 TRADUCCIÓN

1. Tengo un apartamento en la calle Monge, en París.
2. Tengo una casa cerca de Nantes.
3. Él tiene una casa en Niza, va allí en avión.
4. Tengo dos hijos.
5. ¿Tú también tienes hijos?
6. Sí, un hijo y una hija.
7. Agnès tiene una profesión interesante.
8. Trabaja en Évry, va allí en tren.
9. Guy es doctor, tiene una casa grande.
10. Tiene hijos.
11. Tiene un gato.
12. Tiene un coche pequeño.

# 9 Nous avons une vieille voiture.

## B1 PRESENTACIÓN

### ■ Gramática

| Avoir | | *Tener, haber* |
|---|---|---|
| nous | avons | *(nosotros) tenemos, hemos* |
| vous | avez | *(usted) tiene, ha* |
| | | *(ustedes) tienen, han* |
| ils, elles | ont | *(ellos, ellas) tienen, han* |

- Algunas expresiones: **avoir faim** *tener hambre*
  **avoir soif** *tener sed*

### ■ Vocabulario

**semaine** (fem.) *semana*
**vacances** (fem. pl.) *vacaciones*
**valise** (fem.) *maleta, valija*
**sac** (masc.) *bolso*
**parent** (masc.) *pariente*
**hôtel** (masc.) *hotel*
**avenue** (fem.) *avenida*
**neuf/neuve** *nuevo / nueva*

## B2 EJEMPLOS *(Tener y no tener)*

1. **Nous avons une vielle voiture.**
2. **Ils ont une voiture neuve.**
3. **Ils ont de longues vacances.**
4. **Nous avons trois semaines de vacances.**
5. **Vous n'avez pas de valises?**
6. **Oui, nous avons deux valises et un sac.**
7. **Elles ont des sacs neufs.**
8. **Agnès et Guy ont des parents à Nice.**
9. **Nous avons des voisins sympathiques.**
10. **Ils ont un hôtel avenue Masséna.**
11. **Vous avez faim?**
12. **Non, mais nous avons soif.**

# 9 Tenemos un auto viejo.

## B3 COMENTARIOS

### ■ Vocabulario

- Note que:
  — **neuf, neuve** significa: que todavía no ha sido usado.
  — **nouveau** o **nouvelle** significa más bien *reciente.*
  Ej.: **un nouveau livre** *un libro reciente*
  **une voiture neuve** *un auto nuevo*
- Recuerde que **parents** en francés significa tanto *padres* como *parientes.*

### ■ Gramática

- Note la pregunta negativa: **Vous n'avez pas de valises?**
  *¿No tienen maletas?*

### ■ Pronunciación

- **aim** en **faim** se pronuncia como **ain en maintenant** (ver lección 4, B3).
- Las consonantes finales no se pronuncian, a excepción de **c, f, l, q, r** que por lo general sí se pronuncian.
  Ej.: **neuf, soif, sac, hôtel, cinq, Marc.**

## B4 TRADUCCIÓN

1. Tenemos un auto viejo.
2. Ellos tienen un auto nuevo.
3. Ellos tienen vacaciones largas.
4. Tenemos tres semanas de vacaciones.
5. ¿No tienen maletas?
6. Sí, tenemos dos maletas y un bolso.
7. Ellos tienen bolsos nuevos.
8. Agnès y Guy tienen parientes en Niza.
9. Tenemos vecinos simpáticos.
10. Ellos tienen un hotel en la avenida Masséna.
11. ¿Tienen hambre?
12. No, pero tenemos sed.

## 9 Exercices

### C1 EJERCICIOS

**A. Conjugue el verbo avoir:**

1. Je ... trois photos de Guy.
2. Tu ... des voisins sympathiques.
3. Il ... deux fils et une fille.
4. Elle ... un sac neuf.
5. Ils ... une vieille voiture.
6. Tu ... une voiture neuve?
7. Nous ... des amis en Espagne.
8. Ils ... des métiers intéressants.
9. Vous ... des enfants?

**B. Ponga à o a en los espacios en blanco:**

1. Il ... un restaurant rue Monge ... Paris.
2. Elle habite ... côté de Notre-Dame.
3. Je vais travailler ... Évry.
4. Elle ... une valise, il ... un sac.
5. Nous arrivons ... Nantes ... midi.

**C. Traduzca al francés:**

1. Tengo dos maletas.
2. Él tiene amigos extranjeros.
3. Tenemos dos gatos jóvenes.
4. ¿Tienes una maleta?

### C2 EXPRESIONES

- **avoir** se usa en las siguientes expresiones:

| | |
|---|---|
| **avoir chaud** | *tener calor* |
| **avoir froid** | *tener frío* |
| **avoir soif** | *tener sed* |
| **avoir faim** | *tener hambre* |
| **avoir peur** * | *tener miedo* |
| **avoir raison** | *tener razón* |
| **avoir tort** | *equivocarse* |
| **avoir de la chance** | *tener suerte* |
| **avoir l'habitude de** | *tener la costumbre de* |

* en **peur, eur** se pronuncia [œ:r].

# Ejercicios

## C3 RESPUESTAS

**A.** 1. J'ai trois photos de Guy.
2. Tu as des voisins sympathiques.
3. Il a deux fils et une fille.
4. Elle a un sac neuf.
5. Ils ont une vieille voiture.
6. Tu as une voiture neuve?
7. Nous avons des amis en Espagne.
8. Ils ont des métiers intéressants.
9. Vous avez des enfants?

**B.** 1. Il a un restaurant rue Monge à Paris.
2. Elle habite à côté de Notre-Dame.
3. Je vais travailler à Évry.
4. Elle a une valise, il a un sac.
5. Nous arrivons à Nantes à midi.

**C.** 1. J'ai deux valises.
2. Il a des amis étrangers.
3. Nous avons deux jeunes chats.
4. As-tu une valise?

## C4 J'AI TRENTE ANS
*TENGO TREINTA AÑOS*

- Para preguntar la edad, se dice **Quel âge as-tu? Quel âge avez-vous?** *¿Cuántos años tiene(s)?* (literalmente: *¿Qué edad tiene(s)?*)

| Ej.: | **J'ai vingt ans.** | *Tengo veinte años.* |
|---|---|---|
| | **Elle a cinquante ans.** | *Tiene cincuenta años.* |
| | **Quel âge a-t-il?** | *¿Cuántos años tiene?* |
| | **Il a trente ans.** | *Tiene treinta años.* |

- Recuerde: **ans** *(años)* no puede omitirse

# 10 Est-ce que c'est facile?

## A1 PRESENTACIÓN

### ■ Gramática

• **Est-ce que . . . ?**
La manera más común de convertir una afirmación en una pregunta es empezándola con **est-ce que . . . ?**

| | |
|---|---|
| **Tu chantes** | → **Est-ce que tu chantes?** |
| *Estás cantando* | *¿Estás cantando?* |
| **Il est jeune** | → **Est-ce qu'il est jeune?** |
| *Es joven* | *¿Es joven?* |
| **C'est une voiture neuve** | → **Est-ce que c'est une voiture neuve?** |
| *Es un auto nuevo* | *¿Es un auto nuevo?* |

⟶ La entonación es ascendente.

### ■ Vocabulario

| | |
|---|---|
| **utiliser** | *usar* |
| **commencer** | *empezar* |
| **bureau** (masc.) | *oficina* |
| **secrétaire** (fem.) | *secretaria* |
| **ordinateur** (masc.) | *computadora* |
| **directeur** (masc.) | *director* |
| **facile** | *fácil* |
| **tard** | *tarde* |
| **tôt** | *temprano* |
| **en panne** | *descompuesto / a* |

## A2 EJEMPLOS *(El trabajo)*

1. **Est-ce que Bruno a un bon métier?**
2. **Est-ce qu'il travaille dans un bureau?**
3. **Est-ce que tu commences à huit heures?**
4. **Est-ce que vous commencez tôt?**
5. **Est-ce que vous avez des secrétaires?**
6. **Est-ce qu'elles utilisent des ordinateurs?**
7. **Est-ce que c'est facile?**
8. **Est-ce qu'ils sont souvent en panne?**
9. **Est-ce que c'est un nouveau directeur?**
10. **Est-ce qu'il est sympathique?**
11. **Est-ce que c'est trop tard?**
12. **Est-ce que nous travaillons aujourd'hui?**

## A3 COMENTARIOS

### ■ Pronunciación

- **est-ce** se pronuncia *es.*
- **que** se convierte en **qu'** delante de una vocal.
  Ej.: **Est-ce qu'il travaille?**
  **Est-ce qu'elles utilisent des ordinateurs?**
- **Bruno, bureau, restaurant, beaucoup: o, eau, au,** tres maneras de escribir un mismo sonido: *o.*
- En **eur (ordinateur, directeur)** se pronuncia la **r** final.
- **anne** en **panne** se pronuncia *an.*

### ■ Gramática

- Note que las palabras no cambian de orden después de **est-ce que . . .?**
- Recuerde que **est-ce que** es invariable.

| | |
|---|---|
| **Est-ce que tu chantes?** | *¿Estás cantando?* |
| **Est-ce que vous chantez?** | *¿Está/están cantando?* |
| **Est-ce qu'elles chantent?** | *¿Están cantando?* |

## A4 TRADUCCIÓN

1. ¿Bruno tiene un buen trabajo?
2. ¿Trabaja en una oficina?
3. ¿Empiezas a las ocho?
4. ¿Empieza usted temprano? / ¿Empiezan ustedes temprano?
5. ¿Tiene usted secretarias? / ¿Tienen ustedes secretarias?
6. ¿Tienen computadoras?
7. ¿Es fácil?
8. ¿Se descomponen con frecuencia?
9. ¿Es un director nuevo?
10. ¿Es simpático?
11. ¿Es demasiado tarde?
12. ¿Trabajamos hoy?

# 10 Avez-vous de longues vacances?

## B1 PRESENTACIÓN

### ■ Gramática

- **Voyages-tu seul?** *¿Viajas solo?*
  Ya hemos visto dos maneras de convertir una afirmación en interrogación (ver b3). Hay otra manera más, cuando el sujeto es un pronombre. Sujeto y verbo pueden invertirse (es frecuente sobre todo con **vous, il, elle, ils, elles**):
  **Aimez-vous Brahms?** *¿Le gusta Brahms?*
- Note: **le samedi** *los sábados*
  **mercredi** *el miércoles.*

### ■ Vocabulario

**inviter** *invitar*
**jouer** *actuar*
**comprendre** *entender*
**concert** (masc.) *concierto*
**musée** (masc.) *museo*
**théâtre** (masc.) *teatro*
**pièce** (fem.) *obra*
**libre** *libre*
**récent(e)** *reciente*
**seul(e)** *solo(a)*
**quelquefois** *a veces*

## B2 EJEMPLOS *(Diversión, espectáculos)*

1. **Avez-vous de longues vacances?**
2. **Voyages-tu seul?**
3. **Sont-ils libres le samedi?**
4. **Invitent-elles des amis mercredi?**
5. **Vont-ils écouter un concert?**
6. **Aimez-vous Brahms?**
7. **Rencontrez-vous souvent des artistes?**
8. **Est-ce qu'il visite quelquefois des musées?**
9. **Joue-t-elle dans un nouveau théâtre?**
10. **Est-ce une pièce récente?**
11. **Est-elle facile à comprendre?**
12. **Parlez-vous français?**

## B3 COMENTARIOS

### ■ Gramática

- Recuerde: dos maneras de convertir una afirmación en una pregunta:
  1. Se usa simplemente una entonación interrogativa (ver lecc. 3, A3)
     Ej.: **Tu chantes?** *¿Cantas? / ¿Estás cantando?*
  2. **est-ce** que puede usarse al inicio de la oración.
     Ej.: **Est-ce que tu chantes?**
- Cuando se inicia la pregunta con el verbo:
  — éste se une al pronombre por medio de un guión.
  Ej.: **Parlez-vous?** *¿Está hablando?*
  — si el verbo termina en vocal, se introduce una **t** entre el verbo e **il** o **elle**.
  Ej.: **A-t-il...?** *¿Tiene... ?*
  **Commence-t-elle...?** *¿Está empezando... ?*
  **Visite-t-elle...?** *¿Está visitando... ?*

### ■ Pronunciación

- Note que en **théâtre**, la **th** se pronuncia [**t**].

## B4 TRADUCCIÓN

1. ¿Tienen vacaciones largas?
2. ¿Viajas solo?
3. ¿Están libres los sábados?
4. ¿Van a invitar amigos el miércoles?
5. ¿Van a escuchar un concierto?
6. ¿Le(s) gusta Brahms?
7. ¿Con frecuencia se encuentra con artistas?
8. ¿A veces visita museos?
9. ¿Actúa en un teatro nuevo?
10. ¿Es una obra reciente?
11. ¿Es fácil de entender?
12. ¿Habla usted francés?

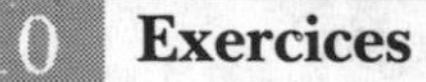

# 10 Exercices

## C1 EJERCICIOS

**A. Convierta estas afirmaciones en preguntas (tres maneras):**

1. Elles voyagent souvent.
2. Ils ont une voiture neuve.
3. Vous commencez tôt.
4. Elle a un bon métier.
5. Vous allez très vite.
6. C'est un nouveau théâtre.

**B. Ponga las palabras en el orden correcto:**

1. Paris / elles / visitent ?
2. Faim / tu / as ?
3. Travaille / est-ce / qu'elle / aujourd'hui ?
4. Vous / un / ordinateur / avez ?
5. Est-ce / que / cher / c'est ?
6. Habite / est-ce / qu'il / loin ?

**C. Practique el enlace:**

1. Est-ce que c'est_un sac neuf?
2. J'habite dans_un nouvel_appartement près de Grigny.
3. Est-ce qu'elle_a une maison avec_un jardin?
4. Travaillent_ils?
5. Est-ce que ce sont des_amis?
6. Cet_ami est_intelligent, il_est très_intéressant.

## C2 COMMENT ALLEZ-VOUS?
*¿CÓMO ESTÁ USTED?*

- **aller**, en preguntas que empiezan con el verbo, se usa en francés hablado para preguntarle a una persona cómo está:

| | |
|---|---|
| **Comment allez-vous? / Comment vas-tu?** | *¿Cómo está? / ¿Cómo estás?* |
| **Comment va-t-elle?** | *¿Cómo está?* |
| **Comment va-t-il?** | *¿Cómo está?* |
| **Comment vont-ils?** | *¿Cómo están?* |
| **Je vais bien.** | *Estoy bien.* |
| **Je vais très bien.** | *Estoy muy bien.* |
| **Je ne vais pas très bien.** | *No estoy muy bien.* |

- En francés hablado se usa mucho **ça va?** *(¿cómo estás? / ¿cómo están?)* y **ça va** *(estoy/estamos bien).*

## C3 RESPUESTAS

**A.** 1. Elles voyagent souvent? / Est-ce qu'elles voyagent souvent? / Voyagent-elles souvent?
2. Ils ont une voiture neuve? / Est-ce qu'ils ont une voiture neuve? / Ont-ils une voiture neuve?
3. Vous commencez tôt? / Est-ce que vous commencez tôt? / Commencez-vous tôt?
4. Elle a un bon métier? / Est-ce qu'elle a un bon métier? / A-t-elle un bon métier?
5. Vous allez très vite? / Est-ce que vous allez très vite? / Allez-vous très vite?
6. C'est un nouveau théâtre? / Est-ce que c'est un nouveau théâtre? / Est-ce un nouveau théâtre?

**B.** 1. Visitent-elles Paris?
2. As-tu faim?
3. Est-ce qu'elle travaille aujourd'hui?
4. Vous avez un ordinateur?
5. Est-ce que c'est cher?
6. Est-ce qu'il habite loin ?

## C4 UNA EXPRESIÓN MUY ÚTIL: **IL Y A ...**

- **il y a** es el equivalente en francés de *hay*.

  Ej.: **Il y a un appartement à louer.**
  *Hay un apartamento en alquiler.*
  **Il y a une jolie maison ici.**
  *Hay una casa bonita aquí.*
  **Il y a des restaurants rue Monge.**
  *Hay restaurantes en la calle Monge.*

- Note la pronunciación "ilia" (las tres palabras suenan como una sola).
- En francés hablado, muchas veces oirá **y a** (ia) en vez de **il y a.**
- En interrogaciones:

**Il y a un concert aujourd'hui?**
**Est-ce qu'il y a un concert aujourd'hui?** → *¿Hay un concierto hoy?*
**Y a-t-il un concert aujourd'hui?**

# 11 Le train n'est pas à l'heure.

## A1 PRESENTACIÓN

### Gramática

- Artículos definidos:

| masculino | **le** | *el* |
|---|---|---|
| femenino | **la** | *la* |

- **le, la** se convierten en l' delante de una vocal o de **h:**
  **L'étudiant.** *El estudiante.* **L'avion.** *El avión.* **L'heure.** *La hora.*

### Vocabulario

**partir** *salir*
**oublier** *olvidar*
**porter** *cargar*
**métro** (masc.) *metro*
**taxi** (masc.) *taxi*
**autobús/bus** (masc.) *autobus*
**gare** (fem.) *estación de ferrocarriles*
**quai** (masc.) *andén*
**rouge** *rojo/a*
**beaucoup de monde** *mucha gente*
**en grève** *en huelga*
**à l'heure** *puntual*
**sur** *sobre*

## A2 EJEMPLOS *(Medios de transporte)*

1. **Le métro est en grève mais il y a des taxis.**
2. **Il y a des bus près de la maison.**
3. **Le bus va partir dans cinq minutes.**
4. **Ce n'est pas le 20 (vingt), c'est le 30 (trente).**
5. **Est-ce que l'avion est à l'heure?**
6. **La gare est loin?**
7. **Non, la gare n'est pas loin.**
8. **Le train n'est pas à l'heure.**
9. **N'oublie pas la petite valise.**
10. **Il porte le sac rouge.**
11. **Il y a des gens sur le quai.**
12. **C'est l'heure! Au revoir!**

# 11 El tren no es puntual.

## A3 COMENTARIOS

### ■ Gramática

- Recuerde: para construir una negación, use **ne... pas,** o **n'... pas** de uno y otro lado del verbo (ver lección 2, A1).
- Note dos maneras de decir *gente* en francés:
  — **monde (monde** (masc.) = *mundo*) que es un singular y casi nunca se usa como sujeto.
  Ej.: **Il y a du monde.** *Hay (mucha) gente.*
  — **gens (gens** (masc.) = *gente*), que es un plural. Note que nunca se usa sin artículo.
  Ej.: **Il y a des gens.** *Hay gente.*
- Como en español, para los números de los autobuses se usa el artículo definido.
  Ej.: **le 20, le 30.**

### ■ Pronunciación

- En **bus** se pronuncia la **s** final.

## A4 TRADUCCIÓN

1. El metro está en huelga, pero hay taxis.
2. Hay autobuses cerca de la casa.
3. El autobús va a salir dentro de cinco minutos.
4. No es el 20, es el 30.
5. ¿El avión va a ser puntual?
6. ¿La estación está lejos?
7. No, la estación no está lejos.
8. El tren no es puntual.
9. ¡No olvides la maletita!
10. (Él) carga el bolso rojo.
11. Hay gente en el andén.
12. ¡Es la hora! ¡Adiós!

# 11 Nous allons inviter les voisins.

## B1 PRESENTACIÓN

### ■ Gramática

- Artículos definidos.
  Sólo hay un artículo definido plural:

| **les** | *los, las* |
|---|---|

  Ej.: **les trains, les gares, les avions, les heures.**
- **es** en **les** se pronuncia [ɛ].

### ■ Vocabulario

**apporter** *traer*
**chercher** *buscar, ir a traer*
**verre** (masc.) *vaso*
**assiette** (fem.) *plato*
**table** (fem.) *mesa*
**serviette** (fem.) *servilleta*
**invité** (masc.) *invitado*
**pain** (masc.) *pan*
**boisson** (fem.) *bebida*
**blanc/blanche** *blanco/a*

## B2 EJEMPLOS *(Preparando una fiesta)*

1. **Nous allons inviter les voisins.**
2. **Où sont les grands verres?**
3. **Est-ce que les verres sont sur la table?**
4. **Les verres sont dans la salle à manger.**
5. **Est-ce que Pierre apporte les vins?**
6. **Allez chercher les bouteilles, s'il vous plaît.**
7. **Où sont les assiettes?**
8. **Demande à Antoine.**
9. **Où sont les serviettes blanches?**
10. **Les voisins vont apporter les boissons.**
11. **Va acheter le pain, s'il te plaît.**
12. **Les invités sont là, apportez les chaises!**

# 11 Vamos a invitar a los vecinos.

## B3 COMENTARIOS

### ■ Gramática

- Hemos visto que **aller** + infinitivo equivale a *ir a* + infinitivo. Otro ejemplo de un verbo que en español lleva preposición y en francés no es **inviter,** *invitar a.* Otros ejemplos:

  **Allez chercher...** *Vayan a buscar...*
  **Va acheter...** *Ve a comprar...*

- Note también: **demander à,** *preguntarle a.*

### ■ Pronunciación

- No olvide el enlace cuando a **les** le sigue una vocal o una **h.**

  Ej.: **les‿assiettes, les‿amis.**
  z z

## B4 TRADUCCIÓN

1. Vamos a invitar a los vecinos.
2. ¿Dónde están los vasos grandes?
3. ¿Los vasos están en la mesa?
4. Los vasos están en el comedor.
5. ¿Pierre va a traer los vinos?
6. Vayan a buscar las botellas, por favor.
7. ¿Dónde están los platos?
8. Pregúntale a Antoine.
9. ¿Dónde están las servilletas blancas?
10. Los vecinos van a traer las bebidas.
11. Ve a comprar el pan, por favor.
12. Los invitados están aquí, traigan las sillas.

# Exercices

## C1 EJERCICIOS

**A. Haga corresponder los artículos y los sustantivos:**

le — la — l' — les
voiture — valises — enfant — gare — studio
ordinateur — enfants — cinéma

**B. Ponga le, la, l' o les en los espacios en blanco:**

1. Elle regarde ... photos.
2. ... métro est devant ... restaurant.
3. ... enfant cherche ... petite voiture.
4. ... invités apportent ... vins.
5. Allez-vous à ... gare?
6. ... immeuble est derrière ... théâtre.

**C. ●● Traduzca al francés:**

1. Ve a buscar la maleta roja.
2. Él va a traer las fotos.
3. Ellos van a visitar el museo.
4. Ve a hablar con los invitados.

## C2 COULEURS / *COLORES*

| Son iguales en masculino y en femenino | En femenino se añade una **e** | Masculino y femenino son diferentes |
|---|---|---|
| **rouge** *rojo/a*<br>**jaune** *amarillo/a*<br>**rose** *rosa* | **vert(e)** *verde*<br>**bleu(e)** *azul*<br>**noir(e)** *negro/a*<br>**gris(e)** *gris*<br>**brun(e)** *café, marrón* | **blanc/blanche**<br>*blanco/a*<br>**violet/violette**<br>*violeta, morado* |

- Algunos colores más: **rouge cerise** *rojo cereza*
  **bleu marine** *azul marino*
  **vert émeraude** *verde esmeralda*

## C3 RESPUESTAS

**A.** le studio — le cinéma — la voiture — la gare — les valises
l'enfant — l'ordinateur — les enfants

**B.** 1. Elle regarde les photos.
2. Le métro est devant le restaurant.
3. L'enfant cherche la petite voiture.
4. Les invités apportent les vins.
5. Allez-vous à la gare?
6. L'immeuble est derrière le théâtre.

**C.** 1. Va chercher la valise rouge.
2. Il va apporter les photos.
3. Ils vont visiter le musée.
4. Va parler avec les invités.

## C4 MOYENS DE TRANSPORT
*MEDIOS DE TRANSPORTE*

- **RER (Réseau Express Régional):**
  Tren rápido del centro a los suburbios de París.
- **SNCF (Société Nationale des Chemins de Fer Français):**
  Ferrocarriles franceses.
- **TGV (Train à Grande Vitesse):**
  El tren más rápido y uno de los más cómodos del mundo, alcanza hasta 500 **km/h (kilomètres à l'heure).**

●●

| **Mesures** | *Medidas* |
|---|---|
| **un centimètre** | *un centímetro* |
| **un mètre** | *un metro* |
| **un kilomètre** | *un kilómetro* |

# 12 Quelle belle journée!

## A1 PRESENTACIÓN

■ Gramática

- **quel,** *qué*.

El exclamativo **quel** *(qué)* se modifica en función del género y del número del sustantivo al que se refiere:

| | | | |
|---|---|---|---|
| **quel** | (masc. sing.) | **quels** | (masc. pl.) |
| **quelle** | (fem. sing.) | **quelles** | (fem. pl.) |

La exclamación puede construirse de las siguientes maneras:

**quel** + sustantivo

| | | | |
|---|---|---|---|
| **Quel homme!** | *¡Qué hombre!* | **Quels artistes!** | *¡Qué artistas!* |
| **Quelle femme!** | *¡Qué mujer!* | **Quelles photos!** | *¡Qué fotos!* |

**quel** + adjetivo + sustantivo

| | |
|---|---|
| **Quel grand bateau!** | *¡Qué barco tan grande!* |
| **Quels bons vins!** | *¡Qué vinos tan buenos!* |
| **Quelle jolie fille!** | *¡Qué muchacha tan guapa!* |
| **Quelles belles années!** | *¡Qué años tan bellos!* |

■ Vocabulario

| | | | |
|---|---|---|---|
| **temps** (masc.) | *tiempo* | **journée** (fem.) | *día* |
| **orage** (masc.) → | *tormenta* | **année** (fem.) | *año* |
| **tempête** (fem.) → | *tempestad* | **terrible** | *terrible* |
| **pluie** (fem.) | *lluvia* | **splendide** | *espléndido* |
| **nuage** (masc.) | *nube* | **magnifique** | *magnífico* |
| **coucher de soleil** (masc.) | *puesta del sol* | **drôle** | *chistoso, extraño* |

## A2 EJEMPLOS *(El tiempo)*

1. **Quel temps!**
2. **Quel orage!**
3. **Quelle pluie!**
4. **Quelles tempêtes!**
5. **Quel froid terrible!**
6. **Quelle mauvaise année!**
7. **Quelle belle journée!**
8. **Quel temps splendide!**
9. **Quel magnifique coucher de soleil!**
10. **Quels drôles de nuages!**
11. **Quelles terribles tempêtes!**
12. **Quels vents violents!**

## A3 COMENTARIOS

### ■ Gramática

- **drôle,** cuando se encuentra delante del sustantivo al que se refiere, siempre va acompañado de **de**, y significa extraño.

  Ej.: **C'est une drôle de fille.**
  *¡Qué muchacha tan extraña!*

  Pero **cette fille est drôle** puede significar tanto *esta muchacha es chistosa* como *esta muchacha es extraña.*

- **journée** y **année** se usan por lo general para insistir en la duración del día o del año; si no, se usa **jour** y **an.**

### ■ Pronunciación

- Note que **el** en **quel** se pronuncia [**ɛl**].
- Recuerde que **qu** en las palabras que terminan con **que** (ej.: **magnifique**) se pronuncia [**k**].
- Note que en **temps** no se oye ni la **p** ni la **s.**
- Note que **er** de **coucher, ée** de **journée** se pronuncian [**e**].

## A4 TRADUCCIÓN

1. ¡Qué tiempo!
2. ¡Qué tormenta!
3. ¡Qué lluvia!
4. ¡Qué tempestades!
5. ¡Qué frío tan terrible!
6. ¡Qué año tan malo!
7. ¡Qué día tan bonito!
8. ¡Qué tiempo tan espléndido!
9. ¡Qué puesta del sol tan magnífica!
10. ¡Qué nubes tan extrañas!
11. ¡Qué tempestades tan terribles!
12. ¡Qué vientos tan violentos!

## 12 Regardez les singes! Comme ils sont drôles!

### B1 PRESENTACIÓN

■ Gramática

- **Que, comme** *qué*

  También se puede construir una forma exclamativa con **que** o **comme** al inicio de una expresión:

  1) **que** o **comme** + sujeto + **être** + adjetivo

| | |
|---|---|
| **Que le ciel est bleu!**<br>**Comme le ciel est bleu!** | → *¡Qué azul está el cielo!* |
| **Qu'elle est belle!** | *¡Qué bella es!* |
| **Comme c'est beau!**<br>**Que c'est beau!** | → *¡Qué bello es!* |

  2) **que** o **comme** + sujeto + verbo

| | |
|---|---|
| **Que cette voiture va vite!** | *¡Qué rápido va este auto!* |
| **Comme il parle bien!** | *¡Qué bien habla (él)!* |

■ Vocabulario

| | | | |
|---|---|---|---|
| **avoir l'air** | *parecer* | **lion** (masc.) | *león* |
| **détester** | *odiar* | **éléphant** (masc.) | *elefante* |
| **chien** (masc.) | *perro* | **serpent** (masc.) | *serpiente* |
| **oiseau** (masc.) | *pájaro* | **joyeux** | *alegre* |
| **singe** (masc.) | *mono* | **for** | *fuerte* |
| **yeux** (masc. pl.) | *ojos* | | |

### B2 EJEMPLOS *(Animales)*

1. **Comme j'aime ce chat!**
2. **Que j'aime ce chat gris!**
3. **Que ce chien a l'air intelligent!**
4. **Comme les oiseaux chantent fort ce matin!**
5. **Qu'ils ont l'air joyeux!**
6. **Regardez les singes! Comme ils sont drôles!**
7. **Qu'ils sont drôles!**
8. **Comme ce lion a l'air triste!**
9. **Qu'il a les yeux tristes!**
10. **Que l'éléphant est drôle!**
11. **Comme il est fort!**
12. **Que je déteste les serpents!**

## B3 COMENTARIOS

### Gramática

- Note que el adjetivo **fort** puede significar tanto *fuerte* como *gordo:*

  Ej.: **C'est un garçon très fort.** *Es un muchacho muy fuerte.*
  **C'est un garçon un peu fort.** *Es un muchacho gordito.*

- Note que cuando las partes del cuerpo no son el sujeto de la oración, se usan con el artículo definido.

  Ej.: **Il a les yeux bleus.** *Tiene ojos azules.*
  **Elle a les yeux tristes.** *Tiene ojos tristes.*

- Note que con el exclamativo **comme** *(qué)* no se altera la construcción de la oración simple.

  **Ils ont l'air joyeux.** *Se ven alegres.*
  **Comme** / **Qu'** → **ils ont l'air joyeux!** *¡Qué alegres se ven!*

### Pronunciación

- Recuerde que **j** (en **je, bonjour, joli, jeune,** etc.) se pronuncia [ʒ].
- Recuerde que **oy** en **joyeux** se pronuncia [**wa**].

## B4 TRADUCCIÓN

1. ¡Cómo quiero a este gato!
2. ¡Cómo quiero a este gato gris!
3. ¡Qué inteligente se ve este perro!
4. ¡Qué fuerte cantan los pájaros esta mañana!
5. ¡Qué alegres suenan!
6. ¡Miren los monos! ¡Qué chistosos son!
7. ¡Qué chistosos son!
8. ¡Qué triste parece este león!
9. ¡Qué tristes son sus ojos!
10. ¡Qué chistoso es el elefante!
11. ¡Qué fuerte es!
12. ¡Cómo odio las serpientes!

## C1 EJERCICIOS

**A. Haga corresponder las palabras:**

| | | | |
|---|---|---|---|
| quelle | hôtel | bel | ! |
| quelles | yeux | belles | ! |
| quels | voiture | jolie | ! |
| quel | vacances | splendides | ! |

**B. ●● Haga oraciones exclamativas:**

**Ej.: Les enfants ont l'air contents / Comme ils ont l'air contents! / Qu'ils ont l'air contents!**

1. Ce nouveau livre est drôle.
2. Ces photos sont superbes.
3. Les lions ont l'air terribles.
4. Cet appartement a l'air confortable.
5. Cette chemise est chère.
6. C'est loin.
7. Vous parlez fort.

**C. ●● Traduzca al francés:**

1. ¡Qué otoño tan bonito!
2. ¡Qué amable eres!
3. ¡Qué lento va este autobús!
4. ¡Qué sed tengo!
5. ¡Qué chistoso es este perrito!
6. ¡Qué bien trabajan ellos (ellas)!
7. ¡Qué película tan interesante!

## C2 EMOTIONS / *EMOCIONES* ●●

| | |
|---|---|
| **Quel bonheur!** | *¡Qué felicidad!* |
| **Quelle tristesse!** | *¡Qué tristeza!* |
| **Quelle horreur!** | *¡Qué horror!* |
| **Quel dommage!** | *¡Qué lástima!* |
| **Quel malheur!** | *¡Qué desgracia!* |

## C3 RESPUESTAS

**A.** 1. Quelle jolie voiture!
2. Quelles belles vacances!
3. Quels yeux splendides!
4. Quel bel hôtel!

**B.** 1. Que ce nouveau livre est drôle! / Comme ce nouveau livre est drôle!
2. Que ces photos sont superbes! / Comme ces photos sont superbes!
3. Que les lions ont l'air terribles! / Comme les lions ont l'air terribles!
4. Que cet appartement a l'air confortable! / Comme cet appartement a l'air confortable!
5. Que cette chemise est chère! / Comme cette chemise est chère!
6. Que c'est loin! / Comme c'est loin!
7. Que vous parlez fort! / Comme vous parlez fort!

**C.** 1. Quel bel automne!
2. Que tu es gentil!
3. Que cet autobus avance lentement!
4. Que j'ai soif!
5. Comme ce petit chien est drôle!
6. Comme ils (elles) travaillent bien!
7. Quel film intéressant!

## C4 LE CORPS HUMAIN / *EL CUERPO HUMANO*

| | | | |
|---|---|---|---|
| **tête** (fem.) | *cabeza* | **joue** (fem.) | *mejilla* |
| **cheveux** (masc. pl.) | *cabello* | **menton** (masc.) | *barbilla* |
| **visage** (masc.) | *cara* | **cou** (masc.) | *cuello* |
| **front** (masc.) | *frente* | **bras** (masc.) | *brazo* |
| **œil** (masc. sing.) | *ojo* | **main** (fem.) | *mano* |
| **yeux** (masc. pl.) | *ojos* | **doigt** (masc.) | *dedo* |
| **nez** (masc.) | *nariz* | **pouce** (masc.) | *pulgar* |
| **bouche** (fem.) | *boca* | **jambe** (fem.) | *pierna* |
| **oreille** (fem.) | *oreja* | **pied** (masc.) | *pie* |

# 13 Cette chemise coûte deux cents francs.

## A1 PRESENTACIÓN

■ Gramática

- **ce/cette + sustantivo**

son el equivalente en francés de: *este/ese* + sustantivo:
— **ce** + un masculino singular.
Ej.: **Ce journaliste.** *Este (ese) periodista.*
— **cette** + un femenino singular.
Ej.: **Cette amie.** *Esta (esa) amiga.*

- **ces + un sustantivo plural**

es el equivalente en francés de *estos/esos, estas/esas* + sustantivo:
**Ces livres.** *Estos (esos) libros.*
**Ces maisons.** *Estas (esas) casas.*

■ Vocabulario

| | | | |
|---|---|---|---|
| **coûter** | *costar* | **chemise** (fem.) | *camisa* |
| **poser** | *poner* | **chaussure** (fem.) | *zapato* |
| **manteau** (masc.) | *abrigo* | **imperméable** (masc.) | *impermeable* |
| **robe** (fem.) | *vestido* | **vêtements** (masc. pl.) | *ropa* |
| **pantalon** o **pantalons** (masc.) | *pantalón, pantalones* | **court** | *corto* |

El **franc** *(franco)* es la moneda francesa.

## A2 EJEMPLOS *(Comprando ropa)*

1. **Tu aimes ce manteau?**
2. **Cet imperméable est trop long.**
3. **Je vais acheter cette robe.**
4. **Cette robe est trop courte!**
5. **J'aime cette chemise.**
6. **Est-ce que cette chemise est chère?**
7. **Cette chemise coûte deux cents francs (200 F).**
8. **Je n'aime pas ces chaussures avec ce pantalon.**
9. **Est-ce que ces chaussures sont chères?**
10. **Ces chaussures coûtent quatre cents francs (400 F).**
11. **N'achète pas ces pantalons, ils sont trop courts.**
12. **Pose ces vêtements sur cette chaise, s'il te plaît.**

# Esta camisa cuesta doscientos francos.

## A3 COMENTARIOS

### ■ Pronunciación

- Cuando el sustantivo que le sigue empieza con una vocal o una h, **ce** se convierte en **cet**.
  Ej.: **Cet ami.** *Este (ese) amigo.*
  **Cet imperméable.** *Este (ese) impermeable.*
- **cet/cette** se pronuncian [**sɛt**].
- **ces** se pronuncia [**se**].
- No olvide el enlace:
  Ej.: **Cet‿enfant.** (t) **Ces‿enfants.** (z)
- Note que en **franc**, la **c** no se pronuncia.

## A4 TRADUCCIÓN

1. ¿Te gusta este abrigo?
2. Ese impermeable es demasiado largo.
3. (Yo) voy a comprar este vestido.
4. ¡Ese vestido es demasiado corto!
5. Me gusta esta camisa.
6. ¿Es cara esta camisa?
7. Esta camisa cuesta doscientos francos.
8. No me gustan estos (esos) zapatos con ese (este) pantalón.
9. ¿Son caros estos zapatos?
10. Estos zapatos cuestan cuatrocientos francos.
11. No compres esos pantalones, son demasiado cortos.
12. Pon esta ropa en esa silla, por favor.

# 13 Ne parlons plus de ça.

## B1 PRESENTACIÓN

### ■ Gramática

- *esto,* cuando se usa solo, se traduce por **ceci;**
  *eso,* cuando se usa solo, se traduce por **cela.**
  En francés hablado, **cela** es reemplazado frecuentemente por la contracción **ça.**

  Ej.: **Je n'aime pas cela.** / **Je n'aime pas ça.** → *No me gusta eso.*

- **ça** se usa con mucha frecuencia, y puede significar tanto *esto* como *eso,* según el contexto.
- **ceci, cela, ça** suelen referirse a un objeto o concepto que ya fue mencionado o que puede ser claramente identificado en la situación o contexto.
- **ne . . . plus, n' . . . plus,** *ya no.*

### ■ Vocabulario

| | |
|---|---|
| **goûter** | *probar (algo de comer o beber)* |
| **disque** (masc.) | *disco* |
| **album** (masc.) | *álbum* |
| **mille** (1 000) | *mil (1 000)* |
| **superbe** | *magnífico* |
| **délicieux** | *delicioso* |
| **malade** | *enfermo/a* |
| **armagnac** (masc.) | *alcohol similar al brandy* |

## B2 EJEMPLOS *(Gustos)*

1. **Voici un nouveau disque; écoute ça, c'est superbe.**
2. **Tu trouves? Je n'aime pas ça.**
3. **Regarde ça, c'est un nouvel album.**
4. **Je vais acheter ça pour Pierre.**
5. **Ça coûte cher?**
6. **Ça coûte trois mille francs (3 000 F).**
7. **Ne parlons plus de ça.**
8. **Voilà un vieil armagnac, tu aimes ça?**
9. **Goûte ça, c'est délicieux.**
10. **Ne fume pas comme ça, tu vas être malade!**
11. **Ne parle pas comme ça, ce n'est pas gentil.**
12. **Je déteste ça.**

## B3 COMENTARIOS

### ■ Gramática

- Note que **ça** se usa o como sujeto o como objeto.

  Ej.: **Ça coûte cher.** *Eso cuesta caro.*

  **Je n'aime pas ça.** *No me gusta eso.*

- **ne ... plus, n' ... plus,** al igual que **ne ... pas,** se coloca de uno y otro lado del verbo.

  Ej.: **Elle n'habite plus ici.** *Ya no vive aquí.*

### ■ Vocabulario

- En singular, cuando se encuentra delante de una vocal o de una **h**,

  — **vieux** se convierte en **vieil**

  — **nouveau** se convierte en **nouvel**

  Ej.: **Un vieil armagnac.**

  **Un nouvel album.**

- Recuerde:

  Al igual que en español, **g** + **e** o **i** se pronuncia [ʒ] (ej.: **gentil**) (ver lección 6, B3).

  **g** con las demás vocales se pronuncia [g] (ej.: **goûte**).

## B4 TRADUCCIÓN

1. Esto es un disco nuevo; escucha esto, es magnífico.
2. ¿Te parece? A mí no me gusta (eso).
3. Mira eso, es un nuevo álbum.
4. Voy a comprar esto para Pierre.
5. ¿Eso cuesta caro?
6. Cuesta tres mil francos (3 000 F).
7. No hablemos más de eso.
8. Esto es un brandy viejo, ¿te gusta?
9. Prueba esto, está delicioso.
10. No fumes así, ¡te vas a enfermar!
11. No hables así, no está bien.
12. Odio eso.

# Exercices

## C1 EJERCICIOS

**A. Haga corresponder:**

ce — cet — cette — ces

disque — manteau — livres — bouteille — examen — robes — amie — vins — ami.

**B. Transforme como en el ejemplo:**
**Un portrait célèbre. Ce portrait est célèbre.**

1. Une pièce sombre.
2. Un mauvais restaurant.
3. Une jupe courte.
4. Des étudiants étrangers.
5. Des maisons modernes.

**C. Traduzca al francés:**

1. No les gusta eso.
2. Odio este libro.
3. Ella va a comprar esos zapatos.
4. No mires eso.

## C2 EXPRESIONES

| | |
|---|---|
| **Ça va?** | *¿Qué tal?* |
| **Ça va / ça va bien!** | *¡Bien!* |
| **Ça va mal** | *Estoy mal. Las cosas van mal.* |
| **Ça dépend** | *Depende.* |
| **C'est ça** | *Eso es.* |
| **Ça suffit!** | *¡Basta!* |

## C3 RESPUESTAS

**A.** ce disque — ce manteau.
cet examen — cet ami.
cette amie — cette bouteille.
ces livres — ces robes — ces vins.

**B.** 1. Cette pièce est sombre.
2. Ce restaurant est mauvais.
3. Cette jupe est courte.
4. Ces étudiants sont étrangers.
5. Ces maisons sont modernes.

**C.** 1. Ils n'aiment pas ça. / Elles n'aiment pas ça.
2. Je déteste ce livre.
3. Elle va acheter ces chaussures.
4. Ne regarde pas ça.

## C4 ADJETIVOS USADOS TANTO EN MASCULINO COMO EN FEMENINO

**Superbe** y **malade**, al igual que **jeune, sympathique, triste** y **célèbre,** se usan tanto en masculino como en femenino. Éstos son algunos otros adjetivos del mismo tipo:

| | |
|---|---|
| **large** | *ancho/a, amplio/a* |
| **pauvre** | *pobre* |
| **riche** | *rico/a* |
| **simple** | *sencillo/a* |
| **utile** | *útil* |
| **vide** | *vacío/a* |

## 14 La femme qui habite à côté est une journaliste danoise.

### A1 PRESENTACIÓN

■ Gramática

- En francés, los pronombres relativos más usados son:

| | | |
|---|---|---|
| **qui** | *que* | usado como sujeto |
| **que** | *que* | usado como objeto directo |

Ambos pueden usarse tanto para personas como para cosas.

Ej.: **Écoute l'homme qui parle à la radio.**
*Escucha al hombre que habla en la radio.*
**L'homme que vous allez rencontrer est américain.**
*El hombre que va a conocer es americano.*
**Apporte le livre qui est sur la table, s'il te plaît.**
*Trae el libro que está en la mesa, por favor.*
**Où est le livre que tu utilises?**
*¿Dónde está el libro que usas?*

■ Vocabulario

| | |
|---|---|
| **montre** (fem.) | *reloj de pulsera* |
| **homme** (masc.) | *hombre* |
| **femme** (fem.) | *mujer* |
| **chanson** (fem.) | *canción* |
| **liberté** (fem.) | *libertad* |
| **en vitrine** | *en el escaparate* |
| **à côté** | *al lado* |

### A2 EJEMPLOS *(Especificar cuál...)*

1. **J'aime bien la montre qui est en vitrine.**
2. **J'aime bien la montre que tu as aujourd'hui.**
3. **Regarde l'homme qui est sur la photo.**
4. **Voici l'homme que j'aime!**
5. **La femme qui habite à côté est une journaliste danoise.**
6. **La femme que tu regardes est une artiste.**
7. **Les gens qui sont sur cette photo habitent en Espagne.**
8. **J'invite des gens que tu aimes bien.**
9. **Ils écoutent des chansons qui parlent de liberté.**
10. **Écoute la chanson qu'ils chantent.**
11. **Nous allons visiter l'appartement qui est à louer.**
12. **Nous allons visiter l'appartement que nous allons acheter.**

## A3 COMENTARIOS

### ■ Gramática

- **que** se convierte en **qu'** delante de una vocal o de **h**, pero **qui** no se modifica.
  Ej.: **L'ordinateur qu'elle utilise.**
  *La computadora que (ella) usa.*
  **L'ordinateur qui est sur le bureau.**
  *La computadora que está en el escritorio.*
- Recuerde: **nous allons,** *vamos a.*
  **Aller,** *ir,* es un verbo irregular (ver lección 5, A1). Seguido de un verbo en infinitivo, **aller** expresa una intención o un futuro cercano. Es el equivalente de *ir a* (ver lección 5, B1).

### ■ Pronunciación

- **qu** se pronuncia [**k**].
- La primera **e** de **femme** se pronuncia [**a**] (la segunda no se pronuncia).

## A4 TRADUCCIÓN

1. Me gusta el reloj que está en la vitrina.
2. Me gusta el reloj que llevas hoy.
3. Mira el hombre que está en la foto.
4. ¡Éste es el hombre que amo!
5. La mujer que vive al lado es una periodista danesa.
6. La mujer que estás mirando es una artista.
7. Las personas que están en esta foto viven en España.
8. Voy a invitar a personas que quieres.
9. Están escuchando canciones que hablan de libertad.
10. Escucha la canción que están cantando.
11. Vamos a visitar el apartamento que está en alquiler.
12. Vamos a visitar el apartamento que vamos a comprar.

# 14 Écoute ce que le guide explique.

## B1 PRESENTACIÓN

■ Gramática

- **qui** y **que** se usan muchas veces en las expresiones: **c'est… qui, c'est… que.**

  Ej.: **Louis est ici.** — ***C'est Louis qui est ici.***
  *Es Louis el que está aquí.*
  **Anne chante.** — ***C'est Anne qui chante.***
  *Es Anne la que canta.*
  **J'utilise ce livre.** — ***C'est ce livre que j'utilise.***
  *Es este libro el que uso.*

  En las oraciones en cursiva, el énfasis está en ***Louis, Anne, ce livre.***

- **ce qui, ce que** son pronombres relativos compuestos que equivalen a *el / la / lo que.*

> **ce qui** se usa como sujeto
> **ce que** se usa como objeto

Ej.: **Regarde ce qui est ici.** — *Mira lo que está aquí.*
**Regarde ce que j'ai.** — *Mira lo que tengo.*

■ Vocabulario

| | | | |
|---|---|---|---|
| **préférer** | *preferir* | **étage** (masc.) | *piso* |
| **expliquer** | *explicar* | **tableau** (masc.) | *cuadro* |
| **guide** (masc.) | *guía* | **premier** | *primero* |
| **salle** (fem.) | *sala* | **en ce moment** | *en este momento* |

## B2 EJEMPLOS *(Visitando un museo)*

1. **C'est le musée que je préfère.**
2. **C'est un musée qui est à Amsterdam.**
3. **C'est un jeune guide qui parle.**
4. **Écoute ce que le guide explique.**
5. **Écoute ce qu'explique le guide.**
6. **Ce qu'il explique est intéressant.**
7. **Regarde ce qu'il y a dans cette salle.**
8. **C'est une salle qui est vide en ce moment.**
9. **Allons visiter ce qu'il y a au premier étage.**
10. **Ce sont des tableaux qui sont très modernes.**
11. **Je n'aime pas ce qui est dans la première salle.**
12. **Mais j'aime bien ce qui est dans la salle à côté.**

# 14 Escucha lo que explica el guía.

## B3 COMENTARIOS

### ■ Gramática

- Recuerde que en plural, **c'est ... qui, c'est ... que** se convierten en **ce sont ... qui, ce sont ... que.**

  Ej.: **Ce sont des amis qui sont drôles.**
  *Son amigos que son chistosos.*
  **Ce sont les amis que je préfère.**
  *Son los amigos que prefiero.*

- Note que después de **ce que**, el verbo puede ser invertido si el sujeto no es un pronombre:

  **Écoute ce que les enfants chantent.**
  **Écoute ce que chantent les enfants.** → *Escucha lo que cantan los niños.*

  **Écoute ce que le guide explique.**
  **Écoute ce qu'explique le guide.** → *Escucha lo que explica el guía.*

→ Pero:

**Écoute ce qu'ils chantent.** *Escucha lo que cantan.*
**Écoute ce qu'il explique.** *Escucha lo que explica.*

- **premier** en femenino es **première.** Note el acento grave. Note también el acento grave en **préfère.**

## B4 TRADUCCIÓN

1. Es el museo que prefiero.
2. Es un museo que está en Amsterdam.
3. El que habla es un guía joven.
4. Escucha lo que el guía explica.
5. Escucha lo que explica el guía.
6. Lo que explica es interesante.
7. Mira lo que hay en esta sala.
8. Es una sala que está vacía en este momento.
9. ¡Vayamos a visitar lo que hay en el primer piso!
10. Son cuadros que son muy modernos.
11. No me gusta lo que está en la primera sala.
12. Pero me gusta lo que hay en la sala de al lado.

## C1 EJERCICIOS

**A. Complete con qui y que:**

1. J'ai une fille ... travaille à Evry.
2. C'est un nouveau directeur ... je n'aime pas.
3. Allez chercher les verres ... sont sur la table.
4. Nous avons des amis ... habitent Paris.
5. Voici un restaurant ... est très sympathique.
6. Pluie, nuages: c'est le temps ... je déteste!
7. C'est un repas froid ... vous préparez?

**B. Complete con ce qui, ce que, ce qu':**

1. ... est dans ce musée est très moderne.
2. Elle prépare ... nous allons manger.
3. Nous écoutons ... explique le journaliste.
4. Apporte ... il y a sur la table, s'il te plaît.

**C. Traduzca al francés:**

1. Es un vino que compro con frecuencia.
2. Anne y Pierre son vecinos que vemos a veces.
3. Son amigos que Antoine no quiere.
4. Escuche lo que explica esta mujer.
5. Miran a los niños que juegan delante del edificio.

## C2 LES NOMBRES / *NÚMEROS*

| | |
|---|---|
| **13 treize** | **20 vingt*** |
| **14 quatorze** | **21 vingt et un **** |
| **15 quinze** | **31 trente et un **** |
| **16 seize** | **41 quarante et un **** |
| **17 dix-sept** | **51 cinquante et un **** |
| **18 dix-huit** | **61 soixante et un **** |
| **19 dix-neuf** | |

* Note que en **vingt** no se pronuncia ni la **g** ni la **t**.
** Note que **et** (literalmente veinte y uno) sólo es necesario con **un**.

| | | | | |
|---|---|---|---|---|
| **22 vingt-deux** | **23 vingt-trois** | **24 vingt-quatre** | **25 vingt-cinq,** | etc. |
| **32 trente-deux** | **33 trente-trois** | **34 trente-quatre** | **35 trente-cinq,** | etc. |

## C3 RESPUESTAS

**A.** 1. J'ai une fille qui travaille à Évry.
2. C'est un nouveau directeur que je n'aime pas.
3. Allez chercher les verres qui sont sur la table.
4. Nous avons des amis qui habitent Paris.
5. Voici un restaurant qui est très sympathique.
6. Pluie, nuages: c'est le temps que je déteste!
7. C'est un repas froid que vous préparez?

**B.** 1. Ce qui est dans ce musée est très moderne.
2. Elle prépare ce que nous allons manger.
3. Nous écoutons ce qu'explique le journaliste.
4. Apporte ce qu'il y a sur la table, s'il te plaît.

**C.** 1. C'est un vin que j'achète souvent.
2. Anne et Pierre sont des voisins que nous rencontrons parfois.
3. Ce sont des amis qu'Antoine n'aime pas.
4. Écoutez ce qu'explique cette femme.
5. Ils/Elles regardent les enfants qui jouent devant l'immeuble.

## C4 LES NOMBRES ORDINAUX ●●
*NÚMEROS ORDINALES*

| | | |
|---|---|---|
| **premier** (masc.), **première** (fem.) | **1er** | *primero/a* |
| **deuxième / second(e)** | **2e** | *segundo/a* |
| **troisième** | **3e** | *tercero/a* |
| **quatrième** | **4e** | *cuarto/a* |
| **cinquième** | **5e** | *quinto/a* |
| **sixième** | **6e** | *sexto/a* |
| **septième** | **7e** | *séptimo/a* |
| **huitième** | **8e** | *octavo/a* |
| **neuvième** | **9e** | *noveno/a* |
| **dixième** | **10e** | *décimo/a* |

y así sucesivamente. Pero para *21., 31., 41.,* etc . . . el equivalente en francés es:
**vingt et unième, trente et unième, quarante et unième . . .**

- Note que la **x** en **sixième, dixième** se pronuncia [**z**].

# 15 Où est la rue de la Gare? Est-ce que c'est celle-ci?

## A1 PRESENTACIÓN

### ■ Gramática

- Pronombres demostrativos:

  masc. sing.: **celui** fem. sing.: **celle**

  Añadiéndole **ci** al pronombre, es el equivalente de *éste, ésta.*

  masc. sing.: **celui-ci** fem. sing.: **celle-ci**

  Añadiéndole **là** al pronombre, es el equivalente de *ése, ésa.*

  masc. sing.: **celui-là** fem. sing.: **celle-là**

  Ej.: **Est-ce que tu utilises un ordinateur? — Oui, celui-ci.**
  *¿Usas una computadora? — Sí, ésta.*
  **Est-ce que vous avez une voiture? — Oui, c'est celle-ci.**
  *¿Tiene usted un auto? — Sí, es éste.*

### ■ Vocabulario

| | |
|---|---|
| **traverser** | *atravesar* |
| **tourner** | *torcer, girar* |
| **bureau de poste** (masc.) / **poste** (fem.) → | *oficina de correos* |
| **aéroport** (masc.) | *aeropuerto* |
| **rapide** | *rápido/a* |
| **juste** | *justo* |
| **en face** | *enfrente* |

## A2 EJEMPLOS (*¿Éste o ése?*)

1. **Où est la rue de la Gare? Est-ce que c'est celle-ci?**
2. **Non ce n'est pas celle-ci.**
3. **C'est celle qui traverse le boulevard.**
4. **C'est celle qui est juste après la poste.**
5. **Celle-là?**
6. **Oui, celle-là. Tournez là.**
7. **Est-ce qu'il y a des bus qui vont à la gare?**
   **Est-ce que celui-ci y va?**
8. **Celui-ci, non. Celui-ci va à l'aéroport.**
9. **Celui qui est en face va à la gare.**
10. **Celui-là?**
11. **Oui, celui-là.**
12. **Celui-là est très rapide.**

## A3 COMENTARIOS

### Gramática

- El pronombre demostrativo puede usarse seguido de un pronombre relativo (ver lección 14). En este caso, se omite **ci** y **là.** Ej.:

**Utilises-tu un ordinateur? — Oui, celui qui est dans le bureau.**
*¿Usas una computadora? — Sí, la que está en la oficina.*

**Avez-vous une voiture? — Oui, celle qui est en face.**
*¿Tiene usted un auto? — Sí, el que está enfrente.*

- Note que en **celui-ci, non** *(éste no),* **non** se usa para no repetir la forma negativa completa (en este caso **n'y va pas**).
  En el caso de **celui-ci, oui** *(éste sí),* **oui** se usa para no repetir la afirmación completa , aquí **y va.**

## A4 TRADUCCIÓN

1. ¿Dónde está la calle de la estación? ¿Es ésta?
2. No, no es ésta.
3. Es la que atraviesa el bulevar.
4. Es la que está justo detrás de la oficina de correos.
5. ¿Ésa?
6. Sí, ésa. Gire allí.
7. ¿Hay autobuses que van a la estación?
   ¿Éste va allá?
8. Éste no. Éste va al aeropuerto.
9. El que está enfrente va a la estación.
10. ¿Ése?
11. Sí, ése.
12. Ése es muy rápido.

# 15 Avez-vous des lunettes de soleil comme celles - ci?

## B1 PRESENTACIÓN

■ Gramática

- Plural de los pronombres demostrativos:
  masc. pl.: **ceux** fem. pl.: **celles**

— Añadiéndole **ci** al pronombre, es el equivalente de *éstos, éstas.*
  masc. pl.: **ceux-ci** fem. pl.: **celles-ci**

— Añadiéndole **là** al pronombre, es el equivalente de *ésos, ésas.*
  masc. pl.: **ceux-là** fem. pl.: **celles-là**

Ej.: **Est-ce que tu utilises des ordinateurs? — Oui, ceux-ci.**
*¿Usas computadoras? — Sí, éstas.*
**Est-ce que vous avez des cartes postales? — Oui, celles-ci.**
*¿Tiene usted tarjetas postales? — Sí, éstas.*

■ Vocabulario

| | | | |
|---|---|---|---|
| **essayer** | *tratar* | **short** (masc.) | *shorts* |
| **jeter un coup d'œil à** → | *echar un vistazo a* | **tee-shirt** (masc.) | *camiseta* |
| | | **léger** | *liviano* |
| **lunettes** (fem. pl.) | *anteojos* | **autre** | *otro* |
| **sport** (masc.) | *deporte* | **pas mal** | *no (está) mal* |
| **rayure** (fem.) | *rayas* | **comme** | *como* |
| **champion** (masc.) | *campeón* | | |

## B2 EJEMPLOS *(Ropa de deporte)*

1. **Avez-vous des lunettes de soleil comme celles-ci?**
2. **Non, mais essayez celles-là, elles sont très légères.**
3. **Elles sont trop petites, je vais essayer celles que vous avez en vitrine.**
4. **Avez-vous d'autres chaussures de sport? celles-là ne sont pas confortables.**
5. **Jetez un coup d'œil à celles qui sont là.**
6. **Celles-là?**
7. **Oui, celles qui ont des rayures bleues.**
8. **Ce sont celles que les champions utilisent!**
9. **Ce short est trop court, je vais essayer un de ceux-là.**
10. **Je vais aussi essayer des tee-shirts; ceux-ci ne sont pas mal.**
11. **Celui-là est trop cher!**
12. **Jetez un coup d'œil à ceux-là.**

## B3 COMENTARIOS

### ■ Pronunciación

- La pronunciación de **ayer** en **essayer** es [ **je**].

- Note el acento grave en la forma femenina de los adjetivos:

| | |
|---|---|
| **léger** | **légère** |
| **cher** | **chère** |

### ■ Vocabulario

- *Shorts* se usa en singular en francés: **un short.**
- **Tee-shirt**, *camiseta,* es otra palabra que viene del inglés. Note la diferencia en la ortografía.

## B4 TRADUCCIÓN

1. ¿Tiene anteojos de sol como éstos?
2. No, pero pruebe ésos, son muy livianos.
3. Son demasiado pequeños, voy a probar los que tiene en vitrina.
4. ¿Tiene otros zapatos de deporte? Ésos no son cómodos.
5. Écheles un vistazo a los que están allá.
6. ¿Ésos?
7. Sí, los que tienen las rayas azules.
8. Son los que usan los campeones.
9. Estos shorts son demasiado cortos, voy a probar uno de ésos.
10. También voy a probar camisetas; éstas no están mal.
11. Ésa es demasiado cara.
12. Écheles un vistazo a ésos.

## C1 EJERCICIOS

**A.** ●● **Reemplace las palabras en cursiva por celui, celle, ceux o celles:**

1. J'aime bien *la montre* qui est en vitrine.
2. Il emporte *le sac* qui est sur la chaise.
3. Allons regarder *les tableaux* qui sont au premier étage.
4. Combien coûte *l'ordinateur* que vous utilisez?
5. C'est *l'appartement* qui est à louer?
6. Écoute *les chansons* qu'elle chante.

**B. Escriba la forma correcta del adjetivo:**

1. Une valise (léger).
2. Des étudiantes (étranger).
3. Des pays (étranger).
4. La (premier) chanson.
5. Des chaussures (cher).

**C.** ●● **Traduzca al francés:**

1. Este libro no es muy interesante. Ése sí.
2. Ese ejercicio es fácil. Éste no.
3. ¿Tiene otros anteojos de sol? Éstos son demasiado caros.

## C2 COUP DE FOUDRE / *AMOR A PRIMERA VISTA*

- La palabra **coup** se usa en muchas expresiones, por ejemplo:

**coup de soleil** — *quemadura de sol*
**coup de pied** — *patada*
**coup de poing** — *puñetazo*
**coup de feu** — *tiro*
**coup de vent** — *ráfaga de viento*
**coup de fil (téléphone)** — *llamada telefónica, telefonazo*
**tout à coup** — *de repente*
**du premier coup** — *de primera intención*

- **Un dicton: "Faire d'une pierre deux coups".**
*Un dicho: "Matar dos pájaros de un tiro".*

## C3 RESPUESTAS

**A.** 1. J'aime bien celle qui est en vitrine.
2. Il emporte celui qui est sur la chaise.
3. Allons regarder ceux qui sont au premier étage.
4. Combien coûte celui que vous utilisez?
5. C'est celui qui est à louer?
6. Ecoute celles qu'elle chante.

**B.** 1. Une valise légère.
2. Des étudiantes étrangères.
3. Des pays étrangers.
4. La première chanson.
5. Des chaussures chères.

**C.** 1. Ce livre n'est pas très intéressant. Celui-là, oui.
2. Cet exercice est facile. Celui-ci, non.
3. Est-ce que vous avez d'autres lunettes de soleil? Celles-ci sont trop chères.

## C4 EN FRANCÉS, AL IGUAL QUE EN ESPAÑOL, MUCHAS PALABRAS RELATIVAS AL DEPORTE VIENEN DEL INGLÉS

Note que su ortografía es la misma que en inglés.

**basketball**
**football**
**hockey**
**rugby**
**tennis**
**volleyball**

# 16 Quelle valise emportons-nous?

## A1 PRESENTACIÓN

### ■ Gramática

- El adjetivo interrogativo en francés es **quel** *(qué, cuál)*.
  Su forma varía con el género y número del sustantivo:

| masc. sing. | **quel** | fem. sing. | **quelle** |
|---|---|---|---|
| masc. pl. | **quels** | fem. pl. | **quelles** |

**Quel livre regardes-tu?** *¿Qué libro miras?*
**Quels livres regardes-tu?** *¿Qué libros miras?*
**Quelle photo préfères-tu?** *¿Qué foto prefieres?*
**Quelles photos préfères-tu?** *¿Qué fotos prefieres?*

### ■ Vocabulario

**emporter** *llevar*
**porter** *llevar puesto (ropa)*
**voyage** (masc.) *viaje*
**or** (masc.) *oro*
**livre de poche** (masc.) *libro de bolsillo*
**étagère** (fem.) *estante*
**quart** (masc.) *cuarto (1/4)*
**marron** *café, marrón*

## A2 EJEMPLOS *(Empacando)*

1. **Quelle valise emportons-nous?**
2. **La grande valise noire.**
3. **Quel manteau est-ce que tu vas emporter?**
4. **Le neuf.**
5. **Quelle montre?**
6. **La montre en or.**
7. **Quelles chaussures vas-tu porter pour le voyage?**
8. **Les marron; elles sont très confortables.**
9. **Quels livres préfères-tu emporter?**
10. **Les livres de poche qui sont sur l'étagère.**
11. **A quelle heure va-t-on arriver?**
12. **A neuf heures moins le quart.**

# 16 ¿Qué maleta llevamos?

## A3 COMENTARIOS

■ Gramática

- Una de las maneras más frecuentes de responder a una pregunta con **quel** es usando el artículo definido **le, la,** o **les** con un sustantivo y un adjetivo(s); note que muchas veces el sustantivo está sobreentendido.

  Ej.: **Le neuf.** *El nuevo.*
  **Les marron.** *Los cafés.*

- Recuerde que **marron** *(café, marrón)*, aunque es usado como adjetivo, es invariable.
- Recuerde los dos significados de **porter:**

  *cargar:*
  **Il porte les valises.** *Está cargando las maletas.*
  *llevar puesto:*
  **Il porte un manteau gris.** *Lleva puesto un abrigo gris.*

- Note que en una pregunta en la que el verbo está invertido, se introduce **t** entre el verbo y los pronombres: **il, elle** u **on**, cuando el verbo termina en vocal.

 **À quelle heure** **va-t-on arriver?**
**va-t-il arriver?**
**va-t-elle arriver?**

## A4 TRADUCCIÓN

1. ¿Qué maleta llevamos?
2. La gran maleta negra.
3. ¿Qué abrigo te vas a llevar?
4. El nuevo.
5. ¿Qué reloj?
6. El reloj de oro.
7. ¿Qué zapatos vas a ponerte para el viaje?
8. Los cafés; son muy cómodos.
9. ¿Qué libros prefieres llevar?
10. Los libros de bolsillo que están en el estante.
11. ¿A qué hora vamos a llegar?
12. A las nueve menos cuarto.

# 16 Avez-vous de nouveaux livres? Lesquels?

## B1 PRESENTACIÓN

### ■ Gramática

• El pronombre interrogativo que corresponde a **quel** es **lequel** *(cuál)*, y también varía con el género y número del sustantivo:

| masc. sing. | **lequel** | fem. sing. | **laquelle** |
|---|---|---|---|
| masc. pl. | **lesquels** | fem. pl. | **lesquelles** |

(Note la semejanza con los artículos definidos. Ver lección 11.)
**Regarde ces livres! Lequel / lesquels préfères-tu?**
*¡Mira estos libros! ¿Cuál / cuáles prefieres?*
**Voici les photos! Laquelle / lesquelles préfères-tu?**
*¡Aquí están las fotos! / ¿Cuál / cuáles prefieres?*

### ■ Vocabulario

| | |
|---|---|
| **désirer** | *querer, desear* |
| **représenter** | *representar* |
| **dictionnaire** (masc.) | *diccionario* |
| **couverture** (fem.) | *portada* |
| **carte de vœux** (fem.) | *tarjeta de felicitación* |
| **à gauche** | *a la izquierda* |
| **à gauche de** | *a la izquierda de* |
| **à droite** | *a la derecha* |
| **à droite de** | *a la derecha de* |

## B2 EJEMPLOS *(En la librería)*

1. **Avez-vous de nouveaux livres? Lesquels?**
2. **Ceux qui sont dans la vitrine.**
3. **Lequel désirez-vous regarder?**
4. **Celui qui est à gauche sur l'étagère.**
5. **Lequel? Celui-ci ou celui-là?**
6. **Celui qui est à droite des dictionnaires.**
7. **Celui qui a une couverture rouge.**
8. **Laquelle? Celle qui représente un coucher de soleil?**
9. **Oui, celle-là.**
10. **J'ai de nouvelles cartes de vœux. Lesquelles préférez-vous?**
11. **Celles que vous avez dans la main.**
12. **Ce sont celles que je préfère.**

## B3 COMENTARIOS

### ■ Pronunciación

- La pronunciación de **œu** es [ϕ]. Encontrará el mismo sonido en las siguientes palabras:

| | | |
|---|---|---|
| | **nœud** (masc.) | *nudo* |
| | **œufs** (masc. pl.) | *huevos* |
| Pero en | **œuf** (masc. sing.) | *huevo* |
| | **bœuf** (masc.) | *buey* |
| | **sœur** (fem.) | *hermana* |

se pronuncia [**œ**].

### ■ Gramática

- Note estas expresiones:

**Il a un livre à la main.**
*Tiene un libro en la mano.*
**Il a une baguette sous le bras.**
*Tiene una 'baguette' bajo el brazo.*
**Il a les mains dans les poches.**
*Tiene las manos en los bolsillos.*

## B4 TRADUCCIÓN

1. ¿Tiene libros nuevos? ¿Cuáles?
2. Los que están en el escaparate.
3. ¿Cuál quiere mirar?
4. El que está a la izquierda, en el estante.
5. ¿Cuál? ¿Éste o ése?
6. El que está a la derecha de los diccionarios.
7. El que tiene la portada roja.
8. ¿Cuál? ¿La de la puesta del sol?
9. Sí, ésa.
10. Tengo nuevas tarjetas de felicitación. ¿Cuáles prefiere?
11. Las que tiene en la mano.
12. Son las que prefiero.

## C1 EJERCICIOS

**A. Complete con quel, quelle, quels, quelles:**

1. … magazine est-ce que tu emportes?
2. … écrivains français préférez-vous?
3. … amies allons-nous inviter lundi?
4. … examen prépares-tu?
5. … carte allez-vous utiliser?
6. … chaussures aime-t-elle?
7. … disques est-ce que tu vas acheter?
8. … chanson préfère-t-il?

**B. En el ejercicio anterior, reemplace el adjetivo interrogativo y el sustantivo por el pronombre correspondiente.**

**Ej.: Quel magazine …? Lequel …?**

**C. ●● Traduzca al francés:**

1. Los niños traen puestos unos impermeables amarillos.
2. Anne está cargando a un niño en sus brazos.
3. ¿Qué coche vas a comprar?
4. El rojo.
5. ¿Cuál?
6. Ése.

## C2 EN… / *DE…*

**en or** *de oro*
**en argent** *de plata*
**en fer** *de hierro*
**en bois** *de madera*
**en plastique** *de plástico*
**en verre** *de vidrio*
**en laine** *de lana*
**en cotton** *de algodón*
**en cuir** *de cuero*

→ Recuerde que **en** a veces puede ser reemplazado por **de.**
Ej.: **une robe en cotton / une robe de cotton** *un vestido de algodón.*

# 16 Ejercicios

## C3 RESPUESTAS

**A.** 1. Quel magazine est-ce que tu emportes?
2. Quels écrivains français préférez-vous?
3. Quelles amies allons-nous inviter lundi?
4. Quel examen prépares-tu?
5. Quelle carte allez-vous utiliser?
6. Quelles chaussures aime-t-elle?
7. Quels disques est-ce que tu vas acheter?
8. Quelle chanson préfère-t-il?

**B.** 1. Lequel est-ce que tu emportes?
2. Lesquels préférez-vous?
3. Lesquelles allons-nous inviter lundi?
4. Lequel prépares-tu?
5. Laquelle allez-vous utiliser?
6. Lesquelles aime-t-elle?
7. Lesquels est-ce que tu vas acheter?
8. Laquelle préfère-t-il?

**C.** 1. Les enfants portent des imperméables jaunes.
2. Anne porte un enfant dans les bras.
3. Quelle voiture vas-tu acheter?
4. La rouge.
5. Laquelle?
6. Celle-là.

## C4 QUELLE HEURE EST-IL? ●●
*¿QUÉ HORA ES?*

7.00 *Son las siete.*
**Il est sept heures.**
(Note: no se puede omitir **heures.**)

7.15 *Son las siete y cuarto.*
**Il est sept heures et quart.**

7.30 *Son las siete y media.*
**Il est sept heures et demie.**

7.45 *Son las ocho menos cuarto.*
**Il est huit heures moins le quart.**

8.10 *Son las ocho y diez.*
**Il est huit heures dix.**

8.40 *Son las nueve menos veinte.*
**Il est neuf heures moins vingt.**

Note: primero las horas, luego los minutos.

# 17 Achète du pain et du fromage.

## A1 PRESENTACIÓN

### ■ Gramática

- La construcción partitiva:
  Necesita **de** + el artículo definido singular apropiado:
  — delante de un sustantivo femenino: **de la, de l'**
  — delante de un sustantivo masculino: **du** (forma contraída de **de le**); **de l'** (si el sustantivo empieza con vocal o con **h**)
  — en plural hay una sola posibilidad para sustantivos tanto masculinos como femeninos: **des**

### ■ Vocabulario

| | | | |
|---|---|---|---|
| **faire** | *hacer* | **argent** (masc.) | *dinero* |
| **beurre** (masc.) | *mantequilla* | **fruit** (masc.) | *fruta* |
| **salade** (fem.) | *ensalada* | **lait** (masc.) | *leche* |
| **légume** (masc.) | *verdura, legumbres* | **flan** (masc.) | *flan* |
| | | **caramel** (masc.) | *caramelo* |
| **viande** (fem.) | *carne* | **sucre** (masc.) | *azúcar* |
| **fromage** (masc.) | *queso* | **eau** (fem.) **(minérale)** | *agua (mineral)* |
| **cigarette** (fem.) | *cigarro* | | |

## A2 EJEMPLOS *(Haciendo la lista de las compras)*

1. **Il y a du beurre?**
2. **Est-ce qu'il y a de la salade?**
3. **Y a-t-il des légumes?**
4. **Je vais acheter de la viande.**
5. **Achète du pain et du fromage.**
6. **Achète des cigarettes aussi.**
7. **N'oublie pas d'acheter des cigarettes.**
8. **Est-ce que tu as de l'argent?**
9. **Est-ce que nous avons des fruits?**
10. **Achète du lait, je vais faire un flan au caramel.**
11. **Je vais aussi acheter du sucre.**
12. **Est-ce qu'on a de l'eau minérale?**

# 17 Compra pan y queso.

## A3 COMENTARIOS

### ■ Gramática

- Ya sea el equivalente de *unos* o de *unas*, o sin equivalente en español, no se puede omitir **du, de la, des** en una construcción partitiva en francés.
  Ej.: **Est-ce que j'achète aussi du sucre?** *¿También compro azúcar?*

### ■ Pronunciación

- **acheter / achète,** *comprar / compra*
  Fíjese en la **è** en: **j'achète**
  **tu achètes**
  **il/elle achète**
  **ils/elles achètent**
  **achète!**

  Recuerde que **è** se pronuncia [**ɛ**].

  Pero en: **(nous) achetons**
  **(vous) achetez**

  no se pronuncia la **e**.

## A4 TRADUCCIÓN

1. ¿Hay mantequilla?
2. ¿Hay ensalada?
3. ¿Hay verdura?
4. Voy a comprar carne.
5. Compra pan y queso.
6. Compra cigarrillos también.
7. No olvides comprar cigarrillos.
8. ¿Tienes dinero?
9. ¿Tenemos frutas?
10. Compra leche, voy a hacer un flan con caramelo.
11. También voy a comprar azúcar.
12. ¿Tenemos agua mineral?

# 17 Il n'y a pas de nuages, il va faire beau.

## B1 PRESENTACIÓN

### Gramática

- El partitivo cambia en la negación:
  - — **du, de la, des** se convierten indistintamente en **de.**
    Ej.: **Il n'y a pas de salade / il n'y a pas de lait / il n'y a pas de légumes.**
    *No hay ensalada / no hay leche / no hay verduras.*
  - — **de l', des** (cuando preceden a una vocal o una **h**) se convierten en **d'.**
    Ej.: **Il n'y a pas d'eau minérale / ils n'ont pas d'enfants.**
    *No hay agua mineral / no tienen niños.*

### Vocabulario

| | | | |
|---|---|---|---|
| **changer** | *cambiar* | **parapluie** (masc.) | *paraguas* |
| **il fait beau** | *hace buen tiempo* | **ciel** (masc.) | *cielo* |
| **autoroute** (fem.) | *autopista* | **vent** (masc.) | *viento* |
| **neige** (fem.) | *nieve* | **étoile** (fem.) | *estrella* |
| **brouillard** (masc.) | *neblina* | **ruisseau** (masc.) | *arroyo* |
| **soleil** (masc.) | *sol* | | |

## B2 EJEMPLOS *(El tiempo)*

1. **Il y a de la neige sur l'autoroute.**
2. **Il n'y a pas de neige en ville.**
3. **Elle est sous la pluie et elle n'a pas d'imperméable!**
4. **Il n'y a pas de brouillard en ville.**
5. **On a de la chance, il n'y a pas de brouillard aujourd'hui.**
6. **Est-ce qu'on va avoir du soleil ou de la pluie dimanche?**
7. **Il n'y a pas de nuages, il va faire beau.**
8. **On n'a pas de chance: le temps va changer.**
9. **Il n'y a pas d'étoiles.**
10. **Nous n'avons pas de parapluie.**
11. **Il n'y a pas d'eau dans le ruisseau; il est sec.**
12. **Le ciel est rouge; il n'y a pas de vent; il va faire beau demain.**

## B3 COMENTARIOS

### ■ Gramática

- **faire**, *hacer*, es un verbo irregular.

Presente:

| | | |
|---|---|---|
| **je** | **fais** | *(yo) hago* |
| **tu** | **fais** | *(tú) haces* |
| **il, elle, on** | **fait** | *(él, ella) hace* |
| **nous** | **faisons** * | *(nosotros) hacemos* |
| **vous** | **faites** | *(ustedes) hacen* |
| **ils, elles** | **font** | *(ellos, ellas) hacen* |

### ■ Pronunciación

- * Note que **faisons** se pronuncia [fəzɔ̃].
- Recuerde:

— **ei (neige)** tiene el sonido de [**ɛ:**].
— **ui (fruit, pluie, ruisseau, parapluie)** es el sonido de [**y**] seguido rápidamente por [**i**].

## B4 TRADUCCIÓN

1. Hay nieve en la autopista.
2. No hay nieve en la ciudad.
3. Está afuera en la lluvia, ¡y no tiene paraguas!
4. No hay neblina en la ciudad.
5. Tenemos suerte, no hay neblina hoy.
6. ¿Vamos a tener sol o lluvia el domingo?
7. No hay nubes, va a hacer buen tiempo.
8. No tenemos suerte: el tiempo va a cambiar.
9. No hay estrellas.
10. No tenemos paraguas.
11. No hay agua en el arroyo; está seco.
12. El cielo está rojo; no hay viento; va a hacer buen tiempo mañana.

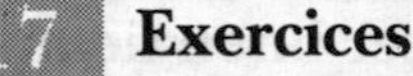

# 17 Exercices

## C1 EJERCICIOS

**A. Canjee la palabra entre paréntesis con la que está al final de la oración. Haga los cambios necesarios.**

1. Nous n'avons pas d'(ordinateur) — secrétaire.
2. Vous mangez de la (salade) — fruits.
3. Il n'y a pas de (vent) — neige.
4. Ils achètent du (vin) — viande.
5. On n'a pas de (chance) — argent.
6. Est-ce que tu as du (sucre) — lait?

**B. Convierta estas afirmaciones en negaciones:**

1. J'ai du sucre.
2. Nous avons des enfants.
3. Ils achètent des livres.
4. Il y a de l'eau sur la table.
5. Il a de la chance.

**C. Traduzca al francés:**

1. ¿Tiene usted dinero?
2. Ellos no tienen auto.
3. Voy a comprar pan.
4. ¿Ustedes comen frutas?

## C2 LE TEMPS / *EL TIEMPO*

- **faire** se usa en muchas expresiones impersonales para hablar del tiempo: **il fait** es el equivamente de *hace*:

| | |
|---|---|
| **il fait froid** | *hace frío* |
| **il fait chaud** | *hace calor* |
| **il fait bon** | *la temperatura es agradable* |
| **il fait beau** | *hace buen tiempo* |
| **il fait mauvais** | *hace mal tiempo* |
| **il fait soleil** | *hay sol* |
| **il fait sec** | *el tiempo está seco* |
| **il fait jour** | *es de día* |
| **il fait nuit** | *es de noche* |

- Algunas expresiones relativas al tiempo se refieren a animales.
  Ej.: **Un temps de chien** *(perro)*, **un froid de canard** *(pato)*.

## C3 RESPUESTAS

**A.** 1. Nous n'avons pas de secrétaire.
2. Vous mangez des fruits.
3. Il n'y a pas de neige.
4. Ils achètent de la viande.
5. On n'a pas d'argent.
6. Est-ce que tu as du lait?

**B.** 1. Je n'ai pas de sucre.
2. Nous n'avons pas d'enfants.
3. Ils n'achètent pas de livres.
4. Il n'y a pas d'eau sur la table.
5. Il n'a pas de chance.

**C.** 1. Avez-vous de l'argent?
2. Ils n'ont pas de voiture.
3. Je vais acheter du pain.
4. Mangez-vous des fruits?

## C4 SAISONS ET FÊTES
## *ESTACIONES Y FIESTAS*

**printemps** (masc.) *primavera*
**été** (masc.) *verano*
**automne** (masc.) *otoño*
**hiver** (masc.) *invierno*

**Pâques** *Pascuas*
**Noël** *Navidad*
**Jour de l'An** *Año Nuevo*

• Note: **en été** *en verano*
**en automne** *en otoño*
**en hiver** *en invierno*
• Pero: **au printemps** *en primavera*

# 18 Combien de joueurs y a-t-il...?

## A1 PRESENTACIÓN

■ Gramática

- Para preguntar un número o una cantidad, el interrogativo es **combien de/d'.**

  Ej.: **Combien de chats avez-vous?**
  *¿Cuántos gatos tiene ud. / tienen ustedes?*
  **Combien d'argent avez-vous?**
  *¿Cuánto dinero tiene ud. / tienen ustedes?*

— Para una gran cantidad, **beaucoup de/d'** seguido de un plural es el equivalente de *mucho(a)/os(as)*.
— Para una cantidad pequeña, **peu de/d'** seguido de un plural es el equivalente de *poco(a)/os(as)*.
— Para una cantidad pequeña, **quelques** seguido de un plural es el equivalente de *algunos(as)*.

■ Vocabulario

| | | | |
|---|---|---|---|
| **entrer** | *entrar* | **billet** (masc.) | *boleto* |
| **crier** | *gritar* | **millier** (masc.) | *millar* |
| **joueur** (masc.) | *jugador* | **quelqu'un** | *alguien* |
| **équipe** (fem.) | *equipo* | **personne** | *nadie* |
| **stade** (masc.) | *estadio* | **plusieurs** | *varios* |
| **personne** (fem.) | *persona* | **déjà** | *ya* |
| **match** (masc.) | *partido* | | |

## A2 EJEMPLOS *(Antes de un partido de futbol)*

1. **Combien y a-t-il de joueurs dans une équipe de football?**
2. **Combien de joueurs y a-t-il dans une équipe de football? Onze.**
3. **Y a-t-il quelqu'un dans le stade?**
4. **Non, il n'y a personne.**
5. **Combien de personnes vont regarder le match?**
6. **Beaucoup de gens vont regarder le match.**
7. **Combien de personnes vont aller à ce match?**
8. **Plusieurs milliers de personnes vont aller à ce match.**
9. **Peu de gens ont déjà des billets.**
10. **Il y a pas mal de personnes qui chantent.**
11. **Quelques personnes crient.**
12. **Il y a beaucoup de voitures près du stade.**

## A3 COMENTARIOS

### ■ Gramática

- **Combien y a-t-il de joueurs? / Combien de joueurs y a-t-il?**
  *¿Cuántos jugadores hay?*
  Note que la pregunta puede hacerse de dos maneras.
- Recuerde que **personne** es un sustantivo femenino, pero también puede ser una palabra indefinida invariable que significa *nadie.*
  Ej.: **Quelques personnes regardent le match.**
  *Algunas personas miran el partido.*
  **Personne ne regarde le match.**
  *Nadie mira el partido.*

⟶ Note que **personne** *(nadie)* siempre se usa con **ne.**

- Note que **déjà** se coloca detrás del verbo.
  Ej.: **Ils préparent déjà le repas.**
  *Ya están preparando la comida.*
  **Nous avons déjà un chat, un chien et des oiseaux, ça suffit!**
  *Ya tenemos un gato, un perro y pájaros, ¡con eso basta!*

## A4 TRADUCCIÓN

1. ¿Cuántos jugadores hay en un equipo de futbol?
2. ¿Cuántos jugadores hay en un equipo de futbol? Once.
3. ¿Hay alguien en el estadio?
4. No, no hay nadie.
5. ¿Cuántas personas van a mirar el partido?
6. Muchas personas van a mirar el partido.
7. ¿Cuántas personas van a ir a ese partido?
8. Varios miles de personas van a ir a ese partido.
9. Pocas personas ya tienen boleto.
10. Hay bastantes personas que cantan.
11. Algunas personas gritan.
12. Hay muchos autos cerca del estadio.

# 18 Vous avez beaucoup d'humour.

## B1 PRESENTACIÓN

### Gramática

- Para expresar la noción de cantidad con sustantivos que se pueden contar:

— Para una gran cantidad: **beaucoup de/d'** seguido de un singular es el equivalente de *muchos/as.*

— Para una cantidad pequeña: **peu de/d'**, **un peu de/d'** seguido de un singular es el equivalente de *pocos(as), un poco de.*

— Para una cantidad pequeña: **quelque** seguido de un singular es el equivalente de *alguno(a).*

- Un comentario subjetivo sobre una cantidad se expresa por:

| | |
|---|---|
| **trop de/d'** | *demasiado(a)/os(as)* |
| **assez de/d'** | *suficiente/es* |
| **pas assez de/d'** | *no suficiente/es* |

### Vocabulario

| | | | |
|---|---|---|---|
| **sembler** | *parecer* | **patience** (fem.) | *paciencia* |
| **imagination** (fem.) | *imaginación* | **bizarre** | *raro* |
| **humour** (masc.) | *humor* | **assez** | *suficiente* |
| **talent** (masc.) | *talento* | **pas mal** | *bastante* |
| **travail** (masc.) | *trabajo* | | |

## B2 EJEMPLOS *(Con el adivino)*

1. **Vous semblez avoir assez d'imagination.**
2. **Vous avez beaucoup d'humour.**
3. **Mais vous semblez un peu triste.**
4. **Dans un peu de temps vous allez rencontrer quelqu'un.**
5. **Cette personne a beaucoup de talent.**
6. **Elle a peu d'argent.**
7. **Elle semble être un peu bizarre.**
8. **Vous allez rester quelque temps ensemble.**
9. **Combien de temps? Peu de temps.**
10. **Vous allez avoir pas mal de travail et beaucoup d'argent.**
11. **Vous allez avoir beaucoup de chance.**
12. **Ayez un peu de patience!**

## 18 Tiene mucho sentido del humor.

### B3 COMENTARIOS

■ Gramática

- Note que, al igual que en español, a **sembler** le puede seguir:
  — un infinitivo
  Ej.: **Cet étudiant semble avoir beaucoup de travail.**
  *Este estudiante parece tener mucho trabajo.*

  — un adjetivo
  Ej.: **Cet étudiant semble très sympathique.**
  *Este estudiante parece muy simpático.*

- **pas mal** es una expresión familiar que significa *bastante.*
  Ej.: **Il y a pas mal de gens ce soir.**
  *Hay bastante gente hoy en la noche.*
  **J'ai pas mal de travail à faire aujourd'hui.**
  *Tengo bastante trabajo que hacer hoy.*

- Recuerde que **combien de temps?** es el equivalente de *¿cuánto tiempo?*
  Ej.: **Combien de temps est-ce que le match va durer*?**
  *¿Cuánto tiempo va a durar el partido?*

* **durer** = *durar*

### B4 TRADUCCIÓN

1. Parece tener suficiente imaginación.
2. Tiene mucho sentido del humor.
3. Pero parece un poco triste.
4. Pronto va a conocer a alguien.
5. Esta persona tiene mucho talento.
6. Tiene poco dinero.
7. Parece un poco extraño/a.
8. Van a quedarse juntos por un tiempo.
9. ¿Cuánto tiempo? Poco tiempo.
10. Va/van a tener bastante trabajo y mucho dinero.
11. Va/van a tener mucha suerte.
12. ¡Tenga un poco de paciencia!

# Exercices

## C1 EJERCICIOS

**A. Haga las preguntas de otra manera:**

1. Combien y a-t-il d'appartements dans cet immeuble?
2. Combien y a-t-il d'ordinateurs dans ce bureau?
3. Combien d'aéroports y a-t-il à Paris?
4. Combien y a-t-il de livres sur l'étagère?

**B. Encuentre la pregunta usando combien de:**

1. J'ai trois enfants.
2. Ils vont emporter deux valises.
3. Nous invitons six personnes.
4. Il y a des milliers d'étoiles dans le ciel!
5. Elle va chanter plusieurs chansons.
6. Il y a pas mal de personnes dans le stade.

**C. Traduzca al francés:**

1. ¿Cuánto tiempo va a quedarse aquí? Va a quedarse aquí unos días.
2. Muchos niños juegan aquí los miércoles.
3. Mucha gente está de huelga hoy.
4. ¿Cuánto tiempo va a durar la película?
5. Esta persona parece tener poco trabajo.

## C2 10, 12, 15, 20... 1 000 000 000

| | |
|---|---|
| **dizaine** (fem.) | *decena* |
| **douzaine** (fem.) | *docena* |
| **quinzaine** (fem.) | *quincena* |
| **vingtaine** (fem.) | *veintena* |
| **cinquantaine** (fem.) | *cincuentena* |
| **centaine** (fem.) | *centena* |
| **millier** (masc.) | *millar* |
| **million** (masc.) | *millón* |
| **milliard** (masc.) | *mil millones* |

## C3 RESPUESTAS

**A.** 1. Combien d'appartements y a-t-il dans cet immeuble?
2. Combien d'ordinateurs y a-t-il dans ce bureau?
3. Combien y a-t-il d'aéroports à Paris?
4. Combien de livres y a-t-il sur l'étagère?

**B.** 1. Combien d'enfants avez-vous?
Combien avez-vous d'enfants?
2. Combien vont-ils emporter de valises?
Combien de valises vont-ils emporter?
3. Combien de personnes invitons-nous?
Combien invitons-nous de personnes?
4. Combien y a-t-il d'étoiles dans le ciel?
Combien d'étoiles y a-t-il dans le ciel?
5. Combien de chansons va-t-elle chanter?
Combien va-t-elle chanter de chansons?
6. Combien y a-t-il de personnes dans le stade?
Combien de personnes y a-t-il dans le stade?

**C.** 1. Combien de temps va-t-il rester ici? Il va rester ici quelques jours.
2. Beaucoup d'enfants jouent ici le mercredi.
3. Beaucoup de gens sont en grève aujourd'hui.
4. Combien de temps va durer le film?
5. Cette personne semble avoir peu de travail.

## C4 MESURES / *MEDIDAS*

- Estas son algunas medidas de peso frecuentes:
  **gramme (g)** (masc.)
  **kilogramme (kg)** (masc.)
  **tonne (t)** (fem.)

→ medio kilo muchas veces se dice **livre** (fem.).

**Combien pèse ce paquet?** *¿Cuánto pesa este paquete?*
**Ce paquet pèse trois kilos.** *Este paquete pesa tres kilos.*
**Achète une livre de cerises.** *Compra una libra de cerezas.*

- Para líquidos se usa **litre (l)** (masc.) y **demi-litre** (masc.).
  Ej.: **Il y a deux litres de lait sur l'étagère.**
  *Hay dos litros de leche en el estante.*

# 19 Une grosse moto est aussi chère qu'une voiture.

## A1 PRESENTACIÓN

### ■ Gramática

- El comparativo se construye añadiendo:

| | |
|---|---|
| **+ plus... que** | *más... que* |
| **= aussi... que** | *tan... como* |
| **– moins... que** | *menos... que* |

de uno y otro lado del adjetivo.

Ej.: **Pierre est plus jeune que Louis.**
*Pierre es más joven que Louis.*
**Louis est plus sympathique que Pierre.**
*Louis es más simpático que Pierre.*

- El superlativo se construye colocando:

| | |
|---|---|
| **le, la, les plus...** | *el, la, los, las más...* |
| **le, la, les moins...** | *el, la, los, las menos...* |

delante del adjetivo.

### ■ Vocabulario

| | | | |
|---|---|---|---|
| **groupe** (masc.) | *grupo* | **journal** (masc.) | *periódico* |
| **train** (masc.) | *tren* | **monde** (masc.) | *mundo* |
| **moto** (fem.) | *moto* | **ville** (fem.) | *ciudad* |
| **église** (fem.) | *iglesia* | | |

## A2 EJEMPLOS *(Comparaciones)*

1. **Je suis plus jeune que Mme Lenoir.**
2. **Tu es le plus sympathique du groupe.**
3. **Un avion est plus rapide qu'un train.**
4. **Un livre est plus cher qu'un journal.**
5. **Il est aussi grand qu'Antoine.**
6. **Une grosse moto est aussi chère qu'une voiture.**
7. **M. Martin n'est pas aussi intelligent que Mme Martin.**
8. **Une église est plus petite qu'une cathédrale.**
9. **Une rue est moins large qu'un boulevard.**
10. **C'est la rue la plus large de la ville.**
11. **Paris n'est pas aussi grand que Mexico.**
12. **Paris n'est pas la plus grande ville du monde.**

## A3 COMENTARIOS

### ■ Gramática

- Note que **que** se convierte en **qu'** delante de una vocal o de **h.**

  Ej.: **Anne est plus jolie qu'Hélène.**
  *Anne es más linda que Hélène.*
  **Hélène est plus grande qu'Anne.**
  *Hélène es más grande que Anne.*

- Note que después de un superlativo el complemento se introduce con **de** o con la forma contraída **du.**

  Ej.: **Le plus grand immeuble de la ville.**
  *El edificio más grande de la ciudad.*
  **La plus belle fille du monde.**
  *La muchacha más bella del mundo.*

- Los nombres de ciudades pueden ser masculinos o femeninos. Éstos son algunos nombres femeninos:

  **Bogotá, Lima, Marsella**

### ■ Pronunciación

- Note la **è** en **chère**, femenino de **cher.**
- Note que en **ville, -ille** se pronuncia **[il].**

## A4 TRADUCCIÓN

1. Soy más joven que la señora Lenoir.
2. Eres el más simpático del grupo.
3. Un avión es más rápido que un tren.
4. Un libro es más caro que un periódico.
5. Él es tan grande como Antoine.
6. Una moto grande es tan cara como un auto.
7. El Sr. Martin no es tan inteligente como la Sra. Martin.
8. Una iglesia es más pequeña que una catedral.
9. Una calle es menos ancha que un bulevar.
10. Es la calle más ancha de la ciudad.
11. París no es tan grande como México.
12. París no es la ciudad más grande del mundo.

# 19 Elle parle doucement.

## B1 PRESENTACIÓN

### ■ Gramática

- La mayoría de los adverbios también se usan en comparaciones. Casi todos se forman añadiéndole **-ment** al adjetivo femenino. Son invariables. Ej.:

| masculino singular | femenino singular | adverbio |
|---|---|---|
| **lent** *(lento)* | **lente** | **lentement** *(lentamente)* |
| **rapide** *(rápido)* | **rapide** | **rapidement** *(rápidamente)* |

- Por lo general se colocan detrás del verbo al que modifican.

  Ej.: **Elle parle bizarrement.**
  *Habla de manera extraña.*
  **Vous ne marchez pas rapidement.**
  *Usted no camina rápidamente.*

### ■ Vocabulario

**vélo** (masc.) — *bicicleta*
**bateau** (masc.) — *barco*
**doucement** — *despacio, bajito*
**rapidement** — *rápidamente*
**rarement** — *raramente*
**lentement** — *lentamente*

## B2 EJEMPLOS *(Más comparaciones)*

1. **Elle parle doucement.**
2. **Parle plus lentement, s'il te plaît.**
3. **Il marche rapidement.**
4. **Tu marches plus rapidement qu'Anne.**
5. **Vous voyagez plus rarement que Pierre.**
6. **Vous n'habitez pas aussi loin que Pierre.**
7. **Un bateau ne va pas aussi vite qu'un avion.**
8. **Il danse aussi bien que Philippe.**
9. **Un vélo ne va pas aussi vite qu'une moto.**
10. **Tu vas aux Etats Unis moins souvent qu'au Mexique.**
11. **Nous allons au théâtre aussi souvent que possible.**
12. **Nous allons au théâtre le plus souvent possible.**

## B3 COMENTARIOS

### Gramática

- No todos los adverbios terminan en **-ment,** especialmente adverbios de:

| | | |
|---|---|---|
| — tiempo: | **souvent** | *seguido* |
| | **maintenant** | *ahora* |
| | **parfois** | *a veces* |
| — lugar: | **ici** | *aquí* |
| | **loin** | *lejos* |
| y por supuesto: | **bien** | *bien* |

### Vocabulario

- **doucement/lentement:** cuando se refieren a movimiento, se pueden usar indistintamente sin que cambie el significado. En ese caso, **doucement** significa *lentamente.*

  Ej.: **Elle avance doucement** (o **lentement**).
  *Ella camina lentamente.*

- En francés hablado, muchas palabras de tres sílabas o más que se usan con frecuencia en la vida diaria se reducen a sus dos primeras sílabas.

  Ej.: **photo(graphie), moto(cyclette),**
  **vélo(cipède), auto(mobile).**

### Pronunciación

- Note que en **rapid(e)ment, rar(e)ment, lent(e)ment, douc(e)ment,** la **e** no se pronuncia.

## B4 TRADUCCIÓN

1. Ella habla despacio / bajito.
2. Habla más despacio, por favor.
3. Él camina rápidamente.
4. Caminas más rápidamente que Pierre.
5. Usted viaja con menos frecuencia que Pierre.
6. No vive tan lejos como Pierre.
7. Un barco no va tan rápido como un avión.
8. Él baila tan bien como Philippe.
9. Una bicicleta no va tan rápido como una moto.
10. Vas a los Estados Unidos menos seguido que a México.
11. Vamos al teatro tan a menudo como es posible.
12. Vamos al teatro lo más frecuentemente posible.

# 19 Exercices

## C1 EJERCICIOS

**A. Compare usando el adjetivo entre paréntesis:**

1. Un avion (rapide) un vélo
2. Pierre (intelligent) Louis
3. Anne (gentille) Hélène
4. M. Martin (célèbre) Picasso
5. Des magazines (chers) des livres
6. Paris (grand) Mexico

**B. Haga comparaciones (fíjese en el signo entre paréntesis):**

1. Il voyage (souvent) Pierre. ( – )
2. Tu danses (bien) Louis! ( – )
3. Vous habitez (loin) Mme Martin. ( = )
4. Une voiture va (lentement) un avion. ( + )
5. Nous n'allons pas (vite) Anne. ( = )

**C. Conteste por vrai *(correcto)* o faux *(falso)*:**

1. Un boulevard est plus large qu'une rue.
2. Un bateau est aussi rapide qu'un avion.
3. Une cathédrale est moins grande qu'une église.
4. Rome est la plus grande ville d'Europe.

## C2 COMPARATIVOS Y SUPERLATIVOS IRREGULARES

- **bon** *(bueno)*:

**meilleur** (masc. sing.) / **meilleurs** (masc. pl.) ] **que** — **meilleure** (fem. sing.) / **meilleures** (fem. pl.) ] **que**

= *mejor, mejores que*

**le, la, les meilleur(e)(s)** = *el, la, los, las mejor/es*

- **bien** *(bien)*:

**mieux que** = *mejor que*
**le mieux** = *el/la mejor*

- **mauvais** *(malo)*:

**pire que** = *peor que*
**le pire** = *el/la peor*

- **mal** *(mal)*:

**pire que** = *peor que*
**le pire** = *el/la peor*

## C3 RESPUESTAS

**A.** 1. Un avion est plus rapide qu'un vélo.
2. Pierre est plus intelligent que Louis.
3. Anne est aussi gentille qu'Hélène.
4. M. Martin est moins célèbre que Picasso.
5. Des magazines sont moins chers que des livres.
6. Paris est moins grand que Mexico.

**B.** 1. Il voyage moins souvent que Pierre.
2. Tu danses moins bien que Louis!
3. Vous habitez aussi loin que Mme Martin.
4. Une voiture va plus lentement qu'un avion.
5. Nous n'allons pas aussi vite qu'Anne.

**C.** 1. **vrai** / *correcto*
2. **faux** / *falso*
3. **faux** / *falso*
4. **faux** / *falso*

## C4 ADVERBIOS ÚTILES

| | |
|---|---|
| **certainement** | *ciertamente* |
| **bien sûr** | *por supuesto* |
| **heureusement** | *afortunadamente* |
| **justement** | *precisamente* |
| **malheureusement** | *desgraciadamente* |
| **sûrement** | *seguramente* |
| **vraiment** * | *realmente* |

* Note la ausencia de **e.** Cuando el adjetivo masculino termina en vocal, **-ment** se añade directamente al adjetivo.

# 20 Qu'est-ce qu'il y a à la télévision aujourd'hui?

## A1 PRESENTACIÓN

### Gramática

- Recuerde las dos formas interrogativas:
  — Manges-tu?
  — Est-ce que tu manges?
- Para hacer una pregunta sobre el objeto, use **que** o **qu'** ubicado justo delante de la forma interrogativa.

  Ej.: **Que manges-tu? / Qu'est-ce que tu manges?**
  *¿Qué estás comiendo?*
  **Qu'apportez-vous? / Qu'est-ce que vous apportez?**
  *¿Qué está trayendo?*

### Vocabulario

| | |
|---|---|
| **regarder** | *mirar* |
| **penser** | *pensar* |
| **télévision** (fem.) | *televisión* |
| **feuilleton** (masc.) | *serie* |
| **chaîne** (fem.) | *canal* |
| **émission** (fem.) | *programa* |

## A2 EJEMPLOS *(La televisión)*

1. **Qu'est-ce qu'il y a à la télévision aujourd'hui?**
2. **Qu'est-ce que tu regardes d'habitude?**
3. **Que préférez-vous?**
4. **Que regardez-vous l'après-midi?**
5. **Qu'est-ce que vous pensez des feuilletons américains?**
6. **Que pensez-vous de l'émission?**
7. **Qu'est-ce qu'il y a sur la première chaîne?**
8. **Qu'allons-nous regarder maintenant?**
9. **Qu'est-ce que nous allons regarder?**
10. **Qu'est-ce que vous aimez?**
11. **Qu'est-ce que vous aimez le mieux?**
12. **Que vont-ils faire après l'émission?**

## A3 COMENTARIOS

■ Gramática

- Aunque ambas formas son equivalentes, **qu'est-ce que** se usa más en francés hablado.
- Note que las palabras se enlazan: **qu'est-ce que tu manges?**
- Note que **la première chaîne** significa literalmente *el primer canal* (es igual para los canales 2, 3, 4...)

→ No olvide el acento grave en el femenino.

■ Pronunciación

- **ion** (en **télévision, émission**) se pronuncia como [jɔ̃].
- Recuerde el enlace entre la consonante final de una palabra y la vocal inicial de la palabra siguiente:

**Qu'est-ce que nous ‿ allons regarder?** (z)

**Qu'est-ce que vous ‿ aimez?** (z) **Que vont-‿ils faire?** (t)

## A4 TRADUCCIÓN

1. ¿Qué hay en la televisión hoy?
2. ¿Qué miras de costumbre?
3. ¿Qué prefiere/prefieren?
4. ¿Qué mira usted/miran ustedes en la tarde?
5. ¿Qué piensa/piensan de las series americanas?
6. ¿Qué piensa/piensan del programa?
7. ¿Qué hay en el canal 1?
8. ¿Qué vamos a mirar ahora?
9. ¿Qué vamos a mirar?
10. ¿Qué le/les gusta?
11. ¿Qué es lo que más le/les gusta?
12. ¿Qué van a hacer después del programa?

# 20 Pourquoi préférez-vous la campagne?

## B1 PRESENTACIÓN

### ■ Gramática

- Cuando se usa con una preposición, **que** se convierte en **quoi.** La preposición siempre se coloca delante de **quoi.**

| Ej.: | **Avec quoi travailles-tu?** | *¿Con qué trabajas?* |
|---|---|---|
| | **A quoi penses-tu?** | *¿En qué piensas?* |
| | **Pour quoi faire?** | *¿Para qué?* |

- **quoi** también se encuentra en **pourquoi,** el equivalente en francés de *por qué.* La respuesta a una pregunta con **pourquoi** por lo general empieza con **parce que,** *porque.*

| Ej.: | **Pourquoi manges-tu?** | **— Parce que j'ai faim.** |
|---|---|---|
| | *¿Por qué comes?* | *— Porque tengo hambre.* |

### ■ Vocabulario

| | | | |
|---|---|---|---|
| **rêver** | *soñar* | **marche** (fem.) | *caminata* |
| **marcher** | *caminar* | **politique** (fem.) | *política* |
| **faire une promenade** | *dar un paseo* | **musique** (fem.) | *música* |
| **campagne** (fem.) | *campo* | **n'importe quoi** | *cualquier cosa, lo que sea* |
| **nature** (fem.) | *naturaleza* | | |
| **animal** (masc.), pl.: **animaux** | *animal* | **par exemple** | *por ejemplo* |
| **promenade** (fem.) | *paseo* | | |

## B2 EJEMPLOS *(Por qué y por qué no...)*

1. **A quoi pensez-vous?**
2. **De quoi rêvez-vous?**
3. **De quoi? D'une maison à la campagne.**
4. **Pourquoi préférez-vous la campagne?**
5. **Parce que j'aime la nature.**
6. **Pourquoi a-t-elle un chien?**
7. **Parce qu'elle aime les animaux.**
8. **Pourquoi n'allez-vous pas faire une promenade après manger?**
9. **Pourquoi n'allez-vous pas faire une promenade à vélo?**
10. **Parce que nous aimons la marche.**
11. **De quoi parlez-vous quand vous marchez?**
12. **De n'importe quoi, de sport, de politique, de musique par exemple.**

## B3 COMENTARIOS

### Gramática

- En una pregunta negativa con verbo invertido, **ne ... pas** se coloca a uno y otro lado del grupo verbo-pronombre.

  Ej.: **N'allez-vous pas faire une promenade?**
  *¿No va(n) a dar un paseo?*

  En una pregunta negativa con **est-ce que, ne ... pas** se encuentra de uno y otro lado del verbo.

  Ej.: **Est-ce que vous n'allez pas faire une promenade?**
  *¿No va(n) a dar un paseo?*

- Con **parler de,** cuando el complemento es un concepto general, se omite el artículo. Ej.:
  **parler de musique, parler de cinéma, parler de théâtre, parler de sport:** *hablar de música, ... cine, ... teatro, ... deporte.*

### Pronunciación

- Note que **quoi** se pronuncia [**kwa**].

## B4 TRADUCCIÓN

1. ¿En qué está/están pensando?
2. ¿En qué está/están soñando?
3. ¿En qué? En una casa de campo.
4. ¿Por qué prefiere el campo?
5. Porque me gusta la naturaleza.
6. ¿Por qué tiene un perro?
7. Porque le gustan los animales.
8. ¿Por qué no va/van a dar un paseo después de comer?
9. ¿Por qué no van a dar un paseo en bicicleta?
10. Porque nos gusta caminar.
11. ¿De qué hablan cuando caminan?
12. De lo que sea, de deporte, de política, de música por ejemplo.

# 20 Exercices

## C1 EJERCICIOS

**A. Escoja: que / qu'est-ce que / qu-est-ce qu':**

1. … chantes-tu?
2. … vous regardez?
3. … visitons-nous aujourd'hui?
4. … préparent-elles?
5. … elle a?
6. … c'est?
7. … il aime?

**B. ●● Use que y qu'est-ce que para formar preguntas como en el ejemplo:**
**Il mange une tarte: Qu'est-ce qu'il mange? / Que mange-t-il?**

1. Elles achètent des livres.
2. Il utilise un ordinateur.
3. Elle regarde un film.
4. Elle porte une grosse valise.
5. Ils vont apporter le vin.
6. Il va faire une photo.

**C. Haga corresponder las preguntas y las respuestas:**

**P.** 1. Pourquoi invites-tu les voisins?
2. Pourquoi habitez-vous ici?
3. Pourquoi est-ce que tu achètes un croissant?
4. Pourquoi va-t-elle souvent à Nice?
5. Pourquoi a-t-il beaucoup de travail?
6. Pourquoi est-ce qu'il y a beaucoup de monde sur le quai?

**R.** 7. Parce qu'il est médecin.
8. Parce qu'ils sont sympathiques.
9. Parce que c'est près de la gare.
10. Parce que le train va partir.
11. Parce que j'ai faim.
12. Parce qu'elle a des parents à Nice.

## C2 ESTOS VERBOS SON TRANSITIVOS EN FRANCÉS

**regarder** *mirar a*
**chercher** *buscar a*
**attendre** *esperar a*
**écouter** *escuchar a*
**demander** *preguntar por*

## C3 RESPUESTAS

**A.** 1. Que chantes-tu?
2. Qu'est-ce que vous regardez?
3. Que visitons-nous aujourd'hui?
4. Que préparent-elles?
5. Qu'est-ce qu'elle a?
6. Qu'est-ce que c'est?
7. Qu'est-ce qu'il aime?

**B.** 1. Qu'est-ce qu'elles achètent? / Qu'achètent-elles?
2. Qu'est-ce qu'il utilise? / Qu'utilise-t-il?
3. Qu'est-ce qu'elle regarde? / Que regarde-t-elle?
4. Qu'est-ce qu'elle porte? / Que porte-t-elle?
5. Qu'est-ce qu'ils vont apporter? / Que vont-ils apporter?
6. Qu'est-ce qu'il va faire? / Que va-t-il faire?

**C.** 1. Pourquoi invites-tu les voisins? → 8. Parce qu'ils sont sympathiques.
2. Pourquoi habitez-vous ici? → 9. Parce que c'est près de la gare.
3. Pourquoi est-ce que tu achètes un croissant? → 11. Parce que j'ai faim.
4. Pourquoi va-t-elle souvent à Nice? → 12. Parce qu'elle a des parents à Nice.
5. Pourquoi a-t-il beaucoup de travail? → 7. Parce qu'il est medecin.
6. Pourquoi est-ce qu'il y a beaucoup de monde sur le quai? → 10. Parce que le train va partir.

## C4 N'IMPORTE QUOI
CUALQUIER COSA

**n'importe où** — *en cualquier lugar*
**n'importe comment** * — *de cualquier modo*
**n'importe qui** — *cualquier persona, quien sea*
**n'importe quoi** — *cualquier cosa, lo que sea*
**n'importe quand** — *cuando sea*

* Note que **n'importe comment** muchas veces significa *a la ligera.*

# 21 Qui est le président de la République?

## A1 PRESENTACIÓN

### ■ Gramática

- Para hacer una pregunta sobre una persona se usa **qui.** Puede usarse como sujeto.

| Ej.: | **Qui est là?** | *¿Quién está allí?* |
|---|---|---|
| | **Qui est-ce?** | *¿Quién es?* |
| | **Qui est-ce qui commence?** | *¿Quién empieza?* |

- Note **qui est-ce qui..,** cuando la pregunta se formula con **est-ce.**

### ■ Vocabulario

| | |
|---|---|
| **gouverner** | *gobernar* |
| **nommer** | *nombrar* |
| **faire un discours** | *hacer un discurso* |
| **voter** | *votar* |
| **président** (masc.) | *presidente* |
| **république** (fem.) | *república* |
| **ministre** (masc.) | *ministro* |
| **candidat** (masc.) | *candidato* |
| **élection** (fem.) | *elección* |
| **affiche** (fem.) | *cartel* |
| **prochain** | *próximo* |

## A2 EJEMPLOS *(Gobernar)*

1. **Qui gouverne ce pays?**
2. **Qui est le président de la République?**
3. **Qui va nommer les ministres?**
4. **Qui est-ce qui va nommer les ministres?**
5. **Qui va être Premier ministre?**
6. **Qui est-ce qui va voter pour le président?**
7. **Qui est-ce qui est candidat?**
8. **Qui est candidat aux prochaines élections?**
9. **Qui parle aux journalistes?**
10. **Qui va faire un discours ce soir?**
11. **Qui est sur l'affiche?**
12. **Qui vote pour ce candidat?**

# 21 ¿Quién es el Presidente de la República?

## A3 COMENTARIOS

### ■ Gramática

- Note que **qui** no se modifica aunque preceda a una vocal o una **h**.

  Ej.: **Qui est là?**
  **Qui apporte les affiches?**

- **élection** suele usarse en plural **(les élections),** a menos que le siga un complemento.

  Ej.: **L'élection de l'Assemblée.**
  *La elección de la asamblea.*

### ■ Pronunciación

- **tion** (ej.: **élection**) se pronuncia **sion** a menos que le preceda una **s** como en **question;** en este caso sí se pronuncia la **t.**

## A4 TRADUCCIÓN

1. ¿Quién gobierna el país?
2. ¿Quién es el Presidente de la República?
3. ¿Quién nombrará a los ministros?
4. ¿Quién va a nombrar a los ministros?
5. ¿Quién va a ser primer ministro?
6. ¿Quién va a votar por el presidente?
7. ¿Quién es candidato?
8. ¿Quién es candidato para las próximas elecciones?
9. ¿Quién está hablando con los periodistas?
10. ¿Quién va a hacer un discurso hoy en la noche?
11. ¿Quién está en el cartel?
12. ¿Quién vota por este candidato?

# 21 À qui fais-tu confiance?

## B1 PRESENTACIÓN

### Gramática

- **qui** puede usarse como objeto directo, ej.:
  **Qui cherchent-ils?** — *¿A quién buscan?*
  **Qui est-ce que tu préfères?** — *¿A quién prefieres?*
  Aquí, note el **que.**
- o con una preposición. Ej.:
  **Avec qui parlez-vous?** — *¿Con quién habla usted?*
  **Pour qui travaille-t-il?** — *¿Para quién trabaja?*
  **À qui apporte-t-elle les photos?** — *¿A quién le trae las fotos?*

### Vocabulario

| | |
|---|---|
| **donner** | *dar* |
| **discuter** | *discutir* |
| **avoir confiance** / **faire confiance** → | *tener confianza* |
| **compter sur** | *contar con* |
| **régler** | *resolver, arreglar* |
| **document** (masc.) | *documento* |
| **affaire** (fem.) | *asunto, negocio* |
| **mission** (fem.) | *misión* |
| **actuellement** | *actualmente* |
| **d'autre** | *más* |

## B2 EJEMPLOS *(Una misión especial)*

1. **À qui téléphones-tu?**
2. **À qui vas-tu donner ce document?**
3. **Pour qui fais-tu ça?**
4. **Pour qui est-ce que tu travailles actuellement?**
5. **Pour qui travaille cet homme?**
6. **Avec qui discutez-vous de cette affaire?**
7. **Avec qui est-ce que vous discutez de cette affaire?**
8. **En qui ont-ils confiance?**
9. **À qui fais-tu confiance?**
10. **À qui penses-tu pour la prochaine mission?**
11. **À qui d'autre est-ce que tu penses?**
12. **Sur qui comptez-vous pour régler cette affaire?**

## B3 COMENTARIOS

■ Gramática

- Note que en preguntas sobre el objeto indirecto la preposición debe ser colocada al principio. Ej.:

| | |
|---|---|
| **À qui penses-tu?** | *¿En quién piensas?* |
| **Avec qui déjeunez-vous?** | *¿Con quién come usted / comen ustedes?* |
| **Pour qui travaille-t-il?** | *¿Para quién trabaja?* |
| **Sur qui comptez-vous?** | *¿Con quién cuenta usted?* |

- Note dos expresiones con significados casi idénticos:

**faire confiance à**
**avoir confiance en**

Ej.: **Il fait confiance à M. Lenoir.** / **Il a confiance en M. Lenoir.** → *Confía en el señor Lenoir.*

## B4 TRADUCCIÓN

1. ¿A quién estás llamando?
2. ¿A quién le vas a dar este documento?
3. ¿Para quién haces esto?
4. ¿Para quién trabajas actualmente?
5. ¿Para quién trabaja este hombre?
6. ¿Con quién discute usted/discuten ustedes este asunto?
7. ¿Con quién discute usted/discuten ustedes este asunto?
8. ¿En quién confían?
9. ¿En quién confías?
10. ¿En quién piensas para la siguiente misión?
11. ¿En quién más piensas?
12. ¿Con quién cuenta usted/cuentan ustedes para resolver este asunto?

# Exercices

## C1 EJERCICIOS

**A. [●●] Cambie la pregunta como en el ejemplo:**
**Qui chante? / Qui est-ce qui chante?**

1. Qui habite ici?
2. Qui écoute l'émission?
3. Qui regarde la télévision?
4. Qui apporte le vin?

**B. Haga preguntas sobre las palabras en mayúsculas. Ej.:**
**Elle va parler AUX ÉTUDIANTS. À qui va-t-elle parler?**

1. Ils vont parler AUX ÉLECTEURS.
2. Il prépare ce repas pour LES ENFANTS.
3. Nous voyageons avec NOS AMIS.
4. C'est la voiture DE MA FILLE.
5. Elle regarde PIERRE.
6. Je pense à VOUS.

**C. Escoja: qui o que.**

1. Qui est-ce … sonne?
2. Qui est-ce … les journalistes regardent?
3. Qui est-ce … tu écoutes?
4. Qui est-ce … va apporter les documents?

## C2 LA VIE POLITIQUE / *LA VIDA POLÍTICA*

| | |
|---|---|
| **campagne électorale** (fem.) | *campaña electoral* |
| **droit de vote** (masc.) | *derecho al voto* |
| **voix** (fem.) | *voto* |
| **majorité** (fem.) | *mayoría* |
| **parti politique** (masc.) | *partido político* |
| **syndicat** (masc.) | *sindicato* |
| **gouvernement** (masc.) | *gobierno* |
| **député** (masc.) | *diputado* |
| **sénateur** (masc.) | *senador* |
| **maire** (fem.) | *alcalde, presidente municipal* |
| **citoyen(ne)** | *ciudadano(a)* |
| **démocratie** (fem.) | *democracia* |

## C3 RESPUESTAS

**A.** 1. Qui est-ce qui habite ici?
2. Qui est-ce qui écoute l'émission?
3. Qui est-ce qui regarde la télévision?
4. Qui est-ce qui apporte le vin?

**B.** 1. À qui vont-ils parler?
2. Pour qui prépare-t-il ce repas?
3. Avec qui voyagez-vous? / Avec qui voyageons-nous?
4. À qui est la voiture?
5. Qui regarde-t-elle?
6. À qui pensez-vous? / À qui penses-tu?

**C.** 1. Qui est-ce qui sonne?
2. Qui est-ce que les journalistes regardent?
3. Qui est-ce que tu écoutes?
4. Qui est-ce qui va apporter les documents?

## C4 ÉLECTEUR (masc.), ÉLECTRICE (fem.) / *ELECTOR(A)*

- Algunos sustantivos que terminan en **-teur** en masculino **(directeur, électeur)** terminan en **-trice** en femenino **(directrice, électrice)**. Éstos son algunos ejemplos:

| masculino | femenino | |
|---|---|---|
| **acteur** | **actrice** | *actor, actriz* |
| **admirateur** | **admiratrice** | *admirador, admiradora* |
| **auditeur** | **auditrice** | *auditor, auditora* |
| **(les auditeurs,** *el auditorio***)** | | |
| **collaborateur** | **collaboratrice** | *colaborador, colaboradora* |
| **conducteur** | **conductrice** | *conductor, conductora* |
| **instituteur** | **institutrice** | *maestro, maestra* |
| **spectateur** | **spectatrice** | *espectador, espectadora* |
| Pero: | | |
| **chanteur** | **chanteuse** | *cantante* |

# 22 Voici la salle de conférences, ...

## A1 PRESENTACIÓN

### ■ Gramática:

La posesión

- La posesión se construye de una manera muy similar al español:
  Ej.: **La voiture de Pierre.** *El auto de Pierre.*
  **Le sac de la secrétaire.** *El bolso de la secretaria.*
- **à qui** es el equivalente de *de quién*:
  Ej.: **À qui est la voiture?** *¿De quién es el auto?*
  **À qui sont ces vêtements?** *¿De quién es esta ropa?*

### ■ Vocabulario

**P.-D.G. (Président-Directeur Général)** (masc.)
*Presidente y Director General*
**employé** (masc.), **employée** (fem.) *empleado/a*
**parking** (masc.) *estacionamiento*
**stylo** (masc.) *pluma, bolígrafo*
**calculatrice** (fem.) *calculadora*
**bureau** (masc.) *escritorio*
**dossier** (masc.) *acta, expediente*
**comptable** (masc. y fem.) *contador/a*
**salle de conférences** (fem.) *sala de conferencias*

## A2 EJEMPLOS *(En la oficina)*

1. **À qui est cette grosse voiture? C'est la voiture du P.-D.G.**
2. **Les voitures des employés sont sur le parking.**
3. **À qui est ce stylo? C'est le stylo de M. Lenoir.**
4. **Il est à M. Lenoir.**
5. **À qui sont ces lunettes? Elles sont à M. Lenoir.**
6. **Ce sont les lunettes de M. Lenoir.**
7. **Est-ce que c'est la calculatrice de la secrétaire, là, sur le bureau?**
8. **Non, c'est la calculatrice de Pierre.**
9. **Elle est à Pierre.**
10. **Le dossier "Martin" est sur le bureau de la secrétaire.**
11. **Regarde le nouvel ordinateur du comptable.**
12. **Voici la salle de conférences, elle est à côté du bureau du P.-D.G.**

## A3 COMENTARIOS

■ Gramática

- **être à** es la respuesta común a una pregunta que empieza con **à qui.**
  Ej.: **À qui est ce livre?** *¿De quién es este libro?*
  **Il est à Pierre.** *Es de Pierre.*
- **du** es la forma contraída de **de le** *(del).*
  **la voiture du directeur** *el auto del director*
  **le bureau du président** *la oficina del presidente*
  **la fille du patron** *la hija del jefe*
- **des** es la forma contraída de **de les.**
  **les livres des enfants** *los libros de los niños*
  **le travail des secrétaires** *el trabajo de las secretarias*
- De la misma manera, la forma contraída de **à le** es **au**
  **à les** es **aux.**

  **Je vais au cinéma.** *Voy al cine.*
  **Il est au bureau.** *Él está en la oficina.*
  **Elle parle aux étudiants.** *Ella les habla a los estudiantes.*
- Note que **nouvel** es una forma del adjetivo **nouveau**, usada cuando se encuentra delante de un sustantivo masculino que empieza con vocal o con **h.**
  **un nouvel ordinateur, un nouvel album, le Nouvel An.**
  *una computadora nueva, un álbum nuevo, el año nuevo.*

## A4 TRADUCCIÓN

1. ¿De quién es este auto grande? Es del director general.
2. Los autos de los empleados están en el estacionamiento.
3. ¿De quién es este bolígrafo? Es el bolígrafo del señor Lenoir.
4. Es del señor Lenoir.
5. ¿De quién son estos anteojos? Son del señor Lenoir.
6. Son los anteojos del señor Lenoir.
7. ¿Es la calculadora de la secretaria, allí, en el escritorio?
8. No, es la calculadora de Pierre.
9. Es de Pierre.
10. El expediente "Martin" está en el escritorio de la secretaria.
11. Mira la nueva computadora del contador.
12. Aquí es la sala de conferencias, está al lado de la oficina del director general.

# 22 Mon père et ma mère...

## B1 PRESENTACIÓN

### ■ Gramática

- Adjetivos posesivos.
  Los adjetivos posesivos concuerdan tanto en género como en número con el sustantivo que acompañan:

| masc. sing. | fem. sing. | masc. + fem. pl. | |
|---|---|---|---|
| **mon** | **ma** | **mes** | *mi, mis* |
| **ton** | **ta** | **tes** | *tu, tus* |
| **son** | **sa** | **ses** | *su, sus* |
| **notre** | **notre** | **nos** | *nuestro/a, nuestros/as* |
| **votre** | **votre** | **vos** | *su, sus* |
| **leur** | **leur** | **leurs** | *su, sus* |

### ■ Vocabulario

**posséder** *poseer*
**venir** *venir*
**passer** *pasar*
**famille** (fem.) *familia*
**père** (masc.) *padre*
**mère** (fem.) *madre*
**sud** (masc.) *sur*
**oncle** (masc.) *tío*
**cousin** (masc.) *primo*
**entreprise** (fem.) *empresa*
**affaires** (fem. pl.) *negocios*
**à l'étranger** *en el extranjero*

## B2 EJEMPLOS *(La familia)*

1. **Est-ce que vos parents habitent ici?**
2. **Est-ce que votre famille habite près de Paris?**
3. **Non, notre famille vient du sud de la France.**
4. **Mon père et ma mère possèdent une grande maison dans le Midi.**
5. **Mon oncle Pierre travaille à l'étranger, en Italie.**
6. **Il ne vient pas souvent voir ses enfants.**
7. **Mes cousins vont parfois voir leur père.**
8. **Sa maison est près de Los Angeles.**
9. **Son entreprise est dans le centre ville.**
10. **Ses affaires marchent bien.**
11. **Ses fils vont aller travailler là-bas.**
12. **Nos enfants vont passer les vacances avec leur oncle à Los Angeles cet été.**

## B3 COMENTARIOS

### ■ Gramática

- Note que los posesivos singulares femeninos **ma**, **ta**, **sa**, cuando se encuentran delante de una vocal o de una **h**, se transforman en **mon, ton, son**.
  Ej.: **mon amie, ton élection, son affiche, son histoire** (**amie, élection, affiche, histoire** son sustantivos femeninos).
- **Venir** *(venir)* es un verbo irregular:

| Presente | | | |
|---|---|---|---|
| **je** | **viens *** | *yo* | *vengo* |
| **tu** | **viens** | *tú* | *vienes* |
| **il, elle** | **vient** | *él, ella* | *viene* |
| **nous** | **venons** | *nosotros* | *venimos* |
| **vous** | **venez** | *ustedes* | *vienen* |
| **ils, elles** | **viennent** | *ellos, ellas* | *vienen* |

- Note el cambio de acento en **posséder.**
  **Je possède, tu possèdes, il/elle possède, nous possédons, vous possédez, ils/elles possèdent.**
- Note los dos significados de **marcher**: *caminar y funcionar:*
  **Ça ne marche pas.** *No funciona.*

### ■ Pronunciación

* Note que **ien** en **viens**, **vient** o **viennent** se pronuncia [jɛ̃] (ver lección 3, B3).

## B4 TRADUCCIÓN

1. ¿Tus (sus) padres viven aquí?
2. ¿Tu (su) familia vive cerca de París?
3. No, nuestra familia viene del sur de Francia.
4. Mi padre y mi madre poseen una gran casa en el sur.
5. Mi tío Pierre trabaja en el extranjero, en Italia.
6. No viene con frecuencia a ver a sus hijos.
7. Mis primos a veces van a ver a su padre.
8. Su casa queda cerca de Los Ángeles.
9. Su empresa está en el centro de la ciudad.
10. Sus negocios van bien.
11. Sus hijos van a ir a trabajar allá.
12. Nuestros hijos van a pasar las vacaciones con su tío en Los Ángeles este verano.

# Exercices

## C1 EJERCICIOS

**A. Modifique como en el ejemplo:**
**Cette voiture est à Pierre. C'est sa voiture.**

1. Ce stylo est à Anne.
2. Ces lunettes son à Marc.
3. Cette maison est à oncle Louis.
4. Ce chien est aux voisins.
5. Ces vêtements sont à Marie.

**B. Complete con du, de la, des, au, à la, aux:**

1. Anne va … théâtre samedi.
2. Écoutez le discours … Premier ministre.
3. Nous regardons une émission … télévision.
4. Voici la calculatrice … secrétaire.
5. Ce sont les albums … enfants.
6. Le président parle … électeurs.

**C. Traduzca al francés:**

1. Mi hijo trabaja con su director hoy.
2. Sus dos hijos son estudiantes.
3. Es su casa, está cerca de la oficina.
4. Su hija vive en nuestro apartamento.
5. Mi camisa y mis zapatos son nuevos.
6. Ellos van a preparar sus maletas.
7. Nuestros amigos van a viajar con su perro.
8. Tu amigo no está listo.

## C2 EJEMPLOS DEL USO DE **GRAND** Y **GROS** EN FRANCÉS

**une grande église** — *una gran iglesia*
**une grande rue** — *una calle amplia*
**un grand écrivain** — *un gran escritor*
**une grande fille** — *una muchacha grande, alta*

Pero:

**une grosse voiture** — *un auto grande*
**un gros repas** — *una comida grande*
**un gros gâteau** — *un pastel grande*
**un gros livre** — *un libro grueso*

## C3 RESPUESTAS

**A.** 1. C'est son stylo.
2. Ce sont ses lunettes.
3. C'est sa maison.
4. C'est leur chien.
5. Ce sont ses vêtements.

**B.** 1. Anne va au théâtre samedi.
2. Écoutez le discours du Premier ministre.
3. Nous regardons une émission à la télévision.
4. Voici la calculatrice de la secrétaire.
5. Ce sont les albums des enfants.
6. Le président parle aux électeurs.

**C.** 1. Mon fils travaille avec son directeur aujourd'hui.
2. Ses deux enfants sont étudiants.
3. C'est sa maison, elle est près de son bureau.
4. Sa fille habite dans notre appartement.
5. Ma chemise et mes chaussures sont neuves.
6. Ils vont préparer leurs valises.
7. Nos amis vont voyager avec leur chien.
8. Ton ami n'est pas prêt.

## C4 DIRECTIONS / *DIRECCIONES*

**nord** / *norte*

**ouest** / *oeste* **est** / *este*

**sud** / *sur*

- En **est, ouest** y **sud** se pronuncian las consonantes finales.
- Note las preposiciones en algunas expresiones comunes que se refieren a lugares:

| | |
|---|---|
| **dans le Nord** | *en el norte* |
| **dans l'Est** | *en el este* |
| **dans l'Ouest** | *en el oeste* |
| **dans le Sud** | *en el sur* |
| **dans le Midi** | *en el sur (de Francia)* |

| | | | |
|---|---|---|---|
| **à la mer** | *en el mar* | **en province** | *en provincia* |
| **à la campagne** | *en el campo* | **en banlieue** | *en las afueras* |
| **à la montagne** | *en la montaña* | **en ville** | *en la ciudad* |

# 23 On appelle M. ou Mme Lenoir!

## A1 PRESENTACIÓN

### ■ Gramática

- Ya vimos que el pronombre **on** muchas veces significa *nosotros.* También se usa para reemplazar un sujeto indefinido.

| Ej.: | **On sonne à la porte.** | *Están tocando el timbre.* |
|---|---|---|
| | **On n'entend rien.** | *No se oye nada.* |
| | **On vient.** | *Alguien está llegando.* |

### ■ Vocabulario

| | |
|---|---|
| **sonner** | *tocar (un timbre)* |
| **ouvrir** | *abrir* |
| **appeler** | *llamar* |
| **répondre** | *responder* |
| **entendre** | *oír* |
| **finir** | *terminar* |
| **fermer** | *cerrar* |
| **porte** (fem.) | *puerta* |
| **bruit** (masc.) | *ruido* |
| **avant** | *antes* |
| **ne ... rien** | *no ... nada* |
| **ne ... jamais** | *nunca* |

## A2 EJEMPLOS *(Timbres y teléfonos)*

1. **On sonne! Va ouvrir la porte, s'il te plaît!**
2. **On appelle M. ou Mme Lenoir!**
3. **On appelle Mlle Lemercier!**
4. **On appelle; allez répondre, s'il vous plaît.**
5. **On va téléphoner.**
6. **On n'entend rien, il y a trop de bruit!**
7. **On arrive!**
8. **On arrive le 20 mars à cinq heures.**
9. **Trop tard, on ferme!**
10. **On n'a pas assez de temps.**
11. **Téléphonez après neuf heures; on ne finit jamais avant neuf heures.**
12. **Est-ce qu'on commence bientôt?**

## A3 COMENTARIOS

### ■ Gramática

- Recuerde:
  **on** pronombre impersonal
  **ont** 3ª persona plural de **avoir** en el tiempo presente
  (Se pronuncian igual.)
- Recuerde que en la forma negativa, **ne** o **n'** se coloca delante del verbo.
  Ej.: **On ne regarde pas.**
  **On n'appelle pas.**
  **On n'arrive pas.**
- Los verbos regulares pertenecen al:
  — primer grupo con terminación en **er: chanter** (ver lección 4, A3).
  — segundo grupo con terminación en **ir: finir.**
  — tercer grupo, otros: **répondre, voir, ouvrir...**
  Los verbos que pertenecen al mismo grupo se conjugan de la misma manera.
- Note que **rien** puede usarse como sujeto: en ese caso se coloca **ne** entre **rien** y el verbo.
  Ej.: **Rien ne marche.** *Nada funciona.*

### ■ Pronunciación

- No olvide el enlace cuando a **on** le sigue una vocal o una **h**.
  Ej.: **on ‿ appelle, on ‿ arrive, on ‿ habite.**
  (n) (n) (n)

## A4 TRADUCCIÓN

1. ¡Están tocando! ¡Ve a abrir la puerta, por favor!
2. ¡Están llamando al señor o a la señora Lenoir!
3. ¡Están llamando a la señorita Lemercier!
4. Están llamando; vaya a contestar, por favor.
5. Vamos a llamar por teléfono.
6. No se oye nada, hay demasiado ruido.
7. ¡Ya vamos!
8. Vamos a llegar el 20 de marzo a las cinco.
9. ¡Demasiado tarde, vamos a cerrar!
10. No tenemos tiempo suficiente.
11. Llame(n) después de las nueve; nunca terminamos antes de las nueve.
12. ¿Vamos a empezar pronto?

# 23 On signale un accident.

## B1 PRESENTACIÓN

### ■ Gramática

- **on** también se usa para expresar una idea indefinida.
  Ej.: **on pense** que significa:
  *la gente piensa, piensan, ellos piensan*
- Para relacionar dos unidades de la oración, puede usarse **que** o **qu'**.
  Ej.: **Je pense que l'ordinateur est en panne.**
  *Creo que la computadora está descompuesta.*

### ■ Vocabulario

| | |
|---|---|
| **signaler** | *señalar, advertir* |
| **conduire** | *manejar, conducir* |
| **améliorer** | *mejorar* |
| **avoir le droit de** | *tener el derecho de* |
| **accident** (masc.) | *accidente* |
| **permis de conduire** (masc.) | *licencia para conducir* |
| **embouteillage** (masc.) | *atasco, embotellamiento* |
| **périphérique** (masc.) | *periférico, acceso a la ciudad* |
| **circulation** (fem.) | *tráfico, tránsito* |
| **travaux** (masc. pl.) | *obras* |
| **sans** | *sin* |

## B2 EJEMPLOS *(El tráfico)*

1. **On signale un accident.**
2. **On signale un accident sur l'autoroute.**
3. **On a le droit de conduire à dix-huit ans.**
4. **On n'a pas le droit de conduire avant dix-huit ans.**
5. **On n'a pas le droit de conduire sans permis de conduire.**
6. **On signale des embouteillages sur le périphérique.**
7. **On signale des embouteillages en ville.**
8. **On n'aime pas rester dans les embouteillages.**
9. **On pense que les travaux vont finir bientôt.**
10. **On pense qu'on va améliorer la circulation en ville.**
11. **Est-ce qu'on va utiliser des ordinateurs?**
12. **Oui, on pense que les ordinateurs vont améliorer la circulation.**

# 23 Ha sido reportado un accidente.

## B3 COMENTARIOS

### Gramática

- Tiempo presente de los verbos:

| 2º grupo, ej.: **finir** | | | 3er grupo, ej.: **entendre** | | |
|---|---|---|---|---|---|
| **je** | **finis** | *yo termino* | **j'** | **entends** | *yo oigo* |
| **tu** | **finis** | *tú terminas* | **tu** | **entends** | *tú oyes* |
| **il, elle** | **finit** | *él, ella termina* | **il, elle** | **entend** | *él, ella oye* |
| **nous** | **finissons** | *nosotros terminamos* | **nous** | **entendons** | *nosotros oímos* |
| **vous** | **finissez** | *ustedes terminan* | **vous** | **entendez** | *ustedes oyen* |
| **ils, elles** | **finissent** | *ellos, ellas terminan* | **ils, elles** | **entendent** | *ellos, ellas oyen* |

- **on** puede significar *nosotros* (ver lección 4, B1).
- **on** muchas veces corresponde a la voz pasiva en español.

  Ej.: **On signale un accident.**
  *Ha sido reportado un accidente.*

### Pronunciación

- **ss** entre dos vocales se pronuncia [**s**].

  Ej.: **finissez, finissons, finissent.**

## B4 TRADUCCIÓN

1. Ha sido reportado un accidente.
2. Ha sido reportado un accidente en la autopista.
3. Se puede manejar a los dieciocho años.
4. No se puede manejar antes de los dieciocho años.
5. No se puede manejar sin licencia para conducir.
6. Reportan embotellamientos en los accesos a la ciudad.
7. Reportan embotellamientos en la ciudad.
8. No es agradable quedarse en los embotellamientos.
9. Piensan que las obras van a acabar pronto.
10. Piensan que va a mejorar el tráfico en la ciudad.
11. ¿Van a usar computadoras?
12. Sí, piensan que las computadoras van a mejorar el tráfico.

# Exercices

## C1 EJERCICIOS

**A. <u>on</u> / <u>ont</u>: escoja la palabra que conviene:**

1. Ici, … parle espagnol.
2. Ils … deux enfants.
3. Pierre et Marie … un appartement près d'ici.
4. … appelle la secrétaire.
5. Elles … des valises neuves.
6. … ne travaille pas le dimanche.

**B. Utilice la forma correcta del verbo <u>finir</u>:**

1. Elles … la bouteille de vin.
2. On … à neuf heures.
3. … vous la tarte?
4. Nous … le repas.
5. Je … les valises.

**C. ●● Traduzca al francés:**

1. Piensan que la ecología* es muy importante.
2. Pensamos que el museo va a abrir a las tres.
3. Están llamando en la calle.
4. Vamos a irnos juntos el jueves.
5. No se puede manejar a 90 km/h en la ciudad.

* *ecología* = **écologie** (fem.)

## C2 LE 1$^{er}$ MAI / *1º DE MAYO*

- Para expresar la fecha en francés, se usa el número ordinal para el primer día del mes, y el número cardinal para los demás.

  Ej.: **le 1$^{er}$ janvier, le 1$^{er}$ mai, le 1$^{er}$ août.**
  **le premier janvier, le premier mai, le premier août.**
  **le 14 juillet, le 11 novembre, le 25 décembre.**
  **le quatorze juillet, le onze novembre, le vingt-cinq décembre.**

- Note que: **Nous sommes le...** es la forma común y corriente para decir la fecha. En francés hablado se dice **on est le...** .

  Ej.: **Nous sommes le mardi 30 juin.**
  **On est le mardi 30 juin.**
  *Estamos a martes 30 de junio.*

## C3 RESPUESTAS

**A.** 1. Ici, on parle espagnol.
2. Ils ont deux enfants.
3. Pierre et Marie ont un appartement près d'ici.
4. On appelle la secrétaire.
5. Elles ont des valises neuves.
6. On ne travaille pas le dimanche.

**B.** 1. Elles finissent la bouteille de vin.
2. On finit à neuf heures.
3. Finissez-vous la tarte?
4. Nous finissons le repas.
5. Je finis les valises.

**C.** 1. On pense que l'écologie est très importante.
2. On pense que le musée va ouvrir à trois heures.
3. On appelle dans la rue.
4. On va partir ensemble jeudi.
5. On n'a pas le droit de conduire à 90 km/h en ville.

## C4 NUMÉROS DE TÉLÉPHONE
### *NÚMEROS DE TELÉFONO*

- En Francia los números de teléfono se dicen de la manera siguiente:

| 42 | 17 | 19 | 30 |
|---|---|---|---|
| **quarante-deux** | **dix-sept** | **dix-neuf** | **trente** |
| *(cuarenta y dos)* | *(diecisiete)* | *(diecinueve)* | *(treinta)* |
| **45** | **04** | **26** | **08** |
| **quarante-cinq** | **zéro quatre** | **vingt-six** | **zéro huit** |
| *(cuarenta y cinco)* | *(cero cuatro)* | *(veintiséis)* | *(cero ocho)* |

Algunas palabras y expresiones sobre llamadas telefónicas:

| | |
|---|---|
| **une cabine** | *una cabina telefónica* |
| **décrocher** | *descolgar* |
| **raccrocher** | *colgar* |
| **composer le numéro** | *marcar el número* |
| **c'est occupé!** | *¡está ocupado!* |
| **ne quittez pas!** | *¡no cuelgue!* |

# 24 Nous avons acheté des cadeaux pour...

## A1 PRESENTACIÓN

### Gramática

- Para referirse a un evento pasado, el tiempo más comúnmente usado es el **passé composé**. Se forma con el tiempo presente de **avoir** y el participio pasado del verbo.
  Las terminaciones de los participios pasados son:

| | | |
|---|---|---|
| **é** | para todos los verbos que terminan en | **er** |
| **i** | para la mayoría de los verbos que terminan en | **ir** |
| **u** | para la mayoría de los verbos que terminan en | **oir** y **re** |

→ Algunos verbos son irregulares.
Ej.: **prendre - pris** *(tomar, tomado).*

### Vocabulario

| | | | |
|---|---|---|---|
| **prendre** | *tomar, coger* | **cadeau** (masc.) | *regalo* |
| **louer** | *alquilar* | **au bord de la mer** | *en la orilla del mar* |
| **vie** (fem.) | *vida* | **dernier** | *último* |
| **plage** (fem.) | *playa* | **tout** | *todo* |
| **journée** (fem.) | *día* | **pour** | *para* |
| **village** (masc.) | *pueblo, aldea* | | |

## A2 EJEMPLOS *(De viaje)*

1. **J'ai beaucoup voyagé avec Guy.**
2. **Nous avons visité le Mexique et le Guatemala.**
3. **Nous avons pris le train l'été dernier.**
4. **Vous avez aimé la vie à Mexico?**
5. **Nous avons loué une maison au bord de la mer.**
6. **Les enfants ont joué sur la plage toute la journée.**
7. **Nous avons parlé avec tous les gens du village.**
8. **Le dernier jour, on a chanté et dansé toute la nuit.**
9. **Vous avez pris beaucoup de photos?**
10. **Oui, et nous avons acheté des cadeaux pour toute la famille.**
11. **Nous avons fini les vacances dans un hôtel dans le Sud.**
12. **Mais Guy a oublié une valise à l'hôtel, avec toutes les photos!**

# 24 Compramos regalos para...

## A3 COMENTARIOS

### ■ Gramática

- El **passé composé** corresponde tanto al imperfecto como al pretérito perfecto en español. Fíjese en el orden de las palabras:

  **Il a pris le train à huit heures.**
  *Tomó el tren a las ocho.*
  **Il n'a jamais pris le train.**
  *Nunca ha tomado un tren.*

- Fíjese en el femenino y el plural de **tout:**

| | | |
|---|---|---|
| singular: | **tout / toute** | *todo, toda* |
| plural: | **tous / toutes** | *todos, todas* |

Ej.:
**tout le village** *todo el pueblo*
**toute la ville** *toda la ciudad*
**tous les villages** *todos los pueblos*
**toutes les villes** *todas las ciudades*

### ■ Pronunciación

- En **mer, er** se pronuncia como en **merci.**
- **village, famille**
  Recuerde: **ill** normalmente se pronuncia [**i:j**], pero en **village,** la **ll** se pronuncia **l.**

## A4 TRADUCCIÓN

1. He viajado mucho con Guy.
2. Visitamos México y Guatemala.
3. Tomamos el tren el año pasado.
4. ¿Les gustó la vida en la ciudad de México?
5. Alquilamos una casa en la orilla del mar.
6. Los niños jugaron en la playa todo el día.
7. Hablamos con todas las personas del pueblo.
8. El último día cantamos y bailamos toda la noche.
9. ¿Tomaron muchas fotos?
10. Sí, y compramos regalos para toda la familia.
11. Terminamos las vacaciones en un hotel en el sur.
12. Pero Guy olvidó una maleta en el hotel, ¡con todas las fotos!

## 24 Nous avons cherché partout, mais...

### B1 PRESENTACIÓN

■ Gramática

- Las tres maneras habituales de hacer preguntas pueden usarse con el **passé composé:**

**1. Vous avez acheté des cadeaux?**
**2. Est-ce que vous avez acheté des cadeaux?** → *¿Compraron regalos?*
**3. Avez-vous acheté des cadeaux?**

Note que en el núm. 3 está invertido el auxiliar, y no el verbo.

■ Vocabulario

| | |
|---|---|
| **perdre** | *perder* |
| **dire** | *decir* |
| **coin** (masc.) | *esquina, rincón* |
| **objets trouvés** (masc. pl.) | *objetos perdidos (literalmente "objetos encontrados")* |
| **quelque chose** | *algo* |
| **autre chose** | *otra cosa* |
| **hier** | *ayer* |
| **partout** | *por todas partes* |
| **à propos de** | *a propósito de* |

### B2 EJEMPLOS *(Objetos perdidos)*

1. **J'ai perdu quelque chose dans le train hier.**
2. **Avez-vous regardé dans tous les coins?**
3. **Nous avons cherché partout mais nous n'avons rien trouvé.**
4. **Quand avez-vous pris le train?**
5. **J'ai pris le train lundi soir tard, mais j'ai oublié l'heure exacte.**
6. **Avez-vous téléphoné à la gare?**
7. **Qu'avez-vous dit?**
8. **Ils n'ont pas très bien compris.**
9. **Ils ont dit quelque chose à propos des objets trouvés.**
10. **Je n'ai pas bien entendu.**
11. **Est-ce que vous avez dit autre chose?**
12. **Non, je n'ai pas eu le temps.**

## B3 COMENTARIOS

■ Gramática

- Note estos participios pasados irregulares:

  **avoir** - **eu** *(haber, tener - hubo, tuvo)* (se pronuncia como la **u** de **tu**)

  **dire** - **dit** *(decir - dicho)*

- En la negación, **ne pas** o **ne rien** se colocan de uno y otro lado del auxiliar.

  Ej.: **Nous n'avons pas acheté de cadeaux.**
  *No compramos regalos.*
  **Nous n'avons rien trouvé.**
  *No encontramos nada.*
  **Nous n'avons rien acheté.**
  *No compramos nada.*
  **Ils n'ont rien eu.**
  *No les tocó nada.* (literalmente: *No tuvieron nada.*)

## B4 TRADUCCIÓN

1. Perdí algo en el tren ayer.
2. ¿Miraron en todos los rincones?
3. Buscamos en todas partes pero no encontramos nada.
4. ¿Cuándo tomó el tren?
5. Tomé el tren el lunes en la noche ya tarde, pero no me acuerdo de la hora exacta.
6. ¿Llamó a la estación?
7. ¿Qué dijo?
8. No entendieron muy bien.
9. Dijeron algo sobre los objetos perdidos.
10. No oí bien.
11. ¿Dijo usted otra cosa?
12. No tuve tiempo.

## 24 Exercices

### C1 EJERCICIOS

**A. Ponga los verbos en passé composé:**

1. Elle (manger) dans un restaurant grec hier soir.
2. Nous (oublier) les parapluies.
3. Ils (finir) les travaux l'hiver dernier.
4. Les voisins (inviter) des amis.
5. Tu (avoir) peur?

**B. Convierta estas afirmaciones en negaciones, usando la negación que está entre paréntesis:**

1. J'ai pris la voiture hier. (ne... pas)
2. Il a répondu à Pierre. (ne... rien)
3. Elles ont préparé le repas. (ne... pas)
4. Nous avons eu le temps. (ne... pas)
5. Vous avez trouvé. (ne... rien)

**C. ●● Traduzca al francés:**

1. Me encontré con la señora Lenoir el martes.
2. Utilizamos la computadora ayer.
3. Ellas empezaron en agosto.
4. Anne llamó.
5. Él alquiló el apartamento el año pasado.

### C2 VERBOS CON PARTICIPIOS PASADOS IRREGULARES

| | | | |
|---|---|---|---|
| **avoir** | *haber, tener* | **eu** | *habido, tenido* |
| **boire** | *beber* | **bu** | *bebido* |
| **connaître** | *conocer* | **connu** | *conocido* |
| **croire** | *creer* | **cru** | *creído* |
| **dire** | *decir* | **dit** | *dicho* |
| **écrire** | *escribir* | **écrit** | *escrito* |
| **être** | *ser, estar* | **été** | *sido, estado* |
| **faire** | *hacer* | **fait** | *hecho* |
| **lire** | *leer* | **lu** | *leído* |
| **mettre** | *poner* | **mis** | *puesto* |
| **ouvrir** | *abrir* | **ouvert** | *abierto* |
| **savoir** | *saber* | **su** | *sabido* |
| **venir** | *venir* | **venu** | *venido* |

# 24 Ejercicios

## C3 RESPUESTAS

**A.** 1. Elle a mangé dans un restaurant grec hier soir.
2. Nous avons oublié les parapluies.
3. Ils ont fini les travaux l'hiver dernier.
4. Les voisins ont invité des amis.
5. Tu as eu peur?

**B.** 1. Je n'ai pas pris la voiture hier.
2. Il n'a rien répondu à Pierre.
3. Elles n'ont pas préparé le repas.
4. Nous n'avons pas eu le temps.
5. Vous n'avez rien trouvé.

**C.** 1. J'ai rencontré Mme Lenoir mardi.
2. Nous avons utilisé l'ordinateur hier.
3. Elles ont commencé en août.
4. Anne a téléphoné.
5. Il a loué l'appartement l'année dernière (*o* l'an dernier).

## C4 EXPRESIONES COMUNES CON **DIRE**

| | |
|---|---|
| **c'est-à-dire** | *es decir* |
| **à vrai dire** | *a decir verdad* |
| **dis donc! / dites donc!** | *¡no me digas! / ¡no me diga!* |
| **j'ai deux mots à vous dire** | *necesito hablar con usted(es)* |
| **dire que (qu')...** | *y decir que...* |
| **autrement dit** | *dicho de otro modo* |
| **ça vous dit de +** *infinitivo?* | *¿tiene(n) ganas de ... ?* |
| **ça ne me dit rien** ← | *no tengo ganas*<br>*esto no me recuerda nada* |
| **qu'est-ce que ça veut dire?** | *¿qué significa esto?* |

# 25 Il est resté trois semaines à l'hôpital.

## A1 PRESENTACIÓN

### ■ Gramática

- Algunos verbos forman su **passé composé** con **être** (vea la lista en C2).

| | |
|---|---|
| **Il est resté deux heures.** | *Se quedó dos horas.* |
| **Il est allé à la campagne.** | *Se fue al campo.* |
| **Il est parti samedi matin.** | *Se fue el sábado en la mañana.* |

### ■ Vocabulario

| | |
|---|---|
| **skier, faire du ski** | *esquiar* |
| **tomber** | *caerse* |
| **devenir** | *volverse* |
| **repartir** | *volver a irse* |
| **retourner** | *regresar* |
| **descendre** | *bajar* |
| **hôpital** (masc.) | *hospital* |
| **piste** (fem.) | *pista* |
| **endroit** (masc.) | *lugar* |
| **dangereux** | *peligroso* |
| **prudent** | *prudente* |
| **tout de suite** | *inmediatamente* |

## A2 EJEMPLOS *(Vacaciones de invierno)*

1. **Louis est parti en vacances le mois dernier.**
2. **Il est allé à la montagne.**
3. **Il est arrivé un dimanche.**
4. **Il a fait du ski tout de suite, mais il est allé trop vite et il est tombé.**
5. **Il n'a pas eu de chance, il est resté trois semaines à l'hôpital.**
6. **Il est sorti il y a huit jours, il va très bien.**
7. **Est-ce qu'il est reparti à la montagne?**
8. **Oui, il est reparti il y a deux jours.**
9. **Est-il allé sur les pistes noires?**
10. **Non, il n'est pas retourné dans les endroits dangereux.**
11. **Il est descendu lentement.**
12. **Il est devenu prudent.**

# 25 Estuvo en el hospital tres semanas.

## A3 COMENTARIOS

■ Gramática

- **il y a**, aquí, es el equivalente en francés de **hace**.
  Se coloca delante de la expresión de tiempo.

| Ej.: | **Il y a huit jours.** | *Hace una semana.* |
| --- | --- | --- |
| | **Il y a un mois.** | *Hace un mes.* |

- Note que para decir *una semana* se usa frecuentemente **huit jours**. De igual modo, para decir *dos semanas* se usa con frecuencia **quinze jours**.
- Los adjetivos que terminan en **-eux** terminan en **-euse** en el femenino.

| Ej.: | **dangereux / dangereuse** | *peligroso/a* |
| --- | --- | --- |
| | **joyeux / joyeuse** | *alegre* |
| | **heureux / heureuse** | *feliz* |
| | **délicieux / délicieuse** | *delicioso* |
| → Pero recuerde: | **vieux / vieille** | *viejo/a* |

- **vieil** se usa en vez de **vieux** en el singular delante de una vocal o una **h**.

| | **un vieil ‿ ami** (y) | **un vieil ‿ hôtel** (y) |
| --- | --- | --- |
| | *un viejo amigo* | *un viejo hotel* |
| → Pero | **de vieux ‿ amis** (z) | **de vieux ‿ hôtels** (z) |
| | *viejos amigos* | *hoteles viejos* |

No olvide el enlace.

## A4 TRADUCCIÓN

1. Louis se fue de vacaciones hace un mes.
2. Fue a la montaña.
3. Llegó un domingo.
4. Fue a esquiar inmediatamente, pero esquió demasiado rápido y se cayó.
5. Tuvo mala suerte, estuvo en el hospital tres semanas.
6. Salió hace una semana, está muy bien.
7. ¿Volvió a irse a la montaña?
8. Sí, volvió a irse hace dos días.
9. ¿Fue a las pistas "negras"?
10. No, no regresó a los lugares peligrosos.
11. Bajó lentamente.
12. Se volvió prudente.

# 25 Marie est née en 1932; Philippe est né…

## B1 PRESENTACIÓN

### ■ Gramática

- Cuando el **passé composé** se construye con **être**, el participio pasado cambia según el género y el número del sustantivo.

| Ej.: | **Elle est partie.** | *Ella se fue.* |
|---|---|---|
| | **Ils sont tombés.** | *Ellos se cayeron.* |
| | **Elles sont arrivées.** | *Ellas llegaron.* |

### ■ Vocabulario

| | |
|---|---|
| **naître** | *nacer* |
| **guerre** (fem.) | *guerra* |
| **bébé** (masc.) | *bebé* |
| **grands-parents** (masc. pl.) | *abuelos* |
| **petite-fille** (fem.) | *nieta* |
| **le lendemain** (masc.) | *al día siguiente* |
| **juste à temps** | *justo a tiempo* |
| **longtemps** | *mucho tiempo* |

## B2 EJEMPLOS *(Nacer)*

1. **Marie est née en 1932; Philippe est né en 1931.**
2. **Ils sont nés avant la guerre.**
3. **Hélène est née la semaine dernière.**
4. **La mère est partie seule à l'hôpital.**
5. **Le père est arrivé juste à temps.**
6. **Elles sont sorties huit jours après.**
7. **Nous sommes allés voir le bébé hier, il va bien.**
8. **Nous ne sommes pas restés longtemps.**
9. **Des amies sont venues avec des cadeaux.**
10. **Les grands-parents sont venus voir leur petite-fille.**
11. **Ils sont repartis le lendemain matin.**
12. **Ils sont retournés dans le Midi.**

## B3 COMENTARIOS

### Gramática

- Recuerde:
  el **passé composé** de **être** se construye con **avoir** y el participio pasado **été.**

  Ej.: **J'ai été malade.** *He estado enfermo/a.*
  **Tu as été malade.** *Has estado enfermo/a.*
  **Il, elle a été malade.** *Ha estado enfermo/a.*

- Fechas:
  1931: **mille neuf cent trente et un.**
  1789: **mille sept cent quatre-vingt-neuf.**
  1900: **mille neuf cent.**

  Note: **mille neuf cent** *mil novecientos.*

### Pronunciación

- En **longtemps**, la **g** no se pronuncia.
- Recuerde: **ô** en **hôpital** y **eau** en **cadeaux** se pronuncian igual: [ɔ].
  — **o** en **sorties** también se pronuncia [ɔ].

## B4 TRADUCCIÓN

1. Marie nació en 1932; Philippe nació en 1931.
2. Nacieron antes de la guerra.
3. Hélène nació la semana pasada.
4. La madre se fue sola al hospital.
5. El padre llegó justo a tiempo.
6. Salieron una semana después.
7. Fuimos a ver al bebé ayer, está bien.
8. No nos quedamos mucho tiempo.
9. Unas amigas vinieron con regalos.
10. Los abuelos vinieron ayer para ver a su nieta.
11. Volvieron a irse al día siguiente.
12. Regresaron al sur de Francia.

# 25 Exercices

## C1 EJERCICIOS

**A. Haga corresponder los principios con los finales:**

| | |
|---|---|
| | parties trop tard. |
| Elles sont | parti hier. |
| Il est | arrivées la semaine dernière. |
| Nous sommes | née en 1954. |
| Elle est | partis tôt. |
| Ils sont | nés après la guerre. |

**B. Ponga el verbo en passé composé:**

1. M. Lenoir (repartir) à cinq heures.
2. Est-ce que Mme Lenoir (rester) à Paris?
3. Ils (aller) sur la plage.
4. Elles (devenir) prudentes.
5. Elle (tomber) dans la rue.

**C. Escriba estas fechas en letras:**

1. 1666
2. 1818
3. 1914
4. 1991

## C2 VERBOS QUE FORMAN SU **PASSÉ COMPOSÉ** CON **ÊTRE**

| | |
|---|---|
| **aller** | *ir* |
| **arriver** | *llegar* |
| **descendre** | *bajar* |
| **devenir** | *volverse* |
| **entrer** | *entrar* |
| **monter** | *subir* |
| **mourir** | *morir* |
| **naître** | *nacer* |
| **partir** | *irse* |
| **rentrer** | *regresar, irse a casa* |
| **rester** | *quedarse* |
| **retourner** | *regresar* |
| **revenir** | *volver* |
| **sortir** | *salir* |
| **tomber** | *caerse* |
| **venir** | *venir* |

## C3 RESPUESTAS

**A.** Elles sont parties trop tard.
Elles sont arrivées la semaine dernière.
Il est parti hier.
Nous sommes partis tôt.
Nous sommes nés après la guerre.
Nous sommes arrivées la semaine dernière.
Nous sommes parties trop tard.
Elle est née en 1954.
Ils sont nés après la guerre.
Ils sont partis tôt.

**B.** 1. M. Lenoir est reparti à cinq heures.
2. Est-ce que Mme Lenoir est restée à Paris?
3. Ils sont allés sur la plage.
4. Elles sont devenues prudentes.
5. Elle est tombée dans la rue.

**C.** 1. 1666 : mille six cent soixante-six.
2. 1818 : mille huit cent dix-huit.
3. 1914 : mille neuf cent quatorze.
4. 1991 : mille neuf cent quatre-vingt-onze.

## C4 LA PALABRA **TEMPS** APARECE EN MUCHAS EXPRESIONES COMUNES

**à temps** *a tiempo*
**de temps en temps** *de vez en cuando*
**dans le temps** *antes*
**en un rien de temps** *muy rápido*
**prendre du bon temps** *darse buena vida, divertirse*
**c'était le bon temps** literalmente: *fueron los buenos tiempos*
**le bon vieux temps** literalmente: *los buenos viejos tiempos*
**en temps voulu** *a tiempo*
**perdre du temps** *perder el tiempo*
**gagner du temps** *ganar tiempo*

# 26 Il y a longtemps que je suis commerçant.

## A1 PRESENTACIÓN

### ■ Gramática

- Como en español, la idea de duración de una acción que empezó en el pasado y sigue vigente se expresa con el tiempo presente. La expresión del tiempo se introduce con:

**depuis = il y a… que, cela fait… que.**

Ej.: **J'habite ici depuis 20 ans.**
**Il y a 20 ans que j'habite ici.**
**Cela fait 20 ans que j'habite ici.** → *Hace veinte años que vivo aquí.*

- Cuando la acción está terminada, se usa el **passé composé.** La expresión del tiempo se introduce con:

**pendant** o **durant**

Ej.: **J'ai habité ici pendant 20 ans.**
**J'ai habité ici durant 20 ans.** → *Viví aquí durante 20 años.*

### ■ Vocabulario

| | |
|---|---|
| **connaître** | *conocer* |
| **vendre** | *vender* |
| **commerçant** (masc.) | *comerciante* |
| **client** (masc.) | *cliente* |
| **appareil ménager** (masc.) | *electrodoméstico* |
| **téléviseur** (masc.) | *televisor* |

## A2 EJEMPLOS *(¿Cuánto tiempo...?)*

1. **Depuis combien de temps êtes-vous commerçant?**
2. **Je suis commerçant depuis longtemps.**
3. **Je connais mes clients depuis longtemps.**
4. **Il y a longtemps que je suis commerçant.**
5. **Il y a des années que je suis commerçant.**
6. **Cela fait des années que je connais mes clients.**
7. **Je vends des appareils ménagers depuis dix-huit ans.**
8. **Il y a dix-huit ans que je vends des appareils ménagers.**
9. **Cela fait dix-huit ans que je vends des appareils ménagers.**
10. **Ça fait trois ans que je ne vends plus de téléviseurs noir et blanc.**
11. **J'ai vendu des téléviseurs noir et blanc pendant quinze ans.**
12. **Il y a trois ans que je ne vends plus de téléviseurs noir et blanc.**

## A3 COMENTARIOS

### ■ Gramática

- Recuerde que en francés hablado **cela** muchas veces se convierte en **ça.**

  Ej.: **Ça fait 20 ans que j'habite ici.**
  *Hace 20 años que vivo aquí.*

- Note que con el **passé composé** puede omitirse **pendant** o **durant.**

  Ej.: **J'ai habité ici 20 ans.** *Viví aquí veinte años.*

→ Note que **durant** se usa menos que **pendant.**

- Para preguntar cuánto ha durado la acción, la expresión es:

  **Depuis combien de temps ...?**
  Ej.: **Depuis combien de temps habites-tu ici?**
  *¿Desde hace cuánto tiempo vives aquí?*

o **Il y a combien de temps que...?**
  Ej.: **Il y a combien de temps que tu habites ici?**
  *¿Desde hace cuánto tiempo vives aquí?*

- Cuando la acción está concluida la pregunta es:

  **Pendant combien de temps...?**
  Ej.: **Pendant combien de temps as-tu habité ici?**
  *¿Cuánto tiempo viviste aquí?*

### ■ Vocabulario

Note que en francés *blanco y negro* se dice al revés: **noir et blanc.**

## A4 TRADUCCIÓN

1. ¿Desde hace cuánto tiempo es usted comerciante?
2. Soy comerciante desde hace mucho tiempo.
3. Conozco a mis clientes desde hace mucho tiempo.
4. Hace mucho tiempo que soy comerciante.
5. Hace años que soy comerciante.
6. Hace años que conozco a mis clientes.
7. Vendo electrodomésticos desde hace dieciocho años.
8. Hace dieciocho años que vendo electrodomésticos.
9. Hace dieciocho años que vendo electrodomésticos.
10. Hace tres años que ya no vendo televisores en blanco y negro.
11. Vendí televisores en blanco y negro durante quince años.
12. Hace tres años que ya no vendo televisores en blanco y negro.

# 26 Depuis que je connais ces musiciens...

## B1 PRESENTACIÓN

■ Gramática

- Para indicar el momento en el que comenzó la acción, se usa **depuis** seguido de la expresión de tiempo.
  Ej.: **J'habite ici depuis 1945 / depuis la fin de la guerre.**
  *Vivo aquí desde 1945 / desde el final de la guerra.*
- Cuando la expresión de tiempo es una frase subordinada se usa **depuis que:**
  - si la acción no está concluida, se usa el tiempo presente.
    Ej.: **Nous sommes amis depuis que je le connais.**
    *Somos amigos desde que lo conozco.*
  - si la acción está concluida, el verbo está en **passé composé:**
    Ej.: **Nous sommes amis depuis le jour où je l'ai rencontré.**
    *Somos amigos desde el día en que lo conocí.*

■ Vocabulario

| | | | |
|---|---|---|---|
| **réserver** | *reservar* | **chaîne** | *equipo* |
| **manquer** | *faltar, perder* | **stéréo** (fem.) | *estereofónico* |
| **musicien** (masc.) | *músico* | **régal** (masc.) | *placer, delicia* |
| **place** (fem.) | *lugar* | **enthousiaste** | *entusiasta* |
| **public** (masc.) | *público* | **extraordinaire** | *extraordinario* |
| **fois** (fem.) | *vez* | **chaque** | *cada* |

## B2 EJEMPLOS *(Amantes de la música)*

1. **Depuis quand connaissez-vous les musiciens qui jouent ce soir?**
2. **Depuis décembre.**
3. **Depuis Noël dernier.**
4. **Depuis que nous habitons Paris.**
5. **Depuis que je connais ces musiciens, je ne manque jamais un concert.**
6. **Chaque fois qu'ils donnent un concert, je réserve des places.**
7. **Toutes les fois qu'ils donnent un concert, j'y vais.**
8. **Ils jouent à Paris depuis 1984.**
9. **Chaque fois qu'ils jouent, le public est enthousiaste.**
10. **Ils sont chaque fois extraordinaires!**
11. **J'écoute leurs disques du matin au soir depuis que je suis devenue une de leurs admiratrices.**
12. **Depuis que nous avons acheté une nouvelle chaîne stéréo, c'est un vrai régal!**

## B3 COMENTARIOS

### Gramática

- Para hacer una pregunta sobre el inicio de la acción, la expresión es **depuis quand?** *(¿desde cuándo?)*. Ej.:
  **Depuis quand connais-tu Pierre?** *¿Desde cuándo conoces a Pierre?*
- Note que la idea de repetición puede ser expresada con:
  **chaque*..., tous/toutes les..., le/l'/les...**
  *cada..., todos/as los/las..., los/las...* Ej.:
  **Il va au cinéma chaque lundi.** *Va al cine cada lunes.*
  **Il va au cinéma tous les lundis.** *Va al cine todos los lunes.*
  **Il va au cinéma le lundi.**** *Va al cine los lunes.*
  * **Chaque** es invariable.
  ** Note el singular en francés.
- **Chaque fois que...** *(cada vez que...)*, **toutes les fois que...** *(siempre que...)* son seguidos de:
  - un verbo en tiempo presente cuando la acción va a ser repetida.
    Ej.: **Chaque fois que je vais au Mexique, je vais dans le sud.** *Cada vez que voy a México, voy al sur.*
  - un verbo en **passé composé** cuando se refiere a repetición en el pasado:
    Ej.: **Chaque fois que je suis allé au Mexique, je suis allé dans le sud.** *Cada vez que fui a México, fui al sur.*

## B4 TRADUCCIÓN

1. ¿Desde cuándo conoce usted a los músicos que tocan esta noche?
2. Desde diciembre.
3. Desde las últimas navidades.
4. Desde que vivimos en París.
5. Desde que conozco a estos músicos, nunca me pierdo un concierto.
6. Cada vez que dan un concierto reservo lugares.
7. Todas las veces que dan un concierto, voy.
8. Tocan en París desde 1984.
9. Cada vez que tocan, el público es entusiasta.
10. ¡Son extraordinarios cada vez!
11. Escucho los discos día y noche desde que me convertí en una de sus admiradoras.
12. Desde que compramos un nuevo equipo estereofónico, es una verdadera delicia.

## C1 EJERCICIOS

**A. Transforme como en el ejemplo:**
**La secrétaire utilise cet ordinateur depuis deux ans. / Il y a deux ans que la secrétaire utilise cet ordinateur. / Ça fait deux ans que la secrétaire utilise cet ordinateur.**
1. Nous travaillons dans cette entreprise depuis des années. — 2. Je ne fume plus depuis six mois. — 3. Il ne pleut pas depuis dix jours.— 4. Louis est parti depuis dix minutes.

**B. Anote el verbo en el tiempo correcto:**
1. Depuis que Louis (être) directeur, ses affaires (marcher) bien. — 2. Depuis qu'ils (avoir) une maison à la campagne, ils y (aller) souvent.— 3. Hélène ne (pratiquer) aucun sport depuis qu'elle (tomber) l'an dernier.— 4. Depuis que je (rencontrer) cette musicienne, je (devenir) un de ses admirateurs.

**C. Cambie las oraciones para mostrar que estas cosas pasan todo el tiempo; use chaque fois que:**
1. Il va a Nice - il fait beau.— 2. Nous avons voyagé en France - nous avons pris le train.— 3. Je rencontre Pierre - nous parlons de politique.— 4. On téléphone - elle va répondre.

**D. Encuentre las preguntas usando pendant combien de temps, depuis combien de temps o depuis quand:**
1. Il est président *depuis* 1981.— 2. Ils ont discuté *pendant deux heures.*— 3. Je connais Hélène *depuis qu'elle est née.*— 4. Elles sont à Paris *depuis une semaine.*

## C2 CONNAÎTRE / CONNAISSANCE CONOCER

- **Connaissance** (fem.), del verbo **connaître,** se usa en varias expresiones fijas:
**faire connaissance avec..., faire la connaissance de...**
*conocer a ...*

Ej.: **J'ai fait connaissance avec Mme Martin.**
**J'ai fait la connaissance de Mme Martin l'an dernier.**
*Conocí a la señora Martin el año pasado.*
**Enchanté de faire votre connaissance.**
*Encantado de conocerlo/a.*

| | |
|---|---|
| **prendre connaissance de...** | *ser informado de...* |
| **perdre connaissance** | *perder el conocimiento* |
| **sans connaissance** | *inconsciente* |

## C3 RESPUESTAS

**A.** 1. Il y a des années que nous travaillons dans cette entreprise. Ça fait des années que nous travaillons dans cette entreprise.
2. Il y a six mois que je ne fume plus. / Ça fait six mois que je ne fume plus.
3. Il y a dix jours qu'il ne pleut pas. / Ça fait dix jours qu'il ne pleut pas.
4. Il y a dix minutes que Louis est parti. / Ça fait dix minutes que Louis est parti.

**B.** 1. Depuis que Louis est directeur, ses affaires marchent bien.
2. Depuis qu'ils ont une maison à la campagne, ils y vont souvent.
3. Hélène ne pratique aucun sport depuis qu'elle est tombée l'an dernier.
4. Depuis que j'ai rencontré cette musicienne, je suis devenu un de ses admirateurs.

**C.** 1. Chaque fois qu'il va a Nice, il fait beau.
2. Chaque fois que nous avons voyagé en France, nous avons pris le train.
3. Chaque fois que je rencontre Pierre, nous parlons de politique.
4. Chaque fois qu'on téléphone, elle va répondre.

**D.** 1. Depuis quand est-il président?
2. Pendant combien de temps ont-ils discuté?
3. Depuis quand connaissez-vous (connais-tu) Hélène?
4. Depuis combien de temps sont-elles à Paris?

## C4 MAGASINS / COMMERÇANTS
## *TIENDAS / COMERCIANTES*

| | | |
|---|---|---|
| **épicerie** (fem.), **alimentation** | *tienda de abarrotes* | **épicier** |
| **boucherie** (fem.) | *carnicería* | **boucher** |
| **boulangerie** (fem.) | *panadería* | **boulanger** |
| **librairie** (fem.) | *librería* | **libraire** |
| **pharmacie** (fem.) | *farmacia* | **pharmacien** |
| **poissonnerie** (fem.) | *pescadería* | **poissonnier** |
| **teinturerie** (fem.) | *tintorería* | **teinturier** |

# 27 Le facteur a apporté un colis pour toi.

## A1 PRESENTACIÓN

■ Gramática

| moi | toi | lui | elle | nous | vous | eux, elles |
|---|---|---|---|---|---|---|
| *yo*<br>*mí* | *tú*<br>*ti* | *él* | *ella* | *nosotros* | *ustedes* | *ellos, ellas* |

- Los pronombres personales tónicos ("fuertes") pueden usarse:
  - para enfatizar el sujeto:
    Ej.: **Moi, j'aime ce film.** *A mí me gusta esta película.*
    **Toi, tu travailles trop!** *¡Tú trabajas demasiado!*
  - como pronombres objeto indirectos:
    Ej.: **Il est avec moi.** *Él está conmigo.*
    **Elle parle de toi.** *Ella habla de ti.*
- Note: **avec moi** *conmigo* **avec toi** *contigo...*

■ Vocabulario

**poster** *echar al correo*
**nouvelles** (fem. pl.) *noticias*
**lettre** (fem.) *carta*
**ligne** (fem.) *línea*
**télégramme** (masc.) *telegrama*
**facteur** (masc.) *cartero*
**carte postale** (fem.) *tarjeta postal*
**colis** (masc.) *paquete*
**timbre** (masc.) *timbre, estampilla*
**paquet** (masc.) *paquete*
**courrier** (masc.) *correo*

## A2 EJEMPLOS *(El correo)*

1. **J'ai eu des nouvelles de lui hier.**
2. **Il parle de vous dans sa lettre.**
3. **Est-ce qu'il dit quelque chose de moi?**
4. **Oui, il y a quelques lignes sur vous.**
5. **Où est Anne? Il y a un télégramme pour elle.**
6. **Le facteur a apporté un colis pour toi.**
7. **À qui sont ces cartes postales? — À eux.**
8. **Qui à écrit cette lettre? — Moi.**
9. **Donne-moi des timbres, s'il te plaît.**
10. **Va poster ces lettres pour moi, s'il te plaît.**
11. **Ils ont pris le paquet avec eux.**
12. **Il n'y a pas de courrier pour nous aujourd'hui.**

# 27 El cartero trajo un paquete para ti.

## A3 COMENTARIOS

### Gramática

- **à moi, à toi**, etc... son usados comúnmente para expresar la posesión: *mío/a, tuyo/a,* etc...

| Ej.: | **C'est à moi.** | *Es mío/a.* |
|---|---|---|
| | **Ils sont à vous.** | *Son suyos.* |
| | **La voiture est à lui.** | *El auto es suyo (de él).* |
| | **Ces livres sont à nous.** | *Estos libros son nuestros.* |

- Se usan los mismos pronombres cuando están solos, sin verbo.

  Ej.: **Qui a dit cela? — Moi.**
  *¿Quién dijo esto? — Yo.*
  **Qui est le patron ici? — Lui.**
  *¿Quién es el jefe aquí? — Él.*

  También podría decirse: **C'est moi.** *Soy yo.*
  **C'est lui.** *Es él.*

- En la primera y segunda persona, incluso sin preposición, deben usarse pronombres tónicos en el imperativo.

| Ej.: | **Donne-moi.** | *Dame.* |
|---|---|---|
| | **Dis-moi, dites-moi.** | *Dime, dígame.* |

## A4 TRADUCCIÓN

1. Tuve noticias suyas ayer.
2. Habla de usted (ustedes) en su carta.
3. ¿Dice algo de mí?
4. Sí, hay algunas líneas sobre usted.
5. ¿Dónde está Anne? Hay un telegrama para ella.
6. El cartero trajo un paquete para ti.
7. ¿De quién son estas tarjetas postales? — De ellos.
8. ¿Quién escribió esta carta? — Yo.
9. Dame unos timbres, por favor.
10. Ve a poner estas cartas en el correo por mí, por favor.
11. Ellos se llevaron el paquete.
12. No hay correo para nosotros hoy.

## 27 Sa femme n'aime pas la natation. Lui non plus.

### B1 PRESENTACIÓN

■ Gramática

- Los pronombres personales tónicos también se usan para expresar acuerdo o desacuerdo con lo que se dijo:

| la frase inicial es | acuerdo | desacuerdo |
|---|---|---|
| afirmativa | **moi aussi** | **pas moi**<br>**moi non** |
| negativa | **moi non plus** | **moi si** |

Por supuesto, los pronombres cambian según la persona que está o no está de acuerdo.

■ Vocabulario

**aimer beaucoup** *gustarle mucho*
**pratiquer** *practicar*
**femme** (fem.) *esposa*
**natation** (fem.) *natación*
**mari** (masc.) *esposo*
**chez moi** *en mi casa*
**vrai** *cierto*
**aucun(e)** *ningún, ninguno/a*

### B2 EJEMPLOS *(Opiniones sobre el deporte)*

1. **J'aime beaucoup le sport, et toi?**
2. **Moi aussi, je joue au volley tous les jours.**
3. **Je vais au match de football dimanche prochain.**
4. **Moi non, je reste chez moi.**
5. **Sa femme n'aime pas la natation.**
6. **Lui non plus.**
7. **Mon mari ne joue pas au tennis.**
8. **Nous si!**
9. **Je ne pratique aucun sport.**
10. **Moi si, je joue au basket.**
11. **J'ai été un vrai champion.**
12. **Pas moi!**

## B3 COMENTARIOS

### ■ Gramática

- El complemento de **jouer** se introduce por lo general con una preposición.

  Si es el nombre de un deporte o de un juego, la preposición que se usa es **à**, muchas veces contraída con el artículo para formar **au**.

  | Ej.: | **jouer au tennis** | *jugar al tenis* |
  |---|---|---|
  | | **jouer au football** | *jugar al futbol* |
  | | **jouer à la balle** | *jugar a la pelota* |

  Si le sigue el nombre de un instrumento de música, la preposición es **de**, muchas veces contraída con el artículo para formar **du**.

  | Ej.: | **jouer du piano** | *tocar el piano* |
  |---|---|---|
  | | **jouer de la flûte** | *tocar la flauta* |
  | | **jouer du saxophone** | *tocar el saxofón* |

### ■ Pronunciación

- **Champion:** la **ch** se pronuncia [ʃ], seguida por la vocal nasal [ɑ̃]. Recuerde que **ion** se pronuncia [**j**] seguido por la vocal nasal [ɔ̃].

## B4 TRADUCCIÓN

1. Me gusta mucho el deporte, ¿y a ti?
2. A mí también, juego al voleibol todos los días.
3. Voy al partido de futbol el domingo que entra.
4. Yo no, me quedo en mi casa.
5. A su esposa no le gusta la natación.
6. A él tampoco.
7. Mi esposo no juega al tenis.
8. ¡Nosotros sí!
9. Yo no practico ningún deporte.
10. Yo sí, juego al baloncesto.
11. Fui un verdadero campeón.
12. ¡Yo no!

# Exercices

## C1 EJERCICIOS

**A. Llene los espacios en blanco con el pronombre personal apropiado:**

1. ..., je ne parle pas très bien français.
2. ..., tu as tort.
3. ..., nous allons au cinéma, et vous?
4. ..., elle est trop jeune.
5. ..., il est journaliste.
6. ..., vous êtes très gentil.

**B. Cambie las oraciones siguiendo el ejemplo: Pierre ne regarde pas la télévision. / Je ne regarde pas la télévision. Pierre ne regarde pas la télévision, moi non plus.**

1. Elle n'a pas d'enfants. / Il n'a pas d'enfants.
2. Anne joue au tennis. / Nous jouons au tennis.
3. Il va prendre le métro. / Je vais prendre le métro.
4. Vous allez partir. / Ils ne vont pas partir.
5. Tu as peur? / Je n'ai pas peur.
6. Ils ont voté. / Nous avons voté.

**C. Traduzca al francés:**

1. Hay un telegrama para usted.
2. Él jugó al tenis con nosotros.
3. Ésta es la maestra, voy a hablar con ella.
4. El director está aquí, déle estos expedientes.
5. Nuestros amigos trajeron este paquete para nosotros.

## C2 CHEZ MOI / *EN MI CASA*

- **Chez** + un pronombre "fuerte" (ej.: **chez lui, chez toi, chez nous**)
  + el nombre de una persona (ej.: **chez Pierre, chez Mme Lenoir**)
  + artículo o posesivo o demostrativo + sustantivo (ej.: **chez le dentiste, chez mon docteur, chez ce ministre**)

significa *en* o *a la casa de alguien.*

| Ej.: | | |
|---|---|---|
| | **Il est chez nous.** | *Está en nuestra casa.* |
| | **Elle rentre chez elle.** | *Se va a su casa (de ella).* |
| | **Ils vont chez vous.** | *Van a su casa (de ustedes).* |
| | **Nous avons dîné chez nos amis.** | *Cenamos en casa de nuestros amigos.* |

## C3 RESPUESTAS

**A.** 1. Moi, je ne parle pas très bien français.
2. Toi, tu as tort.
3. Nous, nous allons au cinéma, et vous?
4. Elle, elle est trop jeune.
5. Lui, il est journaliste.
6. Vous, vous êtes très gentil.

**B.** 1. Elle n'a pas d'enfants, lui non plus.
2. Anne joue au tennis, nous aussi.
3. Il va prendre le métro, moi aussi.
4. Vous allez partir, eux non (pas eux).
5. Tu as peur? Moi non (pas moi).
6. Ils ont voté, nous aussi.

**C.** 1. Il y a un télégramme pour vous.
2. Il a joué au tennis avec nous.
3. Voici l'institutrice, je vais parler avec elle.
4. Le directeur est ici, donnez-lui ces dossiers.
5. Nos amis ont apporté ce paquet pour nous.

## C4 PRONOMS POSSESSIFS
*PRONOMBRES POSESIVOS*

| | | |
|---|---|---|
| **à moi** | *mío/a* | **le mien, la mienne<br>les miens, les miennes** |
| **à toi** | *tuyo/a* | **le tien, la tienne<br>les tiens, les tiennes** |
| **à lui, à elle** | *suyo/a* | **le sien, la sienne<br>les siens, les siennes** |
| **à nous** | *nuestro/a* | **le nôtre*, la nôtre*<br>les nôtres*** |
| **à vous** | *suyo/a* | **le vôtre*, la vôtre*<br>les vôtres*** |
| **à eux, à elles** | *suyo/a* | **le leur, la leur, les leurs** |

* La **ô** se pronuncia **[o:]**.

# 28 Le moniteur nous appelle.

## A1 PRESENTACIÓN

### ■ Gramática

- Pronombres personales objeto.
  En la 1ª y 2ª persona los pronombres objeto no varían, se trate de un objeto directo o indirecto.

| | sujeto | | objeto | |
|---|---|---|---|---|
| singular | **je** | *yo* | **me (m')** | *me* |
| | **tu** | *tú* | **te (t')** | *te* |
| plural | **nous** | *nosotros* | **nous** | *nos* |
| | **vous** | *ustedes* | **vous** | *les* |

- Cuando va acompañado de una preposición, se usa
  **moi** en vez de **me**
  **toi** en vez de **te**

### ■ Vocabulario

| | | | |
|---|---|---|---|
| **voir*** | *ver* | **moniteur** (masc.) | *instructor* |
| **apprendre** | *aprender* | **tout le monde** | *todos* |
| **suivre** | *seguir a* | **vers** | *hacia* |
| **attendre** | *esperar* | **attentivement** | *con atención* |

* verbo irregular (ver el resumen gramatical).

## A2 EJEMPLOS *(Clase de esquí)*

1. **Le moniteur nous appelle.**
2. **Écoutez-moi attentivement.**
3. **Pierre, tu ne m'écoutes pas!**
4. **Regarde-moi! Nous allons apprendre à tourner.**
5. **Suivez-moi.**
6. **Est-ce que tout le monde me voit bien?**
7. **Nous vous attendons. Venez avec nous!**
8. **Regardez devant vous.**
9. **Ne regarde pas derrière toi!**
10. **Pierre, je ne te vois pas, viens vers moi.**
11. **Eh, attendez-moi!**
12. **Tout le monde m'a vu? Allez-y maintenant!**

# El instructor nos está llamando.

## A3 COMENTARIOS

### ■ Gramática

- **me, te, nous, vous** (objeto) siempre deben ir inmediatamente delante del verbo (o auxiliar).

  Ej.: **Tu ne m'écoutes pas.**
  *No me estás escuchando.*
  **Tout le monde m'a vu?**
  *¿Todos me vieron?*

- En el imperativo afirmativo se usa **moi** en vez de **me**.

  Ej.: **Regarde-moi!**
  *¡Mírame!*

- En el imperativo afirmativo, el objeto se coloca detrás del verbo y va unido a él por un guión.

  Ej.: **Attendez-moi!**
  *¡Espérenme!*

- Note que **apprendre à** + infinitivo es el equivalente de:

*aprender*

Ej.: **Nous apprenons à skier.** *Estamos aprendiendo a esquiar.*

*enseñar*

Ej.: **Elle nous apprend à skier.** *Ella nos enseña a esquiar.*

## A4 TRADUCCIÓN

1. El instructor nos está llamando.
2. Escúchenme con atención.
3. Pierre, ¡no me estás escuchando!
4. ¡Mírame! Vamos a aprender a girar.
5. Síganme.
6. ¿Todos me ven bien?
7. Los esperamos. Vengan con nosotros.
8. Miren delante de ustedes.
9. ¡No mires para atrás!
10. Pierre, no te veo, ven hacia mí.
11. ¡Eh, espérenme!
12. ¿Todos me vieron? ¡Ahora ustedes!

# 28 Elle lui fait signe.

## B1 PRESENTACIÓN

■ Gramática

- Pronombres personales objeto.
  Para la tercera persona, los pronombres objeto son:

| | objeto directo | objeto indirecto |
|---|---|---|
| sing. | **le (l')**<br>para reemplazar un sustantivo masculino<br>*le, lo*<br>**la (l')**<br>para reemplazar un sustantivo femenino<br>*la* | **lui**<br>para reemplazar a toda persona o animal<br>*le* |
| pl. | **les**<br>para reemplazar a todo sustantivo o grupo de sustantivos<br>*los, las* | **leur**<br>para reemplazar a personas o animales<br>*les* |

■ Vocabulario

**commander** *pedir*
**faire signe** *hacer señas, llamar con la mano*
**sourire** *sonreír*
**arrêter** ← *parar* / *detener*
**café** (masc.) *cafetería*
**café** (masc.) *café*
**garçon (de café)** (masc.) *mesero, camarero*
**agent de police** (masc.) *policía*
**soudain** *de repente*

## B2 EJEMPLOS *(Una novela policiaca)*

1. **Un homme entre dans un café, prend un journal et l'ouvre.**
2. **Il commande une boisson; le garçon l'apporte.**
3. **Il y a une femme près de lui, elle le regarde.**
4. **Il ne la voit pas.**
5. **Elle appelle le garçon; il ne l'entend pas.**
6. **Elle lui fait signe.**
7. **Des musiciens entrent. Elle leur sourit.**
8. **L'homme vient vers elle.**
9. **Il lui demande quelque chose.**
10. **Elle l'écoute attentivement.**
11. **Soudain deux agents de police vont vers eux et les arrêtent.**
12. **Tout le monde les regarde.**

## B3 COMENTARIOS

■ Gramática

- Pronombres personales objeto.
  Cuando el objeto indirecto es introducido por una preposición **(à, avec, devant, derrière, pour, près de, vers ...):**

| | | |
|---|---|---|
| — **lui** | *él* | se usa para un masculino singular |
| — **elle** | *ella* | se usa para un femenino singular |
| — **eux** | *ellos* | se usa para un masculino plural |
| — **elles** | *ellas* | se usa para un femenino plural |

| | |
|---|---|
| **Je marche devant elle.** | *Estoy caminando delante de ella.* |
| **Parlons avec elles.** | *Hablemos con ellas.* |
| **Nous allons vers eux.** | *Vamos hacia ellos.* |
| **Va derrière lui.** | *Ve detrás de él.* |

- Note que el pronombre personal **leur** es invariable.

## B4 TRADUCCIÓN

1. Un hombre entra en un café, toma un periódico y lo abre.
2. Pide una bebida; el mesero se la trae.
3. Hay una mujer cerca de él, ella lo mira.
4. Él no la ve.
5. Ella llama al mesero; no la oye.
6. Ella le hace señas.
7. Entran unos músicos. Ella les sonríe.
8. El hombre viene hacia ella.
9. Le pregunta algo.
10. Ella lo escucha con atención.
11. De repente, dos policías van hacia ellos y los detienen.
12. Todos los miran.

# Exercices

## C1 EJERCICIOS

**A. Escoja el pronombre correcto: le, la, l', les, leur, lui:**

1. La secrétaire utilise l'ordinateur. Elle ... utilise.
2. Anne prépare le repas. Elle ... prépare.
3. Le garçon a parlé aux musiciens. Il ... a parlé.
4. Elle a dansé avec Marc. Elle a dansé avec ... .
5. Nous allons voir les voisins. Nous allons ... voir.

**B. ●● Ponga pronombres en lugar de los nombres o sustantivos:**

1. On ne voit pas la mer.
2. Marc appelle Marie.
3. Les enfants parlent à la voisine.
4. M. et Mme Martin ont apporté le vin.
5. Nous écoutons les musiciens.

**C. ●● Traduzca al francés:**

1. Él me está mirando.
2. Mírame.
3. Te estoy hablando.
4. Le hablé.
5. Le hablaron.
6. La esperan.
7. No los espere.

## C2 VERBOS QUE TERMINAN EN **-VENIR**

- Éstos son algunos verbos que se conjugan como **venir**:
  - **convenir** *(ser conveniente)*
    Ej.: **Est-ce que cela vous convient?**
    *¿Le conviene?*
  - **devenir** *(volverse, convertirse en)*
    Ej.: **Elle est devenue institutrice il y a un an.**
    *Ella se recibió de maestra el año pasado.*
  - **parvenir à** *(alcanzar, llegar a)*
    Ej.: **Nous ne sommes pas parvenus à un accord.**
    *No llegamos a un acuerdo.*
  - **prévenir** *(avisar)*
    Ej.: **Prévenez-moi avant de partir.**
    *Avíseme antes de irse.*
  - **revenir** *(regresar)*
    Ej.: **Ils sont revenus en train.**
    *Regresaron en tren.*

## C3 RESPUESTAS

**A.** 1. La secrétaire utilise l'ordinateur. Elle l'utilise.
2. Anne prépare le repas. Elle le prépare.
3. Le garçon a parlé aux musiciens. Il leur a parlé.
4. Elle a dansé avec Marc. Elle a dansé avec lui.
5. Nous allons voir les voisins. Nous allons les voir.

**B.** 1. On ne la voit pas.
2. Il l'appelle.
3. Ils lui parlent.
4. Ils l'ont apporté.
5. Nous les écoutons.

**C.** 1. Il me regarde.
2. Regarde-moi.
3. Je te parle.
4. Je lui ai parlé. / Je vous ai parlé.
5. Ils lui/vous ont parlé. / On lui/vous a parlé.
6. Ils vous/l'attendent. / On vous/l'attend.
7. Ne les attendez pas.

## C4 PASSÉ RÉCENT / *PASADO RECIENTE*

- **Venir de** + infinitivo se usa para referirse a algo que acaba de pasar o de hacerse.

Ej.: **Il vient de partir.**
*Acaba de irse.*
**Nous venons de le voir.**
*Acabamos de verlo.*
**Ils viennent d'arriver.**
*Acaban de llegar.*

- Pero **venir de** + el nombre de un lugar es el equivalente francés de *venir de.*

Ej.: **Il vient de Mexico.**
*Viene de México.*
**Je viens d'Argentine.**
*Vengo de Argentina.*
**Elle vient de la campagne.**
*Viene del campo.*

# 29 Quand la cérémonie a-t-elle lieu?

## A1 PRESENTACIÓN

### ■ Gramática

- Además de las tres formas interrogativas que ya vimos hay otra cuarta, que se usa en un francés más elegante. Ej.:

| | |
|---|---|
| **Les enfants sont-ils dans le jardin?** | *¿Los niños están en el jardín?* |
| **Pierre va-t-il acheter une voiture?** | *¿Pierre va a comprar un auto?* |
| **Ta mère vient-elle demain?** | *¿Tu madre viene mañana?* |
| **Vos amies repartent-elles bientôt?** | *¿Sus amigas van a irse pronto?* |
| **Pierre et toi connaissez-vous Tikal?** | *¿Pierre y tú conocen Tikal?* |

En esta forma hay tanto un sujeto como un pronombre que lo recuerda, ubicado detrás del verbo:

sujeto + forma verbal + pronombre + ...

### ■ Vocabulario

| | |
|---|---|
| **accueillir** | *recibir (a una persona)* |
| **avoir lieu** | *tener lugar* |
| **cérémonie** (fem.) | *ceremonia* |
| **sœur** (fem.) | *hermana* |
| **frère** (masc.) | *hermano* |
| **fleur** (fem.) | *flor* |
| **couple** (masc.) | *pareja* |
| **voyage de noces** (masc.) | *viaje de novios* |

## A2 EJEMPLOS *(Una boda)*

1. **À quelle heure les gens arrivent-ils?**
2. **Quand la cérémonie a-t-elle lieu?**
3. **Les parents vont-ils venir ensemble?**
4. **Qui va les accueillir?**
5. **Anne va-t-elle venir seule?**
6. **Antoine vient-il avec elle?**
7. **Ton frère arrive-t-il par le train?**
8. **Quelqu'un va-t-il le chercher à la gare?**
9. **Ta sœur a-t-elle commandé les fleurs?**
10. **Où les invités vont-ils danser?**
11. **Quelqu'un a-t-il pensé à la musique?**
12. **Où le jeune couple part-il en voyage de noces?**

# 29 ¿Cuándo va a ser la ceremonia?

## A3 COMENTARIOS

### ■ Gramática

- Recuerde que cuando el verbo está invertido en esta forma interrogativa, el pronombre se le añade con un guión.

  Ej.: **Les invités arrivent-ils?** *¿Están llegando los invitados?*

  Cuando el verbo termina con una vocal, se introduce **t** entre el verbo y el pronombre.

  Ej.: **Pierre va-t-il venir?** *¿Va a venir Pierre?*
  **Antoine arrive-t-il?** *¿Antoine va a llegar?*

- Si el verbo está en **passé composé,** el pronombre se coloca entre el auxiliar y el participio pasado.

  Ej.: **Quelqu'un a-t-il pensé à la musique?**
  *¿Alguien pensó en la música?*
  **Ta sœur est-elle arrivée?**
  *¿Llegó tu hermana?*

## A4 TRADUCCIÓN

1. ¿A qué hora llega la gente?
2. ¿Cuándo va a ser la ceremonia?
3. ¿Los padres van a venir juntos?
4. ¿Quién va a recibirlos?
5. ¿Anne va a venir sola?
6. ¿Antoine va a venir con ella?
7. ¿Tu hermano va a llegar en tren?
8. ¿Alguien va a buscarlo a la estación?
9. ¿Tu hermana encargó las flores?
10. ¿Dónde van a bailar los invitados?
11. ¿Alguien pensó en la música?
12. ¿A dónde va a ir la joven pareja de viaje de novios?

# 29 Une femme demande si la banque ferme à midi.

## B1 PRESENTACIÓN

■ Gramática

- Una pregunta indirecta se introduce por lo general con el verbo **demander**.

  Ej.: **Pierre: "Est-ce qu'il fait froid?"**
  **Pierre demande s'il fait froid.**
  **Pierre: "Anne va-t-elle venir?"**
  **Pierre demande si Anne va venir.**
- Como la pregunta indirecta es una afirmación, **est-ce que** o la forma invertida desaparecen. La entonación en este caso, por supuesto, no es ascendente.
- Cuando la respuesta que se espera es sí o no, la pregunta indirecta es introducida por **si (s')** = *sí.*

■ Vocabulario

| | | | |
|---|---|---|---|
| **changer** | *cambiar* | **banque** (fem.) | *banco* |
| **recevoir** | *recibir* | **chéquier** (masc.) | *chequera* |
| **devoir** | *deber, tener que* | **carte de crédit** (fem.) | *tarjeta de crédito* |
| **remplir** | *rellenar* | **compte en banque** (masc.) | *cuenta bancaria* |
| **touriste** (masc., fem.) | *turista* | **formulaire** (masc.) | *formulario* |
| **bureau de change** (masc.) | *casa de cambio* | | |

## B2 EJEMPLOS *(En el banco)*

1. **Une femme: "Est-ce que la banque ferme à midi?"**
2. **Une femme demande si la banque ferme à midi.**
3. **Un touriste: "Est-ce qu'il y a un bureau de change?"**
4. **Un touriste demande s'il y a un bureau de change.**
5. **Un client: "Est-ce qu'il y a un chéquier pour moi?"**
6. **Un client demande s'il y a un chéquier pour lui.**
7. **Une cliente: "Pourquoi est-ce que je n'ai pas reçu ma carte de crédit?"**
8. **Une cliente demande pourquoi elle n'a pas reçu sa carte de crédit.**
9. **Un jeune homme: "Que dois-je faire pour ouvrir un compte?"**
10. **Un jeune homme demande ce qu'il doit faire pour ouvrir un compte.**
11. **Un commerçant: "Dois-je remplir un formulaire?"**
12. **Un commerçant demande s'il doit remplir un formulaire.**

## B3 COMENTARIOS

### ■ Gramática

- Para expresar la idea de obligación, se puede usar el verbo **devoir** seguido de un infinitivo.

  Ej.: **Je dois aller à la gare.** *Tengo que / debo ir a la estación.*

| Tiempo presente | | | | | | | |
|---|---|---|---|---|---|---|---|
| **je** | **dois** | *yo* | *debo* | **nous** | **devons** | *nosotros* | *debemos* |
| **tu** | **dois** | *tú* | *debes* | **vous** | **devez** | *ustedes* | *deben* |
| **il, elle** | **doit** | *él, ella* | *debe* | **ils, elles** | **doivent** | *ellos, ellas* | *deben* |
| Participio pasado: **dû** | | | | | | | |

- Note que la mayoría de las palabras o expresiones interrogativas no cambian en la pregunta indirecta, con excepción de **que**, que se convierte en **ce que.**

  Ej.: **Anne: "Que fait Pierre?"**
  *Anne: "¿Qué es lo que hace Pierre?"*
  **Anne demande ce que fait Pierre.**
  *Anne pregunta qué es lo que hace Pierre.*

- Si la pregunta directa empieza con **qu'est-ce qui** o **qu'est-ce que,** en la pregunta indirecta sólo queda **ce qui** o **ce que.**

  Ej.: **Qu'est-ce qui manque?** *¿Qué falta?*
  **On demande ce qui manque.** *Preguntan qué falta.*

## B4 TRADUCCIÓN

1. Una mujer: "¿El banco cierra a mediodía?"
2. Una mujer pregunta si el banco cierra a mediodía.
3. Un turista: "¿Hay una casa de cambio?"
4. Un turista pregunta si hay una casa de cambio.
5. Un cliente: "¿Hay una chequera para mí?"
6. Un cliente pregunta si hay una chequera para él.
7. Una clienta: "¿Por qué no he recibido mi tarjeta de crédito?"
8. Una clienta pregunta por qué no ha recibido su tarjeta de crédito.
9. Un joven: "¿Qué debo hacer para abrir una cuenta?"
10. Un joven pregunta qué debe hacer para abrir una cuenta.
11. Un comerciante: "¿Debo llenar un formulario?"
12. Un comerciante pregunta si debe llenar un formulario.

# Exercices

## C1 EJERCICIOS

**A. Transforme usando tanto el sujeto como un pronombre para recordarlo:**

1. Est-ce que ton frère aime le football?
2. Est-ce que le facteur a apporté une lettre pour moi?
3. Est-ce que vos amis vivent à Paris?
4. Est-ce que les enfants ont appris leurs leçons?
5. Est-ce que Pierre et Jeanne connaissent ta sœur?
6. Est-ce qu'Hélène et Agnès vont sortir ce soir?

**B. Use la forma correcta del verbo devoir:**

1. Je ... repartir demain.
2. Pourquoi ...-tu aller à la banque?
3. Que ...-nous dire?
4. Elle ... prendre l'avion.
5. Vous ... téléphoner au directeur.
6. Combien de temps ...-on attendre?
7. Quand ...-ils commencer?

**C. Convierta en preguntas indirectas:**

1. L'étudiant: "Est-ce qu'on doit écrire l'adresse sur le formulaire?"
2. La secrétaire: "Depuis combien d'années cet employé travaille-t-il?"
3. Le moniteur: "Quel sport préférez-vous?"
4. Une étudiante: "Que dois-je faire pour avoir une carte de crédit?"
5. Un touriste: "À quelle heure ouvrent les bureaux de change?"
6. Le directeur: "Y a-t-il des télégrammes pour moi?"

## C2 DEVOIR = *TENER QUE* / DEVOIR = *DEBER*

- La palabra **devoir** tiene varios sentidos y se usa en muchas expresiones:

| | |
|---|---|
| **Combien je vous dois?** | *¿Cuánto le debo?* |
| **Nous devons de l'argent à quelqu'un.** | *Le debemos dinero a alguien.* |
| **Avec tout le respect qui lui/leur est dû.** | *Con todo el respeto que se merece/merecen.* |
| **Comme il se doit.** | *Como debe de ser.* |
| **Ce doit être vrai.** | *Debe ser cierto.* |
| **Il a fait son devoir.** | *Hizo su deber.* |
| **Il a fait ses devoirs.** | *Hizo sus tareas.* |

## C3 RESPUESTAS

**A.** 1. Ton frère aime-t-il le football?
2. Le facteur a-t-il apporté une lettre pour moi?
3. Vos amis vivent-ils à Paris?
4. Les enfants ont-ils appris leurs leçons?
5. Pierre et Jeanne connaissent-ils ta sœur?
6. Hélène et Agnès vont-elles sortir ce soir?

**B.** 1. Je dois repartir demain.
2. Pourquoi dois-tu aller à la banque?
3. Que devons-nous dire?
4. Elle doit prendre l'avion.
5. Vous devez téléphoner au directeur.
6. Combien de temps doit-on attendre?
7. Quand doivent-ils commencer?

**C.** 1. L'étudiant demande si on doit écrire l'adresse sur le formulaire.
2. La secrétaire demande depuis combien d'années cet employé travaille.
3. Le moniteur demande quel sport je préfère (o nous préférons o vous préférez).
4. Une étudiante demande ce qu'elle doit faire pour avoir une carte de crédit.
5. Un touriste demande à quelle heure ouvrent les bureaux de change.
6. Le directeur demande s'il y a des télégrammes pour lui.

## C4 C'EST LE MOMENT DE PAYER
*HAY QUE PAGAR AHORA*

- Éstas son algunas expresiones útiles para preguntar cuánto debe pagar:

**Quel est le prix de ...?** — *¿Cuál es el precio de ...?*
**Combien coûte(nt) ...?** — *¿Cuánto cuesta(n) ...?*
**Combien vaut/valent ...?** — *¿Cuánto vale(n) ...?*
**Combien fait/font ...?** — *¿Cuánto vale(n) ...?*

En francés hablado oirá con frecuencia:

**Combien ça coûte?** — *¿Cuánto cuesta?*
**Combien ça vaut?** — *¿Cuánto vale?*
**Combien ça fait?** — *¿Cuánto es?*
**C'est combien?** — *¿Cuánto es?*

# 30 Désolé, je ne peux pas venir, je suis occupé.

## A1 PRESENTACIÓN

■ Gramática

- Tiempo presente de **pouvoir**, *poder*:

| | | | |
|---|---|---|---|
| **je** | **peux** | *yo* | *puedo* |
| **tu** | **peux** | *tú* | *puedes* |
| **il, elle** | **peut** | *él, ella* | *puede* |
| **nous** | **pouvons** | *nosotros* | *podemos* |
| **vous** | **pouvez** | *ustedes* | *pueden* |
| **ils, elles** | **peuvent** | *ellos, ellas* | *pueden* |
| Participio pasado: **pu** | | | |

Ej.: **Vous pouvez venir.** *Usted(es) puede(n) venir.*
**Ils peuvent rester.** *Ellos pueden quedarse.*

■ Vocabulario

| | | | |
|---|---|---|---|
| **épeler** | *deletrear* | **occupé** | *ocupado* |
| **rappeler** | *volver a llamar* | **désolé** | *lo siento* |
| **rendez-vous** (masc.) | *cita* | **possible** | *posible* |
| **problème** (masc.) | *problema* | **tout à fait** | *del todo, completamente* |
| **répondeur** (masc.) | *contestadora automática* | **à partir de** | *a partir de* |
| | | **d'accord** | *de acuerdo* |

## A2 EJEMPLOS *(Haciendo una cita)*

1. **Est-ce que le docteur peut me voir demain?**
2. **Pouvez-vous venir l'après-midi? À quatorze heures par exemple?**
3. **Désolé, je ne peux pas venir, je suis occupé.**
4. **Il ne pourra pas vous voir plus tard, il est occupé.**
5. **Est-ce possible mardi soir?**
6. **Oui, c'est tout à fait possible, vous pouvez avoir un rendez-vous à partir de dix-sept heures.**
7. **D'accord, je peux venir à dix-sept heures trente.**
8. **Pouvez-vous me donner votre nom?**
9. **Je ne vous entends pas très bien. Pouvez-vous l'épeler?**
10. **Vous m'entendez mieux?**
11. **Puis-je vous rappeler s'il y a un problème?**
12. **On peut rappeler n'importe quand: il y a un répondeur.**

## A3 COMENTARIOS

### Gramática

- Note que en preguntas con el verbo invertido se usa **puis** en vez de **peux** en la primera persona.
  Ej.: **Puis-je vous aider?**
  *¿Puedo ayudarle?*
  **Que puis-je faire pour vous?**
  *¿Qué puedo hacer por usted?*
- **Pouvoir** muchas veces se usa para que una orden sea más amable:
  Ej.: **Pouvez-vous me donner votre nom?**
  *¿Puede darme su nombre?*
  **Peux-tu m'aider?**
  *¿Me puedes ayudar?*
  **Pouvez-vous venir?**
  *¿Puede(n) venir?*

## A4 TRADUCCIÓN

1. ¿Puedo ver al doctor mañana?
2. ¿Puede venir en la tarde? ¿A las dos, por ejemplo?
3. Lo siento, no puedo venir, estoy ocupado.
4. No podrá verlo más tarde, está ocupado.
5. ¿Podría ser el martes en la noche?
6. Sí, no hay ningún problema, puedo darle una cita a partir de las cinco.
7. De acuerdo, puedo venir a las cinco y media.
8. ¿Puede darme su nombre?
9. No lo/la oigo muy bien. ¿Puede deletrear?
10. ¿Me oye mejor?
11. ¿Puedo volver a llamarlo/a si hay un problema?
12. Se puede llamar en cualquier momento: hay una contestadora automática.

# 30 Savez-vous parler plusieurs langues?

## B1 PRESENTACIÓN

### ■ Gramática

- Tiempo presente de **savoir**, *saber:*

| | | | |
|---|---|---|---|
| **je** | **sais** | *yo* | *sé* |
| **tu** | **sais** | *tú* | *sabes* |
| **il, elle** | **sait** | *él, ella* | *sabe* |
| **nous** | **savons** | *nosotros* | *sabemos* |
| **vous** | **savez** | *ustedes* | *saben* |
| **ils, elles** | **savent** | *ellos, ellas* | *saben* |
| Participio pasado **su** | | | |

Ej.: **Je sais conduire.** *Sé conducir.*
**Ils savent lire et écrire.** *Saben leer y escribir.*

### ■ Vocabulario

| | | | |
|---|---|---|---|
| **taper à la machine** | *escribir a máquina* | **message** (masc.) | *mensaje, recado* |
| **se servir de** | *usar* | **langue** (fem.) | *idioma* |
| **quitter** | *dejar, irse de* | **salaire** (masc.) | *salario* |
| **gagner** | *ganar* | **idée** (fem.) | *idea* |
| **traitement de texte** (masc.) | *procesador de textos* | **moyen** | *promedio* |
| | | **exactement** | *exactamente* |

## B2 EJEMPLOS *(Preguntas para obtener un empleo)*

1. **Quand pouvez-vous commencer à travailler?**
2. **Je peux commencer tout de suite.**
3. **Savez-vous taper à la machine?**
4. **Oui, et je sais me servir d'un traitement de texte.**
5. **Comprenez-vous bien le français, pouvez-vous prendre des messages au téléphone?**
6. **Pouvez-vous quitter la France facilement?**
7. **Savez-vous conduire?**
8. **Non, je ne sais pas.**
9. **Savez-vous parler plusieurs langues?**
10. **Pouvons-nous parler du salaire?**
11. **Je ne peux pas vous dire exactement combien vous allez gagner.**
12. **Je peux vous donner une idée du salaire moyen pour ce travail.**

## B3 COMENTARIOS

■ Gramática

- Los verbos que indican el inicio, la continuación o el final de una acción deben estar acompañados de una preposición y un infinitivo.

**commencer**
**continuer** + **à** + infinitivo

Ej.: **Il a commencé à lire il y a une heure.**
*Empezó a leer hace una hora.*
**Il a commencé à pleuvoir.**
*Empezó a llover.*

**arrêter**
**finir** + **de** + infinitivo

Ej.: **Il a arrêté de fumer il y a un mois.**
*Dejó de fumar hace un mes.*
**J'ai fini d'écrire mon livre.**
*Terminé de escribir mi libro.*

- **Pouvez-vous quitter la France?**
Note que cuando el nombre de un país es sujeto u objeto, es necesario usar el artículo.
Ej.: **Je ne connais pas le Pérou.**
*No conozco Perú.*
**Je connais bien les États-Unis.**
*Conozco bien los Estados Unidos.*

## B4 TRADUCCIÓN

1. ¿Cuándo puede empezar a trabajar?
2. Puedo empezar ahora mismo.
3. ¿Sabe escribir a máquina?
4. Sí, y sé usar un procesador de textos.
5. ¿Entiende bien el francés, puede tomar mensajes en el teléfono?
6. ¿Puede irse de Francia fácilmente?
7. ¿Sabe conducir?
8. No, no sé.
9. ¿Sabe hablar varios idiomas?
10. ¿Podemos hablar del salario?
11. No puedo decirle exactamente cuánto va a ganar.
12. Puedo darle una idea del salario medio para este trabajo.

# 30 Exercices

## C1 EJERCICIOS

**A. Escriba la forma correcta del verbo:**

je (pouvoir) - tu (pouvoir) - vous (pouvoir)
il (savoir) - elle (pouvoir) - tu (savoir)
nous (pouvoir) - elles (savoir) - je (savoir)

**B. ●● Traduzca al francés:**

1. Este estudiante sabe hablar varias lenguas.
2. Pierre no sabe conducir.
3. ¿Puede usted ayudarme?
4. Nuestro director sabe hacer unos discursos magníficos.
5. ¿Lo ve usted?
6. Sé tocar el piano.

**C. Ponga la preposición correcta:**

1. Je m'arrête ... travailler à sept heures du soir.
2. A cinq ans, mon fils commençait ... lire.
3. La secrétaire finit ... taper une lettre à la machine.
4. Ses parents continuent ... s'occuper de la ferme.
5. Mon mari a arrêté ... écrire des articles pour ce journal.

**D. Añádale el artículo al país cuando sea necesario:**

1. J'ai visité ... France il y a trois ans.
2. Tu fais tes études en ... Argentine?
3. L'avion quittera ... Mexique à six heures.
4. ... Canada est plus petit que ... Brésil.
5. Nous revenons de ... France.

## C2 PROBABILITÉ - PERMISSION
*PROBABILIDAD - PERMISO*

• diferentes usos y significados de **pouvoir**:

| | |
|---|---|
| **Un accident peut toujours arriver.** | *Siempre puede pasar un accidente.* |
| **Il peut y avoir une grève.** | *Puede haber una huelga.* |
| **Il peut arriver n'importe quoi.** | *Puede pasar cualquier cosa.* |
| **Le train peut arriver en retard.** | *El tren puede llegar tarde.* |
| **Vous pouvez sortir.** | *Puede(n) usted(es) salir.* |
| **Puis-je vous emprunter votre stylo?** | *¿Puedo pedir prestado su bolígrafo?* |

## C3 RESPUESTAS

**A.** je peux - tu peux - vous pouvez
il sait - elle peut - tu sais
nous pouvons - elles savent - je sais

**B.** 1. Cet étudiant sait parler plusieurs langues. — 2. Pierre ne sait pas conduire. — 3. Est-ce que vous pouvez m'aider? — 4. Notre directeur sait faire de superbes discours. — 5. Est-ce que vous le voyez? — 6. Je sais jouer du piano.

**C.** 1. Je m'arrête de travailler à sept heures du soir.
2. A cinq ans, mon fils commençait à lire.
3. La secrétaire finit de taper une lettre à la machine.
4. Ses parents continuent à s'occuper de la ferme.
5. Mon mari a arrêté d'écrire des articles pour ce journal.

**D.** 1. J'ai visité la France il y a trois ans. — 2. Tu fais tes études en Argentine? — 3. L'avion quittera le Mexique à six heures. — 4. Le Canada est plus petit que le Brésil. — 5. Nous revenons de France.

## C4 EXPRESIONES PARA UBICARSE EN EL TIEMPO

**Pasado**

| | |
|---|---|
| **avant-hier** | *anteayer* |
| **hier** | *ayer* |
| **la semaine dernière** | *la semana pasada* |
| **le mois / l'an dernier** | *el mes / año pasado* |

**Presente**

| | |
|---|---|
| **aujourd'hui** | *hoy* |
| **cette semaine** | *esta semana* |
| **ce mois-ci** | *este mes* |
| **cette année** | *este año* |

**Futuro**

| | |
|---|---|
| **demain** | *mañana* |
| **après-demain** | *pasado mañana* |
| **la semaine prochaine** | *la semana próxima* |
| **le mois / l'an prochain** | *el mes / año que viene* |

# 31 Nous discutions politique pendant des heures.

## A1 PRESENTACIÓN

■ Gramática

- El **imparfait** es un tiempo pasado que se usa para expresar algo que pasaba o que solía pasar.
  Se forma quitándole la terminación **-ons** a la 1ª persona del plural del tiempo presente y reemplazándola por las terminaciones siguientes:
  Ej.: **marcher,** *caminar*

| | | | | |
|---|---|---|---|---|
| sing. | **-ais**<br>**-ais**<br>**-ait** | **je**<br>**tu**<br>**il, elle** | **marchais**<br>**marchais**<br>**marchait** | *Yo caminaba,*<br>*o solía caminar*<br>*etc. ...* |
| pl. | **-ions**<br>**-iez**<br>**-aient** | **nous**<br>**vous**<br>**ils, elles** | **marchions**<br>**marchiez**<br>**marchaient** | |

⟶ Así se conjugan todos los verbos, salvo **être.**

■ Vocabulario

| | | | |
|---|---|---|---|
| **faire ses études** | *estudiar* | **manifestation** (fem.) | *manifestación* |
| **défiler** | *desfilar, manifestar* | **réunion** (fem.) | *reunión* |
| | | **bagarre** (fem.) | *pelea* |
| **éclater** | *estallar* | **transistor** (masc.) | *radio* |
| **brûler** | *quemarse* | **pendant** | *durante* |
| **faculté** (fem.) | *facultad* | **pendant que** | *mientras que* |

## A2 EJEMPLOS *(Aquéllos fueron los tiempos...)*

1. **En 68, je faisais mes études à Paris.**
2. **J'avais les cheveux longs.**
3. **J'allais à la "fac" tous les jours.**
4. **Nous parlions beaucoup.**
5. **En mai, pendant les manifestations, il y avait beaucoup de réunions.**
6. **Nous discutions politique pendant des heures.**
7. **Dans les rues, les étudiants défilaient.**
8. **On les entendait de loin.**
9. **La police essayait de les arrêter.**
10. **Un soir, pendant qu'ils défilaient, une bagarre a éclaté.**
11. **Des voitures brûlaient au quartier Latin.**
12. **Les gens écoutaient les nouvelles sur leurs transistors.**

# 31 Discutíamos de política durante horas.

## A3 COMENTARIOS

■ Pronunciación

- **ais, ait** y **aient** se pronuncian como **è**.

■ Gramática

- El **imparfait** se usa frecuentemente en la descripción del pasado para expresar una situación.
  Ej.: **Il faisait chaud.** *Hacía calor.*
  o una acción que tuvo lugar mientras pasaba otra cosa. La acción que tuvo lugar está en **imparfait**, lo que pasaba en **passé composé**.
  Ej.: **J'écoutais les nouvelles quand il est entré.**
  *Yo escuchaba las noticias cuando él entró.*
  **Il travaillait quand elle a appelé.**
  *Él trabajaba cuando ella entró.*
- En francés hablado algunas palabras largas se abrevian, quedando una o dos sílabas:
  Ej.: **fac** = **faculté**
  **manif** = **manifestation**
  **métro** = **métropolitain**
  **pub** = **publicité** *(publicidad)*
- Cuando la raíz del verbo termina en **t**, note que la 1ª persona del plural del imperfecto, **-tions**, se pronuncia **tion** con el sonido **t**.
  Ej.: **arrêtions, quittions, partions**

## A4 TRADUCCIÓN

1. En el 68, yo estudiaba en París.
2. Tenía el pelo largo.
3. Iba a la Facultad todos los días.
4. Hablábamos mucho.
5. En mayo, durante las manifestaciones, había muchas reuniones.
6. Discutíamos de política durante horas.
7. En las calles se manifestaban los estudiantes.
8. Se les oía de lejos.
9. La policía trataba de detenerlos.
10. Una tarde, mientras se manifestaban, estalló una pelea.
11. Había coches quemándose en el Barrio Latino.
12. La gente escuchaba las noticias en la radio.

# 31 C'était un petit garçon aux yeux noirs et aux ...

## B1 PRESENTACIÓN

■ Gramática

- **Être** *(ser, estar)*

| Imparfait | | |
|---|---|---|
| **j'** | **étais** | *yo era, estaba* |
| **tu** | **étais** | *tú eras, estabas* |
| **il, elle** | **était** | *él, ella era, estaba* |
| **nous** | **étions** | *nosotros éramos, estábamos* |
| **vous** | **étiez** | *ustedes eran, estaban* |
| **ils, elles** | **étaient** | *ellos, ellas eran, estaban* |

■ Vocabulario

| | |
|---|---|
| **s'échapper** | *escaparse* |
| **aider** | *ayudar* |
| **enfance** (fem.) | *infancia* |
| **ferme** (fem.) | *granja* |
| **champ** (masc.) | *campo, milpa* |
| **forêt** (fem.) | *bosque* |
| **devoirs** (masc. pl.) | *tareas* |
| **tracteur** (masc.) | *tractor* |
| **cheval** (masc.) | *caballo* |
| **écurie** (fem.) | *establo* |
| **brun** | *café, marrón* |
| **différent** | *diferente* |
| **autrefois** | *antaño* |

## B2 EJEMPLOS *(Recuerdos de infancia)*

1. **Quand j'étais jeune, mon père me parlait de son enfance.**
2. **C'était un petit garçon aux yeux noirs et aux cheveux bruns.**
3. **Il avait deux frères, ils vivaient dans une ferme.**
4. **Ils étaient souvent dans les champs.**
5. **Ils n'étaient pas très riches.**
6. **Leur ferme n'était pas très grande.**
7. **La forêt était tout près.**
8. **Leur mère était toujours occupée.**
9. **Autrefois, la vie à la campagne était très différente.**
10. **Quand il avait fait ses devoirs, il aidait ses parents.**
11. **Il n'y avait pas de tracteur, ils avaient des chevaux.**
12. **Un jour, pendant qu'il était en train de jouer dans l'écurie, les chevaux s'étaient échappés.**

## B3 COMENTARIOS

### ■ Gramática

- Para insistir en la acción que está realizándose, se usa la expresión **être en train de** + infinitivo.

  Ej.: **Il jouait.**
  **Il était en train de jouer.** → *Estaba jugando.*
  **J'écoutais les nouvelles.**
  **J'étais en train d'écouter les nouvelles.**
  *Estaba escuchando las noticias.*

  La misma expresión también se usa en presente:

  Ej.: **Il joue.**
  **Il est en train de jouer.** → *Está jugando.*

- El **imparfait** de **être** y de **avoir** + el participio pasado de un verbo forman el **plus-que-parfait.**
- El **plus-que-parfait** es el equivalente del pluscuamperfecto en español.

  Ej.: **Il avait fini quand elle a appelé.**
  *Él había terminado cuando ella llamó.*
  **Nous étions partis quand vous êtes arrivés.**
  *Nos habíamos ido cuando ustedes llegaron.*

- En cuanto al **passé composé**, cuando el auxiliar es **être**, el participio pasado modifica su género y número en función del sujeto.

## B4 TRADUCCIÓN

1. Cuando yo era joven, mi padre me hablaba de su infancia.
2. Era un muchachito de ojos negros y de pelo castaño.
3. Tenía dos hermanos, vivían en una granja.
4. Estaban en los campos con frecuencia.
5. No eran muy ricos.
6. Su granja no era muy grande.
7. El bosque estaba muy cerca.
8. Su madre siempre estaba ocupada.
9. Antaño, la vida en el campo era muy diferente.
10. Cuando había hecho sus tareas, ayudaba a sus padres.
11. No había tractor, tenían caballos.
12. Un día, mientras jugaba en el establo, se escaparon los caballos.

# 31 Exercices

## C1 EJERCICIOS

**A. Ponga el verbo en la forma correcta del imparfait:**

1. Où (être) tu?
2. Que (faire) vous?
3. Il ne (travailler) pas à Paris.
4. Autrefois, les femmes (porter) des jupes longues.
5. Les vacances (finir) en octobre quand j'(être) jeune.
6. Que (chercher) ils?
7. Nous (regarder) des albums pendant des heures.

**B. Use el imparfait o el passé composé:**

1. Pendant que je (faire) une promenade, je (rencontrer) Pierre.
2. Pendant qu'ils (regarder) la télévision, le téléphone (sonner).
3. Quand vous (arriver), nous (discuter).

**C. Insista en la acción que se está llevando a cabo:**

1. Je parlais.
2. Tu travaillais.
3. Il faisait un discours.
4. Nous jouions.

**D. No insista en la acción que se está llevando a cabo:**

1. Vous étiez en train de manger.
2. Ils étaient en train de lire.
3. J'étais en train d'écrire.
4. Elle était en train de chanter.

## C2 ALGUNAS PALABRAS QUE SUELEN USARSE EN PLURAL EN FRANCÉS

**cheveux** (masc. pl.) *pelo, cabello*

Otras tienen significados diferentes en singular y en plural:

| | | | |
|---|---|---|---|
| **devoir** (masc.) | *deber* | **devoirs** | *tareas* |
| **lunette** (masc.) | *telescopio* | **lunettes** | *anteojos* |
| **course** (fem.) | *carrera* | **courses** | *compras* |
| **vêtement** (masc.) | *prenda de vestir* | **vêtements** | *ropa* |

## C3 RESPUESTAS

**A.** 1. Où étais-tu?
2. Que faisiez-vous?
3. Il ne travaillait pas à Paris.
4. Autrefois, les femmes portaient des jupes longues.
5. Les vacances finissaient en octobre quand j'étais jeune.
6. Que cherchaient-ils?
7. Nous regardions des albums pendant des heures.

**B.** 1. Pendant que je faisais une promenade, j'ai rencontré Pierre.
2. Pendant qu'ils regardaient la télévision, le téléphone a sonné.
3. Quand vous êtes arrivés, nous discutions.

**C.** 1. J'étais en train de parler.
2. Tu étais en train de travailler.
3. Il était en train de faire un discours.
4. Nous étions en train de jouer.

**D.** 1. Vous mangiez.
2. Ils lisaient.
3. J'écrivais.
4. Elle chantait.

## C4 DESCRIPCIONES FÍSICAS O MORALES

- Los equivalentes de *de* + sustantivo + adjetivo en español son:
  **à la, au, aux** + sustantivo + adjetivo

Ej.:

| | |
|---|---|
| **un garçon aux yeux noirs** | *un niño de ojos negros* |
| **une fille aux cheveux blonds** | *una niña de pelo rubio* |
| **un bébé à la peau douce** | *un bebé de piel suave* |
| **un garçon au nez pointu** | *un niño de nariz puntiaguda* |
| **un homme à l'œil brillant** | *un hombre con la mirada brillante* |
| **une personne à l'esprit étroit** | *una persona de mente estrecha* |

# 32 Je me lève tous les jours à sept heures.

## A1 PRESENTACIÓN

### ■ Gramática

- Cuando la misma persona es tanto el sujeto como el objeto de la acción, el verbo se llama reflexivo. Este verbo se usa con pronombres reflexivos:

| | |
|---|---|
| **me, m'** | *me* |
| **te, t'** | *te* |
| **se, s'** | *se* |
| **nous** | *nos* |
| **vous** | *se* |
| **se, s'** | *se* |

- El pronombre reflexivo se coloca delante del verbo, salvo en el imperativo.

  Ej.: **Je me dépêche / Dépêchez-vous.**
  *Me estoy apurando / ¡Apúrense!*

### ■ Vocabulario

| | | | |
|---|---|---|---|
| **se lever** | *levantarse* | **se dépêcher** | *apurarse* |
| **se raser** | *afeitarse* | **se disputer** | *pelearse* |
| **s'habiller** | *vestirse* | **se tromper** | *equivocarse* |
| **se laver** | *lavarse* | **d'habitude** | *de costumbre* |
| **se préparer** | *prepararse* | **jamais** | *nunca* |
| **se faire mal** | *hacerse daño* | **toujours** | *siempre* |

## A2 EJEMPLOS *(La vida diaria)*

1. **Je m'appelle Pierre Lebon.**
2. **Je me lève tous les jours à sept heures.**
3. **Je me rase toujours avant de partir.**
4. **D'habitude, il s'habille pour le dîner.**
5. **Les enfants se lavent.**
6. **Elle se prépare pour le dîner.**
7. **On se prépare pour sortir.**
8. **Nous nous levons tard le dimanche.**
9. **Tu t'es fait mal?**
10. **Ils se dépêchent pour prendre le bus.**
11. **Les enfants se disputent beaucoup, mais ils s'entendent bien.**
12. **Tu ne te trompes jamais!**

## A3 COMENTARIOS

### ■ Gramática

- Como en español, los verbos reflexivos se conjugan con **être**:

| | |
|---|---|
| **Je me suis levé.** | *Me levanté.* |
| **Tu t'es rasé.** | *Te afeitaste.* |
| **Nous nous sommes préparés.** | *Nos hemos preparado.* |

- Recuerde que cuando el auxiliar es **être**, el participio debe corresponder en género y en número con el sujeto (ver lección 25, B1):

  **Anne et Hélène se sont dépêchées.**
  *Anne y Hélène se apresuraron.*

- Note: **toujours**, *siempre,* y **jamais**, *nunca,* se colocan detrás del verbo.
- Recuerde: **le dimanche** *los domingos*

## A4 TRADUCCIÓN

1. Me llamo Pierre Lebon.
2. Me levanto todos los días a las siete.
3. Siempre me afeito antes de salir.
4. Normalmente se viste para la cena.
5. Los niños se lavan.
6. Ella se prepara para la cena.
7. Nos preparamos para salir.
8. Nos levantamos tarde los domingos.
9. ¿Te hiciste daño?
10. Ellos se apuran para tomar el autobús.
11. Los niños se pelean mucho, pero se llevan bien.
12. ¡Nunca te equivocas!

# 32 Asseyez-vous, je vous en prie.

## B1 PRESENTACIÓN

### ■ Gramática

- En el imperativo, el pronombre reflexivo es tónico:

  **moi**
  **toi**
  **nous**
  **vous**

  Ej.: **Habillez-vous!** *¡Vístanse! / ¡Vístase!*
  **Lève-toi!** *¡Levántate!*

- Todos los verbos reflexivos forman su **passé composé** con **être**, y el participio pasado se adapta en género y número al sujeto.
  Ej.: **Ils ne se sont pas reposés.** *No descansaron.*

### ■ Vocabulario

| | | | |
|---|---|---|---|
| **s'asseoir** | *sentarse* | **se reposer** | *descansar* |
| **s'amuser** | *divertirse* | **petit déjeuner** (masc.) | *desayuno* |
| **se coucher** | *acostarse* | **chemin** (masc.) | *camino* |
| **se réveiller** | *despertarse* | **demi-heure** (fem.) | *media hora* |
| **se promener** | *pasearse* | **de bonne heure** | *temprano* |
| **s'occuper de** | *cuidar, ocuparse de* | **prêt** | *listo* |

## B2 EJEMPLOS *(Despertar)*

1. **Levez-vous, il est sept heures!**
2. **Dépêche-toi, le petit déjeuner est prêt.**
3. **Dépêchez-vous, il est huit heures et demie!**
4. **Asseyez-vous, je vous en prie.**
5. **Vous vous êtes bien amusés hier soir?**
6. **Oui, on s'est couché à minuit moins le quart.**
7. **On s'est trompé de chemin pour revenir.**
8. **Tu t'es réveillé de bonne heure?**
9. **Oui, je me suis promené dans le jardin une demi-heure.**
10. **Je me suis occupé des fleurs.**
11. **Nous nous sommes reposés une heure.**
12. **Habillez-vous, nous allons nous promener.**

## B3 COMENTARIOS

### ■ Gramática

- En el caso de una orden negativa, el pronombre reflexivo se coloca delante del verbo.
  **Ne vous dépêchez pas.** *No se apure(n).*
  **Ne te trompe pas.** *No te equivoques.*
  **Ne t'occupe pas des fleurs.** *No te ocupes de las flores.*
- **Se tromper de** + sustantivo significa *equivocarse de* + sustantivo.
  Ej.: **se tromper de bus** *equivocarse de autobús*
  **se tromper de numéro** *equivocarse de número*
- Note la diferencia entre:
  **une demi-heure** *media hora*
  **une heure et demie** *hora y media*
  **un quart d'heure** *un cuarto de hora*
  **une heure et quart** *una hora y cuarto*

### ■ Pronunciación

- En **asseyez**, la primera e se pronuncia **[é]**.

## B4 TRADUCCIÓN

1. ¡Levántense / levántese, son las siete!
2. Apúrate, el desayuno está listo.
3. ¡Apúrense / apúrese, son las ocho y media!
4. Siéntense / siéntese, por favor.
5. ¿Se divirtieron anoche?
6. Sí, nos acostamos a las doce menos cuarto.
7. Nos equivocamos de camino para regresar.
8. ¿Te despertaste temprano?
9. Sí, me paseé media hora en el jardín.
10. Me ocupé de las flores.
11. Descansamos media hora.
12. Vístanse / vístase, vamos a pasearnos.

## C1 EJERCICIOS

**A. Haga corresponder:**

| | | |
|---|---|---|
| te | | asseyons |
| je | me | regardes |
| tu | se, s' | assoit |
| il, elle | vous | disputent |
| nous | nous | promenez |
| vous | | dépêchez |
| ils, elles | | rase |

**B. ●● Ponga en imperativo:**

1. Tu te lèves.
2. Tu t'occupes des enfants.
3. Nous nous reposons.
4. Vous vous habillez.
5. Vous vous amusez bien.

**C. ●● Traduzca al francés:**

1. Me levanto a las nueve.
2. Ella se apura.
3. Me preparo.
4. Nos estamos equivocando de auto.
5. ¿Se hizo usted daño?

## C2 SOYONS POLIS / *SEAMOS AMABLES*

Éstas son algunas expresiones útiles:

- para disculparse:
  **pardon, excusez-moi, je suis désolé(e), je suis navré(e).**
- para decir: *de nada, no se preocupe:*
  **de rien, je vous en prie, ce n'est rien.**
- para insistir amablemente en una orden:
  **je vous en prie.**

Ej.: **Je suis désolée d'être en retard!** *¡Cómo siento haber llegado tarde!*
**Je vous en prie!** *¡Por favor!*
**Asseyez-vous, je vous en prie!** *¡Siéntese, por favor!*
**Merci beaucoup!** *¡Muchas gracias!*
**De rien!** *¡De nada!*

## C3 RESPUESTAS

**A.** je me rase — il se rase — tu te regardes — il, elle s'assoit
nous nous asseyons — vous vous promenez
vous vous dépêchez — ils, elles se disputent

**B.** 1. Lève-toi!
2. Occupe-toi des enfants.
3. Reposons-nous.
4. Habillez-vous.
5. Amusez-vous bien!

**C.** 1. Je me lève à neuf heures.
2. Elle se dépêche.
3. Je me prépare.
4. Nous nous trompons de voiture.
5. Vous vous êtes fait mal? / Est-ce que vous vous êtes fait mal? / Vous êtes-vous fait mal?

## C4 NOM, PRÉNOM
*APELLIDO, NOMBRE*

- Recuerde que para presentarse a sí mismo o para presentar a otra persona, la expresión comúnmente usada es:

**je m'appelle* …** *yo me llamo …*
**tu t'appelles* …** *tú te llamas …*
**il, elle s'appelle* …** *él, ella se llama …*
**nous nous appelons …** *nosotros nos llamamos …*
**vous vous appelez …** *ustedes se llaman …*
**ils, elles s'appellent* …** *ellos, ellas se llaman …*

- **Comment vous appelez-vous?** *¿Cómo se llama(n) usted(es)?*
**Comment tu t'appelles?** *¿Cómo te llamas?*

* Note la doble l: en ese caso, la primera **e** se pronuncia [ɛ]. En **appelons** y **appelez** hay una sola l, y la **e** no se pronuncia.

# 33 Quand vous sortirez de l'aéroport...

## A1 PRESENTACIÓN

■ Gramática

- Recuerde que vimos: **aller** + infinitivo para expresar una acción futura. Ahora vamos a ver el tiempo futuro. Su construcción es:

| (sing.) infinitivo + | | (pl.) infinitivo + | |
|---|---|---|---|
| | **-ai** | | **-ons** |
| | **-as** | | **-ez** |
| | **-a** | | **-ont** |

Ej.: **je sortirai, tu parleras, il jouera, nous finirons, vous partirez, ils donneront.**

- Cuando el infinitivo termina en **-re**, desaparece la **e**.

Ej.: **je conduirai, tu prendras, il rira.**

■ Vocabulario

| | | | |
|---|---|---|---|
| **décoller** | *despegar* | **directeur commercial** (masc.) | *director comercial* |
| **se poser** | *aterrizar* | **renseignement** (masc.) | *información* |
| **emmener à** | *llevar a* | **contrat** (masc.) | *contrato* |
| **prendre contact** | *ponerse en contacto con* | **de toute façon** | *de todos modos* |
| **signer** | *firmar* | | |
| **accepter** | *aceptar* | | |

## A2 EJEMPLOS *(De viaje de negocios)*

1. **À quelle heure décollera l'avion?**
2. **Il décollera à neuf heures et se posera à Tokyo seize heures plus tard.**
3. **Quand vous sortirez de l'aéroport, une voiture vous attendra.**
4. **Elle vous emmènera à votre hôtel dans le centre ville.**
5. **Notre directeur commercial prendra contact avec vous.**
6. **Quand vous connaîtrez votre planning, vous nous appellerez.**
7. **S'il y a un problème, nous vous donnerons des renseignements.**
8. **Quand vous rencontrerez nos clients, vous leur direz que le contrat est prêt.**
9. **Quand le patron arrivera, il le signera.**
10. **J'espère qu'ils accepteront nos conditions.**
11. **Vous n'aurez sûrement pas le temps de visiter la ville.**
12. **De toute façon, nous y retournerons ensemble l'an prochain.**

# Cuando salga del aeropuerto ...

## A3 COMENTARIOS

### ■ Gramática

- Note que para indicar la idea de una acción futura, una oración que empiece con **quand** tiene que estar en futuro.

  Ej.: **Quand vous sortirez de l'aéroport, vous trouverez une voiture.**
  *Cuando salga del aeropuerto, encontrará un auto.*

- Esta regla también se aplica a otras conjunciones de tiempo.

  **dès que** *tan pronto como*
  **aussitôt que** *en cuanto*
  **au moment où** *en el momento en que*

- Note que la palabra inglesa **planning** se usa comúnmente con el significado de *plan de trabajo* o *programa.*
- Note que **renseignements** se usa con frecuencia en plural.

### ■ Pronunciación

- En A2 hay muchas palabras con acento circunflejo: **hôtel, connaîtrez, prêt, sûrement.**

  Recuerde que este acento no altera la pronunciación de la vocal.

## A4 TRADUCCIÓN

1. ¿A qué hora despegará el avión?
2. Despegará a las nueve y aterrizará en Tokio dieciséis horas después.
3. Cuando salga del aeropuerto, un auto lo esperará.
4. Lo llevará a su hotel en el centro de la ciudad.
5. Nuestro director comercial se pondrá en contacto con usted.
6. Cuando conozca su plan de trabajo, llámenos.
7. Si hay un problema, le daremos informaciones.
8. Cuando se entreviste con nuestros clientes, les dirá que el contrato está listo.
9. Cuando llegue el jefe, lo firmará.
10. Espero que acepten nuestras condiciones.
11. Seguramente no tendrá tiempo de visitar la ciudad.
12. De todos modos, vamos a regresar allá juntos el año próximo.

# 33 Nous découvrirons d'autres mondes.

## B1 PRESENTACIÓN

### ■ Gramática

- Tiempo futuro de verbos irregulares (ver también B3):

| | **être** *ser, estar* | **avoir** *haber, tener* |
|---|---|---|
| **je** | **serai** | **aurai** |
| **tu** | **seras** | **auras** |
| **il, elle** | **sera** | **aura** |
| **nous** | **serons** | **aurons** |
| **vous** | **serez** | **aurez** |
| **ils, elles** | **seront** | **auront** |

### ■ Vocabulario

| | | | |
|---|---|---|---|
| **découvrir** | *descubrir* | **médicament** (masc.) | *medicamento* |
| **espérer** | *esperar (de esperanza)* | **maladie** (fem.) | *enfermedad* |
| **éviter** | *evitar* | **technologie** (fem.) | *tecnología* |
| **espace** (masc.) | *espacio* | **pollution** (fem.) | *contaminación* |
| **navette** (fem.) | *transbordador espacial* | **paix** (fem.) | *paz* |
| **lune** (fem.) | *luna* | **peut-être** | *quizás* |
| **planète** (fem.) | *planeta* | **grâce à** | *gracias a* |
| **génération** (fem.) | *generación* | **jusqu'à quand** | *hasta cuándo* |

## B2 EJEMPLOS *(En 2010)*

1. **Un jour viendra où nous irons très loin dans l'espace.**
2. **Il y aura des navettes entre les planètes.**
3. **Nous ferons des voyages extraordinaires.**
4. **On se promènera sur la Lune.**
5. **Nous voyagerons de plus en plus loin.**
6. **Nous découvrirons d'autres mondes.**
7. **On découvrira de nouveaux médicaments, mais il y aura peut-être plus de maladies.**
8. **Grâce aux technologies nouvelles, on sera en contact avec le monde entier à tout moment.**
9. **On trouvera peut-être des solutions au problème de la pollution.**
10. **L'homme vivra peut-être de plus en plus longtemps.**
11. **Jusqu'à quand évitera-t-on la guerre?**
12. **Espérons que les générations futures vivront en paix.**

## B3 COMENTARIOS

### Gramática

- Note que en expresiones de tiempo como **un jour viendra où** *(llegará un día en que)*, **le jour où** *(el día en que)*, **au moment où** *(el momento en que)*, la palabra **où** significa *CUÁNDO* y no *DÓNDE.*
- Delante de sustantivos, *más* se traduce por **plus de.**
  Ej.: **Il y a plus de pollution à Paris que dans les Alpes.**
  *Hay más contaminación en París que en los Alpes.*
- Recuerde que en una interrogación con el verbo invertido, si éste termina en vocal, es necesario poner una **t** delante de **il, elle** o **on**:
  Ej.: **Évitera-t-on? Viendra-t-elle? Partira-t-il?**
- Tiempo futuro de verbos irregulares:

| | **aller**<br>*ir* | **faire**<br>*hacer* | **venir**<br>*venir* |
|---|---|---|---|
| **je/j'** | **irai** | **ferai** | **viendrai** |
| **tu** | **iras** | **feras** | **viendras** |
| **il, elle** | **ira** | **fera** | **viendra** |
| **nous** | **irons** | **ferons** | **viendrons** |
| **vous** | **irez** | **ferez** | **viendrez** |
| **ils, elles** | **iront** | **feront** | **viendront** |

## B4 TRADUCCIÓN

1. Llegará un día en que iremos muy lejos en el espacio.
2. Habrá transbordadores espaciales entre los planetas.
3. Haremos viajes extraordinarios.
4. Nos pasearemos en la Luna.
5. Viajaremos más y más lejos.
6. Descubriremos otros mundos.
7. Se descubrirán nuevos medicamentos, pero quizás habrá nuevas enfermedades.
8. Gracias a las nuevas tecnologías, estaremos en contacto con el mundo entero en todo momento.
9. Quizás se encuentren soluciones al problema de la contaminación.
10. El hombre vivirá quizás cada vez más tiempo.
11. ¿Hasta cuándo evitaremos la guerra?
12. Esperemos que las generaciones futuras vivan en paz.

# Exercices

## C1 EJERCICIOS

**A. Escriba en futuro:**

1. Je vous (rejoindre).
2. Tu (accepter) les conditions.
3. Elle nous (emmener).
4. Nous (prendre contact).
5. Il (aller) loin.
6. Vous (signer) le contrat.
7. Ils (découvrir) le pays.
8. Elles (venir) avec nous.

**B. Ponga en el orden correcto:**

1. nous / promener / vous / nous / avec / forêt / irons / la / dans.
2. il/ sept / sera / quand / heures / nouvelles / les / nous / écouterons.
3. avion / viendra / navette / dès que / l' / la / se posera / chercher / vous.

**C. Identifique la palabra que no debe ir en la serie:**

1. irons - prendrons - avons - viendrons - découvrirons.
2. seront - font - sortiront - traverseront - entendront.
3. pleurez - claquerez - traverserez - possèderez - connaîtrez.

**D. Traduzca al francés:**

1. Por favor llámeme en cuanto llegue.
2. Cuando el jefe la vea, le dará el contrato.
3. Cuando tenga ochenta y cinco años, escribiré la historia de mi vida.

## C2 CÓMO EXPRESAR EL FUTURO CERCANO

| | |
|---|---|
| **bientôt** | *pronto* |
| **demain** | *mañana* |
| **après-demain** | *pasado mañana* |
| **tout à l'heure** | *dentro de un rato* |
| **plus tard** | *más tarde* |
| **sous peu** | *dentro de poco* |
| **d'ici ...** | *de aquí ...* |

## C3 RESPUESTAS

**A.** 1. Je vous rejoindrai.
2. Tu accepteras les conditions.
3. Elle nous emmènera.
4. Nous prendrons contact.
5. Il ira loin.
6. Vous signerez le contrat.
7. Ils découvriront le pays.
8. Elles viendront avec nous.

**B.** 1. Nous irons nous promener avec vous dans la forêt.
2. Quand il sera sept heures, nous écouterons les nouvelles. / Nous écouterons les nouvelles quand il sera sept heures.
3. Dès que l'avion se posera, la navette viendra vous chercher. / La navette viendra vous chercher dès que l'avion se posera.

**C.** 1. avons.
2. font.
3. pleurez.

**D.** 1. S'il vous plaît, appelez-moi dès que vous arriverez.
2. Quand le patron viendra, il lui donnera le contrat.
3. Quand j'aurai quatre-vingt-cinq ans, j'écrirai l'histoire de ma vie.

## C4 EXPRESIONES COMPARATIVAS

- **de plus en plus rapide / confortable.**
  *cada vez más rápido / cómodo.*
  **de moins en moins rapide / confortable.**
  *cada vez menos rápido / cómodo.*
- Expresiones útiles:
  **Le plus tôt sera le mieux.** *Cuanto antes mejor.*
  **Plus on est de fous plus on rit.** *Cuanto más mejor.*
  **Tôt ou tard.** *Tarde o temprano.*

# 34 Quand y es-tu allé?

## A1 PRESENTACIÓN

### Gramática

- **en** y **y** son pronombres usados para evitar la repetición del nombre de un lugar introducido por una preposición.
  Ej.: **Est-ce que tu vas à la gare? — Oui, j'y vais.**
  **On va au cinéma? — Oui, on y va.**
  **Est-ce que tu viens de la campagne? — Oui, j'en viens.**

  Note que **à** (o las formas contraídas **au, aux**) + sustantivo = **y**
  **de** (o las formas contraídas **du, des**) + sustantivo = **en**
- **y** también se usa para reemplazar un complemento (ya sea un sustantivo o un infinitivo) introducido por la preposición **à**. Ej.:
  **Tu penses à ton travail? — Oui, j'y pense.**
  **Est-ce que tu as pensé à prendre les livres? — Oui, j'y ai pensé.**

### Vocabulario

| | | | |
|---|---|---|---|
| **sortir** | *salir* | **agence de voyages** (fem.) | *agencia de viajes* |
| **passer par** | *pasar por* | **liste** (fem.) | *lista* |
| **s'arrêter** | *detenerse, pararse* | **piscine** (fem.) | *alberca, piscina* |
| **se renseigner** | *informarse* | **ce soir** | *esta tarde/noche* (ver p. 33) |
| **choisir** | *escoger* | | |

## A2 EJEMPLOS *(Haciendo reservaciones)*

1. **Est-ce que tu es allé à l'agence de voyages pour prendre les billets?**
2. **Oui, j'en viens.**
3. **Quand y es-tu allé?**
4. **J'y suis allé à l'heure du déjeuner.**
5. **Il n'y avait personne, et j'en suis sorti cinq minutes plus tard.**
6. **On passe par Athènes; est-ce que tu sais si l'avion s'y arrête?**
7. **Non, je n'en sais rien, mais je peux me renseigner.**
8. **As-tu pensé à réserver l'hôtel?**
9. **J'y ai pensé mais j'ai préféré attendre pour choisir avec toi.**
10. **L'agence m'a donné des listes d'hôtels, on en choisira un ce soir.**
11. **On en prendra un avec piscine?**
12. **Pourquoi pas? J'y pense depuis longtemps.**

## A3 COMENTARIOS

### ■ Gramática

- Note que y nunca puede ser usado para una persona.

| | |
|---|---|
| **Je pense à mon examen.** | **J'y pense.** |
| *Pienso en mi examen.* | *Pienso en él.* |
| **Je pense à mon oncle.** | **Je pense à lui.** |
| *Pienso en mi tío.* | *Pienso en él.* |

- Sin embargo, **en** puede usarse para personas.

| | |
|---|---|
| **Je rêve de mes vacances.** | **J'en rêve.** |
| *Sueño con mis vacaciones.* | *Sueño con ellas.* |
| **J'ai rêvé de mes enfants.** | **J'en ai rêvé.** |
| *Soñé con mis hijos.* | *Soñé con ellos.* |

- **un** y **une** no son sólo artículos indefinidos. También son pronombres. Siempre se usan con **en**. Ej.:
  **Tu prends un sac? — Oui, j'en prends un.**
  *¿Vas a tomar una bolsa? — Sí, voy a tomar una.*
  **Tu as réservé une chambre? — Oui, j'en ai réservé une.**
  *¿Reservaste un cuarto? — Sí, reservé uno.*
- Note algunas expresiones fijas en las que el sustantivo se usa sin artículo:

| | |
|---|---|
| **avec piscine** | *con alberca* |
| **avec vue** | *con vista* |
| **avec salle de bains** | *con cuarto de baño* |

## A4 TRADUCCIÓN

1. ¿Fuiste a la agencia de viajes a recoger los boletos?
2. Sí, de allí vengo.
3. ¿Cuándo fuiste?
4. Fui a la hora de la comida.
5. No había nadie, y salí cinco minutos después.
6. Pasamos por Atenas; ¿sabes si el avión va a hacer escala?
7. No, no tengo ni idea, pero puedo informarme.
8. ¿Pensaste en reservar un hotel?
9. Sí lo pensé, pero preferí esperar para escoger contigo.
10. La agencia me dio listas de hoteles, escogeremos uno esta noche.
11. ¿Tomamos uno con alberca?
12. ¿Por qué no? ¡Lo he estado pensando desde hace tiempo!

# 34 Non, il n'en parlait jamais.

## B1 PRESENTACIÓN

### ■ Gramática

- **en** como pronombre se usa para evitar la repetición de una construcción partitiva con **de, du, de la, de l', des.**

  Ej.: **Avez-vous acheté du vin? — Oui, j'en ai acheté.**
  *¿Compró usted vino? — Sí, lo compré.*
  **A-t-elle lu des livres de science-fiction?**
  *¿Ella leyó libros de ciencia ficción?*
  **Non, elle n'en a jamais lu.**
  *No, nunca ha leído libros de ciencia ficción.*

- También se usa para evitar la repetición del complemento de una expresión de cantidad: **beaucoup de** *(muchos/as),* **un peu de** *(un poco de),* **trop de** *(demasiado/a).*

  Ej.: **Il a beaucoup d'amis. — Oui, il en a beaucoup.**
  *Tiene muchos amigos. — Sí, tiene muchos.*
  **Ils ont trop de travail. — Oui, ils en ont trop.**
  *Tienen mucho trabajo. — Sí, tienen demasiado.*

### ■ Vocabulario

| | | | |
|---|---|---|---|
| **château** (masc.) | *castillo* | **héritier** (masc.) | *heredero* |
| **usine** (fem.) | *fábrica* | **projet** (masc.) | *proyecto* |
| **fortune** (fem.) | *fortuna* | **immense** | *inmenso* |
| **milliardaire** (masc.) | *multimillonario* | | |

## B2 EJEMPLOS *(Después de la muerte de un multimillonario)*

1. **Est-ce qu'il avait beucoup d'argent?**
2. **Oui, il en avait beaucoup.**
3. **Possédait-il des châteaux?**
4. **Oui, il en avait trois.**
5. **Avait-il aussi des usines?**
6. **Oui, il en possédait en France et à l'etranger.**
7. **Parlait-il souvent de sa fortune?**
8. **Non, il n'en parlait jamais.**
9. **Connaissait-il d'autres milliardaires?**
10. **Il en connaissait, mais il ne les aimait pas.**
11. **Ses héritiers font-ils des projets?**
12. **Oui, ils en font beaucoup: leur fortune est immense!**

# 34 No, nunca hablaba de eso.

## B3 COMENTARIOS

### ■ Gramática

- Note que **en** y **y** se colocan delante del verbo, excepto en el imperativo. Ej.:

| | |
|---|---|
| **Est-ce qu'il prend du thé le matin?** | **— Oui, il en prend.** |
| *¿Toma té en la mañana?* | *— Sí, toma té.* |
| **Prends du thé!** | **Prends-en!** |
| *¡Toma té!* | *¡Tómalo!* |
| **J'y vais.** | **Vas-y!** |
| *Voy allí.* | *¡Ve allí!* |

- En la negación, **en** y **y** siempre van delante del verbo.

| | |
|---|---|
| **Il n'en parle pas.** | *No habla de eso.* |
| **Il n'en a pas parlé.** | *No habló de eso.* |
| **N'en parle pas.** | *No hables de eso.* |
| **Elle n'y pense pas.** | *Ella no piensa en eso.* |
| **N'y pense pas.** | *No pienses en eso.* |
| **Je n'en sais rien.** | *No sé nada de eso.* |

### ■ Pronunciación

- Recuerde que **im-** se pronuncia **[ɛ̃]** al principio de una palabra.
  Ej.: **Imperméable, impossible, important.**
  pero cuando hay una doble **m**, **im-** se pronuncia **[i]** + **[mm]**.
  Ej.: **Immeuble, immense.**

## B4 TRADUCCIÓN

1. ¿Tenía mucho dinero?
2. Sí, tenía mucho.
3. ¿Poseía castillos?
4. Sí, tenía tres.
5. ¿También tenía fábricas?
6. Sí, poseía fábricas en Francia y en el extranjero.
7. ¿Hablaba de su fortuna frecuentemente?
8. No, nunca hablaba de eso.
9. ¿Conocía a otros multimillonarios?
10. Conocía a varios, pero no le caían bien.
11. ¿Sus herederos están haciendo proyectos?
12. Sí, están haciendo muchos: ¡su fortuna es inmensa!

## C1 EJERCICIOS

**A. Complete las respuestas usando el pronombre en:**

1. Est-ce que tu as des cigarettes? — Oui, …
2. Est-ce qu'elle a des nouvelles de son mari? — Non, …
3. As-tu pris de l'argent? — Oui, …
4. A-t-il peur des serpents? — Oui, …
5. Tu as envie de café? — Non, …
6. Est-ce que vous venez de la plage? — Oui, …

**B. Escoja entre y o en:**

1. Je pense souvent à ce film. J'… pense souvent.
2. Anne ne parle pas beaucoup de ses amis. Elle n'… parle pas beaucoup.
3. Elle rêve d'habiter Athènes. Elle … rêve.
4. Ne faisons pas attention à la pluie! N'… faisons pas attention!
5. Ils discutent de leur contrat. Ils … discutent.
6. Pensez à réserver votre hôtel! Pensez-…!

**C. ●● Traduzca al francés:**

1. ¿Tienes revistas? — Tengo una.
2. ¿Escribió usted tarjetas postales? — Escribí una.
3. ¿Puedo tomar un vaso de whisky? — Por supuesto, tome uno.
4. ¿Dónde están los platos? Tráigame uno, por favor.
5. ¿Vas a comprar regalos? — Sí, voy a comprar uno para nuestros amigos.

## C2 ALGUNAS EXPRESIONES VERBALES PRECEDEN A UN COMPLEMENTO INTRODUCIDO POR DE

| | |
|---|---|
| **avoir envie de** | *tener ganas de* |
| **avoir besoin de** | *necesitar* |
| **avoir peur de** | *tener miedo de* |
| **avoir honte de** | *tener vergüenza de* |

- usando **en** con estas expresiones se puede evitar la repetición del complemento:

  **As-tu envie de jouer au tennis? — Oui, j'en ai envie.**
  *¿Tienes ganas de jugar al tenis? — Sí.*

- Recuerde: **J'en ai assez.** *Estoy harto/a.*
  **J'en ai assez de…** *Estoy harto/a de …*

## C3 RESPUESTAS

**A.** 1. Est-ce que tu as des cigarettes? — Oui, j'en ai. — 2. Est-ce qu'elle a des nouvelles de son mari? — Non, elle n'en a pas. — 3. As-tu pris de l'argent? — Oui, j'en ai pris. — 4. A-t-il peur des serpents? — Oui, il en a peur. — 5. Tu as envie de café? — Non, je n'en ai pas envie. — 6. Est-ce que vous venez de la plage? — Oui, on en vient. / Oui, nous en venons. / Oui, j'en viens.

**B.** 1. Je pense souvent à ce film. J'y pense souvent. — 2. Anne ne parle pas beaucoup de ses amis. Elle n'en parle pas beaucoup. — 3. Elle rêve d'habiter Athènes. Elle en rêve. —4. Ne faisons pas attention à la pluie! N'y faisons pas attention! — 5. Ils discutent de leur contrat. Ils en discutent. — 6. Pensez à réserver votre hôtel! Pensez-y!

**C.** 1. As-tu des magazines? — J'en ai un. — 2. Avez-vous écrit des cartes postales? — J'en ai écrit une. — 3. Puis-je pren-dre/boire un verre de whisky? — Bien sûr, prenez/buvez-en un. — 4. Où sont les assiettes? Apporte-m'en une, s'il te plaît. — 5. Achète-ras-tu des cadeaux? Oui, j'en achèterai un pour nos amis.

## C4 ARGENT / *DINERO*

**monnaie (courante)** (fem.) *moneda* **monnaie** (fem.) *cambio*

- **billet** (masc.) *billete*

| | | | |
|---|---|---|---|
| un billet | de | 500 F | (cinq cents francs) |
| | de | 200 F | (deux cents francs) |
| | de | 100 F | (cent francs) |
| | de | 50 F | (cinquante francs) |
| | de | 20 F | (vingt francs) |

← Éstos son los billetes franceses en circulación.

- **pièce** (fem.) *moneda*

| | | | |
|---|---|---|---|
| une pièce | de | 20 F | (vingt francs) |
| | de | 10 F | (dix francs) |
| | de | 5 F | (cinq francs) |
| | de | 2 F | (deux francs) |
| | de | 1 F | (un franc) |
| | de | 50 c | (cinquante centimes) |
| | de | 20 c | (vingt centimes) |
| | de | 10 c | (dix centimes) |
| | de | 5 c | (cinq centimes) |

← Éstas son las monedas francesas en circulación.

Hay 100 **centimes** en un **franc**.

# 35 En traversant le carrefour...

## A1 PRESENTACIÓN

### ■ Gramática

- **Je lis en écoutant la radio.**
  *Leo mientras escucho la radio.*
  Para expresar la idea de que dos (o más) acciones con el mismo sujeto tienen lugar simultáneamente, la construcción es:

| acción A (verbo conjugado) | **+ en +** | acción B (verbo en **participe présent**) |
|---|---|---|
| **Je lis** | **en** | **écoutant** |

- El **participe présent** se forma añadiendo **-ant** o **-issant** a la raíz del verbo (ver p. 266).

### ■ Vocabulario

| | | | |
|---|---|---|---|
| **traverser** | *atravesar* | **carrefour** (masc.) | *cruce, esquina* |
| **renverser** | *atropellar* | **piéton** (masc.) | *peatón* |
| **remonter la rue** | *subir por la calle* | **ambulance** (fem.) | *ambulancia* |
| | | **infirmière** (fem.) | *enfermera* |
| **courir** | *correr* | **témoin** (masc.) | *testigo* |
| **poser des questions** | *hacer preguntas* | **inquiet** | *inquieto, preocupado* |
| **soigner** | *atender* | **avec inquiétude** | *con inquietud* |

## A2 EJEMPLOS *(Un accidente)*

1. **Mon mari et moi avons vu un accident en nous promenant dans la rue.**
2. **En traversant le carrefour, une voiture a renversé un piéton.**
3. **Le conducteur avait l'air inquiet en sortant de sa voiture.**
4. **Il a traversé la rue en courant.**
5. **Il était très inquiet en appelant l'ambulance.**
6. **L'ambulance allait très vite en remontant la rue.**
7. **Tout en soignant le piéton, le médecin lui posait des questions.**
8. **Il répondait en le regardant avec inquiétude.**
9. **Une infirmière lui parlait doucement en le soignant.**
10. **Un agent de police allait d'un témoin à l'autre en posant des questions.**
11. **Un témoin répondait en donnant des précisions.**
12. **Nous sommes rentrés chez nous en discutant de l'accident.**

## A3 COMENTARIOS

■ Gramática

- Para insistir en la idea de simultaneidad, puede colocarse **tout** delante de **en**.

  Ej.: **Je lis tout en écoutant la radio.**
  *Leo mientras escucho la radio.*

- Note estos **participes présents** irregulares:

| | | |
|---|---|---|
| **être** | **étant** | *siendo, estando* |
| **avoir** | **ayant** | *habiendo, teniendo* |
| **savoir** | **sachant** | *sabiendo* |

- La construcción **en + participe présent** muchas veces equivale al participio presente en español, salvo que éste se usa sin preposición:

  Ej.:

| | |
|---|---|
| **Il est parti en courant.** | *Se fue corriendo.* |
| **Il est monté en courant.** | *Subió corriendo.* |
| **Il est descendu en courant.** | *Bajó corriendo.* |
| **Il est sorti en courant.** | *Salió corriendo.* |

- Note que **moi, toi, lui, elle, nous, vous, eux, elles** también se usan como sujetos átonos cuando están unidos a otros sujetos por **et**.

  Ej.: **Pierre et moi sommes amis.**
  *Pierre y yo somos amigos.*
  **Lui et moi sommes amis.**
  *Él y yo somos amigos.*
  **Ton frère et toi viendrez demain.**
  *Tu hermano y tú vendrán mañana.*

- **Avec inquiétude**: note que no se usa el artículo (ver C4).

## A4 TRADUCCIÓN

1. Mi esposo y yo vimos un accidente mientras paseábamos por la calle.
2. Atravesando la esquina, un auto atropelló a un peatón.
3. El conductor parecía inquieto cuando salió de su auto.
4. Atravesó la calle corriendo.
5. Estaba muy inquieto cuando llamó a la ambulancia.
6. La ambulancia iba muy rápido cuando subió por la calle.
7. Mientras atendía al peatón, el médico le hacía preguntas.
8. Respondía mirándolo con inquietud.
9. Una enfermera le hablaba suavemente mientras lo atendía.
10. Un policía iba de un testigo a otro haciendo preguntas.
11. Un testigo respondía dando detalles.
12. Regresamos a la casa hablando del accidente.

# 35 En écoutant la radio…

## B1 PRESENTACIÓN

### Gramática

- **En + participe présent** no sólo expresa simultaneidad:

  Ej.: **Elle est sortie en riant.** *Salió riéndose.*

  **Il a ouvert la porte en tournant la poignée.**

  *Abrió la puerta dándole vuelta a la manija.*

- El **participe présent** es invariable, pero la forma en **-ant** también puede usarse como adjetivo; en ese caso debe corresponder en género y número con el sustantivo al que se refiere.

  Ej.:

| | |
|---|---|
| **un livre intéressant** | *un libro interesante* |
| **des livres intéressants** | *libros interesantes* |
| **une femme charmante** | *una mujer encantadora* |
| **des amies charmantes** | *amigas encantadoras* |

### Vocabulario

| | | | |
|---|---|---|---|
| **(se) perfectionner** | *perfeccionarse* | **régulièrement** | *regularmente* |
| **se distraire** | *distraerse* | **couramment** | *con soltura* |
| **cassette** (fem.) | *casete* | **sans peine** | *fácilmente* |
| **expression** (fem.) | *expresión* | | |

## B2 EJEMPLOS *(Aprendiendo idiomas)*

1. **On apprend une langue en utilisant des livres, des cassettes, etc.**
2. **Mais on apprend aussi une langue en la pratiquant.**
3. **En la pratiquant régulièrement, on oublie moins.**
4. **Que faire pour parler couramment?**
5. **Bien sûr, en allant dans le pays, vous parlerez de mieux en mieux.**
6. **En écoutant la radio, vous améliorerez votre français.**
7. **Comment apprendre une langue sans dire un mot?**
8. **En discutant avec vos voisins, vous vous perfectionnerez sans peine.**
9. **Vous apprendrez des expressions utiles en lisant les journaux.**
10. **Regarder la télévision vous aidera à mieux comprendre.**
11. **Voir des films en français peut vous aider.**
12. **C'est une façon d'apprendre une langue en se distrayant.**

## B3 COMENTARIOS

### Gramática

- Note que **en** es la única preposición que precede a un **participe présent**: todas las demás preceden a un infinitivo.

Ej.: **sans parler** *sin hablar*
**pour oublier** *para olvidar*
**après manger** *después de comer*

- Recuerde la ortografía de:

**voir** : **voyant**
**se distraire** : **se distrayant**
**avoir** : **ayant**
**s'asseoir** : **s'asseyant**

### Pronunciación

- Recuerde que **an, en, em, am** se pronuncian igual: vocal nasalizada **an**, con la excepción de **am** cuando le sigue una vocal.

Ej.: **ami, améliorer, s'amuser, américain.**
**couramment** se pronuncia **coura/ment.**

## B4 TRADUCCIÓN

1. Se aprende un idioma usando libros, casetes, etc.
2. Pero también se aprende un idioma practicándolo.
3. Practicándolo regularmente, se olvida menos.
4. ¿Qué hacer para hablar con soltura?
5. Por supuesto, yendo al país hablará cada vez mejor.
6. Escuchando la radio mejorará su francés.
7. ¿Cómo aprender un idioma sin decir una palabra?
8. Hablando con sus vecinos se perfeccionará fácilmente.
9. Aprenderá expresiones útiles leyendo los periódicos.
10. Ver televisión le ayudará a comprender mejor.
11. Ver películas en francés puede ayudarle.
12. Es una manera de aprender un idioma divirtiéndose.

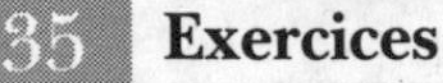

35 Exercices

## C1 EJERCICIOS

**A. Escriba los participes présents de estos verbos:**

1. habiter
2. ouvrir
3. aller
4. rire
5. dire
6. venir

**B. Cambie como en el ejemplo: Il mange et il regarde la télévision. / Il mange en regardant la télévision.**

1. Je lis mon journal et j'attends le bus.
2. Les enfants marchent et ils s'amusent.
3. Nous discutons et nous préparons le repas.
4. La secrétaire répond au téléphone et elle écrit.
5. Ils regardent le château et ils font des projets.
6. Mon fils traverse la rue et il se dépêche.

**C. Escoja entre infinitivo y participio presente:**

1. Il est parti sans (perdre / perdant) une minute.
2. Il est parti en (oublier / oubliant) son dossier.
3. Nous avons acheté une carte postale pour l'(envoyer / envoyant) à Louis.
4. La secrétaire travaille en (utiliser / utilisant) un ordinateur.
5. Venez me voir avant de (partir / partant).

**D. ¿Cuál es la forma correcta del adjetivo?**

1. C'est une émission (distrayant).
2. Je ne comprends pas les expressions (courant).
3. Est-ce que ces cassettes sont (intéressant)?
4. Cet ami écrit des histoires (amusant).
5. J'ai passé mes vacances dans un endroit (charmant).

## C2 PARTICIPE PRÉSENT Y PARTICIPE PASSÉ

Como en español, se usa el participio pasado para expresar actitudes físicas:

| | |
|---|---|
| **assis** | *sentado* |
| **allongé** | *acostado* |
| **couché** | *acostado* |
| **penché** | *inclinado* |
| **accroupi** | *acuclillado* |
| **agenouillé** | *arrodillado* |

## C3 RESPUESTAS

**A.** 1. habiter / habitant
2. ouvrir/ ouvrant
3. aller / allant
4. rire / riant
5. dire / disant
6. venir / venant

**B.** 1. Je lis mon journal en attendant le bus.
2. Les enfants marchent en s'amusant.
3. Nous discutons en préparant le repas.
4. La secrétaire répond au téléphone en écrivant.
5. Ils regardent le château en faisant des projets.
6. Mon fils traverse la rue en se dépêchant.

**C.** 1. Il est parti sans perdre une minute.
2. Il est parti en oubliant son dossier.
3. Nous avons acheté une carte postale pour l'envoyer à Louis.
4. La secrétaire travaille en utilisant un ordinateur.
5. Venez me voir avant de partir.

**D.** 1. C'est une émission distrayante.
2. Je ne comprends pas les expressions courantes.
3. Est-ce que ces cassettes sont intéressantes?
4. Cet ami écrit des histoires amusantes.
5. J'ai passé mes vacances dans un endroit charmant.

## C4 SANS RANCUNE... / *HAGAMOS LAS PACES*

- Note estas expresiones. Se usan sin artículo, lo cual es poco común en francés:

**avec plaisir** *con gusto*
**avec joie** *con alegría*
**avec peine** *difícilmente*
**sans arrêt** *sin parar*
**sans crainte** *sin miedo*
**sur place** *aquí (allí) mismo*
**sur mesure** *sobre medida*
**au fur et à mesure** *conforme, progresivamente*
**par exemple** *por ejemplo*
**par hasard** *por casualidad*

# 36 S'il fait beau, nous resterons une semaine …

## A1 PRESENTACIÓN

### ■ Gramática

- La idea de una condición se expresa casi siempre por: **si**

| **si** + frase subordinada + frase principal |
|---|
| presente futuro |

teniendo un alto grado de seguridad sobre el resultado.

Ej.: **Si vous venez à midi, nous déjeunerons ensemble.**
*Si viene(n) a medio día, comeremos juntos.*
**S'il fait beau, nous irons à la campagne.**
*Si hace buen tiempo, iremos al campo.*
**S'il ne pleut pas, ils feront une promenade.**
*Si no llueve, irán de paseo.*

### ■ Vocabulario

| | | | |
|---|---|---|---|
| **permettre** | *permitir* | **être le/la bienvenu(e)** | *ser bienvenido/a* |
| **être pressé** | *tener prisa* | **villa** (fem.) | *casa, quinta* |
| **se baigner** | *bañarse* | **clef** (fem.) | *llave* |
| **se régaler** | *disfrutar, deleitarse* | **carte** (fem.) | *carta* |
| **arriver à** | *lograr* | **poisson** (masc.) | *pescado* |
| **se libérer** | *liberarse* | **absent** | *ausente* |

## A2 EJEMPLOS *(Planes para el verano)*

1. **Si nous achetons une maison, nous irons chaque été au bord de la mer.**
2. **Si tu viens, tu seras le bienvenu.**
3. **Si nous sommes absents, tu pourras prendre la clef chez la voisine.**
4. **Si tu as le temps, tu passeras quelques jours avec nous.**
5. **Si tu n'es pas trop pressé, tu pourras prendre le train.**
6. **Si tu prends le TGV, le voyage te prendra six heures.**
7. **Si le temps le permet, nous ferons du bateau.**
8. **Nous nous baignerons s'il ne pleut pas.**
9. **S'il pleut, nous lirons ou nous jouerons aux cartes.**
10. **Si tu aimes le poisson, tu te régaleras.**
11. **S'il fait beau, nous resterons une semaine de plus.**
12. **Si tu n'arrives pas à te libérer en août, tu pourras venir en septembre.**

## A3 COMENTARIOS

■ Gramática

- Note que **si** se convierte en **s'** delante de **il** o **ils**, pero no cambia delante de **elle** o **elles**.

  Ej.: **s'il vient ...** **s'ils viennent ...**
  **si elle vient ...** **si elles viennent ...**

- La frase subordinada introducida por **si** puede colocarse o antes o después de la frase principal.

  Ej.: **Nous ferons du bateau si le temps le permet.** /
  **Si le temps le permet, nous ferons du bateau.**

- **faire** se usa en muchas expresiones en las que no tiene equivalente en español:

| | |
|---|---|
| **faire du vélo** | *andar en bicicleta* |
| **faire du cheval** | *montar a caballo* |
| **faire du ski** | *esquiar* |
| **faire de la voile** | *practicar el deporte de la vela* |
| **faire de la voiture** | *conducir* |
| **faire de l'auto-stop** / **faire du stop** → | *hacer autostop* |

## A4 TRADUCCIÓN

1. Si compramos una casa, iremos a la orilla del mar cada verano.
2. Si vienes serás bienvenido.
3. Si no estamos, podrás recoger la llave en casa de la vecina.
4. Si tienes tiempo, pasarás unos días con nosotros.
5. Si no tienes demasiada prisa, podrás tomar el tren.
6. Si tomas el TGV, el viaje te tomará seis horas.
7. Si el tiempo lo permite, saldremos en barco.
8. Iremos a nadar si no llueve.
9. Si llueve, leeremos o jugaremos a las cartas.
10. Si te gusta el pescado te vas a deleitar.
11. Si hace buen tiempo nos quedaremos otra semana.
12. Si no puedes liberarte en agosto, podrás venir en septiembre.

# 36 Que ferais-tu si tu étais riche?

## B1 PRESENTACIÓN

■ Gramática

• El presente del condicional se usa cuando la condición se expresa en el **imparfait**:

| **si** + frase subordinada + frase principal |
|---|
| **imparfait** condicional |

El condicional se forma con el infinitivo + **-ais** **-ions**
**-ais** **-iez**
**-ait** **-aient**

Ej.: **Si vous veniez à midi, nous déjeunerions ensemble.**
*Si ustedes llegaran a mediodía, comeríamos juntos.*
**S'ils avaient de l'argent, ils voyageraient.**
*Si ellos tuvieran dinero, viajarían.*

■ Vocabulario

**dépenser** *gastar*
**avoir les moyens de** *poder permitirse*
**faire un effort** *hacer un esfuerzo*
**se rendre compte de** *darse cuenta de*
**gros lot** (masc.) *premio gordo*
**importance** (fem.) *importancia*
**tant de** *tanto/a*

## B2 EJEMPLOS *(Sueños)*

1. **Si je gagnais le gros lot, je serais millionnaire.**
2. **Que ferais-tu si tu étais riche?**
3. **Moi, je dépenserais tout!**
4. **Moi, je ferais des cadeaux à tout le monde.**
5. **Si j'avais les moyens, j'achèterais des tableaux.**
6. **Si j'avais beaucoup d'argent, j'ouvrirais un compte en banque en Suisse.**
7. **Si je n'avais pas besoin de gagner ma vie, je passerais mon temps à lire.**
8. **Si c'était possible, j'arrêterais de travailler.**
9. **Si j'étais riche, je n'aurais pas besoin de travailler.**
10. **S'ils se rendaient compte de l'importance des problèmes, les pays riches aideraient les pays pauvres.**
11. **Si tout le monde faisait un effort, on trouverait des solutions.**
12. **Les gens seraient peut-être plus heureux si l'argent n'avait pas tant d'importance.**

## B3 COMENTARIOS

■ Gramática

• Note que cuando el infinitivo termina con una **e**, la **e** desaparece en el condicional. Ej.:

| | | | |
|---|---|---|---|
| **lire** | *leer* | **je lirais** | *yo leería* |
| **écrire** | *escribir* | **j'écrirais** | *yo escribiría* |
| **prendre** | *coger* | **je prendrais** | *yo cogería* |
| **descendre** | *bajar* | **je descendrais** | *yo bajaría* |

| Condicional de: | *haber, tener* | *ser, estar* | *hacer* | *poder* |
|---|---|---|---|---|
| | **avoir** | **être** | **faire** | **pouvoir** |
| | *habría* *tendría* | *sería* *estaría* | *haría* | *podría* |
| **je, j'** | **aurais** | **serais** | **ferais** | **pourrais** |
| **tu** | **aurais** | **serais** | **ferais** | **pourrais** |
| **il, elle** | **aurait** | **serait** | **ferait** | **pourrait** |
| **nous** | **aurions** | **serions** | **ferions** | **pourrions** |
| **vous** | **auriez** | **seriez** | **feriez** | **pourriez** |
| **ils, elles** | **auraient** | **seraient** | **feraient** | **pourraient** |

• El condicional de **pouvoir** se usa en preguntas para dar órdenes con más amabilidad. Ej.: **Pourriez-vous me passer le pain?**
*¿Podría pasarme el pan?*

• Note que la frase subordinada no necesita ser repetida. (ver B2, 3 y 4).

## B4 TRADUCCIÓN

1. Si yo ganara el premio gordo, sería multimillonario.
2. ¿Qué harías si fueras rico?
3. ¡Yo lo gastaría todo!
4. Yo le haría regalos a todo el mundo.
5. Si tuviera los medios, compraría cuadros.
6. Si tuviera mucho dinero, abriría una cuenta bancaria en Suiza.
7. Si no tuviera necesidad de ganarme la vida, me pasaría el tiempo leyendo.
8. Si fuera posible, dejaría de trabajar.
9. Si fuera rico, no tendría necesidad de trabajar.
10. Si se dieran cuenta de la importancia de los problemas, los países ricos ayudarían a los países pobres.
11. Si todos hicieran un esfuerzo, se encontrarían soluciones.
12. Quizás la gente sería un poco más feliz si el dinero no tuviera tanta importancia.

## C1 EJERCICIOS

**A. ●● Ponga la frase subordinada en <u>imparfait</u> y haga los cambios necesarios:**

1. Si tu rencontres Pierre, tu pourras l'inviter.
2. Si vous ne prenez pas ce médicament, vous serez malade.
3. Ils viendront si nous leur faisons signe.
4. S'il sait se servir d'un traitement de texte, ça ira plus vite.
5. Si ce tableau n'est pas cher, je le prendrai.

**B. Ponga el verbo en el tiempo correcto:**

1. Si mon ami avait un mois de vacances, il (partir) en Grèce.
2. Si vous faisiez un discours, que (dire)-vous?
3. Anne ne (être) pas toujours en retard si elle se levait plus tôt!
4. Si vous (rester) chez moi, nous écouterions des disques.

**C. Traduzca al francés:**

1. Si tu hijo le hablara al doctor ahora, tendría una cita para el lunes que entra.
2. Si fuéramos cantantes célebres, ganaríamos mucho dinero.
3. Ellos aprenderían muchas cosas si hablaran con Pierre.
4. Si usted hablara menos rápido, ¡yo entendería!
5. Si vinieras a París, podrías conocer a mis estudiantes.

## C2 CELA PRENDRA DU TEMPS
*ESO TOMARÁ TIEMPO*

• **prendre** + expresión de tiempo — *tardar/tomar* + expresión de tiempo

**Cela prendra deux jours.** — *Eso tardará dos días.*
**Cela prend des années.** — *Eso tarda años.*
**Cela a pris beaucoup de temps.** — *Eso tomó mucho tiempo.*

• Hay otra manera de decir lo mismo empleando el verbo **mettre:**

**On mettra deux jours à peindre les fenêtres.**
*Tardaremos dos días en pintar las ventanas.*
**On met des mois à apprendre une langue.**
*Se tarda meses para aprender un idioma.*
**On a mis beaucoup de temps à trouver la solution.**
*Tardamos mucho en encontrar la solución.*

## C3 RESPUESTAS

**A.** 1. Si tu rencontrais Pierre, tu pourrais l'inviter.
2. Si vous ne preniez pas ce médicament, vous seriez malade.
3. Ils viendraient si nous leur faisions signe.
4. S'il savait se servir d'un traitement de texte, ça irait plus vite.
5. Si ce tableau n'etait pas cher, je le prendrais.

**B.** 1. Si mon ami avait un mois de vacances, il partirait en Grèce.
2. Si vous faisiez un discours, que diriez-vous?
3. Anne ne serait pas toujours en retard si elle se levait plus tôt!
4. Si vous restiez chez moi, nous écouterions des disques.

**C.** 1. Si ton fils téléphonait au docteur maintenant, il aurait un rendez-vous pour lundi prochain.
2. Si nous étions des chanteurs célébres, nous gagnerions beaucoup d'argent.
3. Ils apprendraient beaucoup de choses s'ils discutaient avec Pierre.
4. Si vous parliez moins vite, je comprendrais!
5. Si tu venais à Paris, tu pourrais rencontrer mes étudiants.

## C4 CÓMO EXPRESAR UNA CONDICIÓN

- Aparte de **si** pueden usarse otras expresiones para expresar condiciones.

**au cas où**
**pour le cas où** → + verbo en condicional en la frase subordinada → *por si acaso*
**dans le cas où**

| | | | |
|---|---|---|---|
| **en cas de** | + | sustantivo | *en caso de* |
| **à condition de** | + | infinitivo | *a condición de que* |

**Au cas où il y aurait des grèves, nous viendrions en voiture.**
*Por si acaso hubiera huelgas, vendríamos en auto.*
**En cas de grèves, nous viendrions en voiture.**
*Si hay huelga, vendríamos en auto.*
**À condition de partir tôt, vous serez à l'heure.**
*A condición de que salga temprano, llegará a tiempo.*

| | |
|---|---|
| **en cas d'urgence** | *en caso de urgencia* |
| **en cas de besoin** | *en caso de necesidad* |
| **en cas d'accident** | *en caso de accidente* |
| **en cas de malheur** | *en caso de desgracia* |

# 37 On ne peut pas toujours faire ce qu'on veut!

## A1 PRESENTACIÓN

### Gramática

- **Vouloir** *querer*

| | Présent | Imparfait | Futur |
|---|---|---|---|
| je, j' | veux | voulais | voudrai |
| tu | veux | voulais | voudras |
| il, elle | veut | voulait | voudra |
| nous | voulons | voulions | voudrons |
| vous | voulez | vouliez | voudrez |
| ils, elles | veulent | voulaient | voudront |
| Participio pasado : **voulu** *(querido)* | | | |

### Vocabulario

**rester** *quedar, sobrar*
**accompagner** *acompañar*
**menu** (masc.) *menú*
**plat du jour** (masc.) *plato del día*
**comme** *como*
**ensuite** *después, luego*

## A2 EJEMPLOS *(En un restaurante)*

1. **Bonjour! Voulez-vous jeter un coup d'œil au menu?**
2. **Nous voulions goûter votre plat du jour.**
3. **Qu'est-ce que vous voulez boire?**
4. **Tu veux encore un peu de viande?**
5. **Il reste des légumes, tu en veux?**
6. **Non, merci, je n'en veux plus.**
7. **Qu'est-ce que tu veux faire ensuite?**
8. **Comme tu voudras!**
9. **Je vais demander à Hélène ce qu'elle veut faire.**
10. **Qu'est-ce que tu veux dire?**
11. **Je vais lui demander si elle veut nous accompagner.**
12. **On ne peut pas toujours faire ce qu'on veut!**

## A3 COMENTARIOS

■ Gramática

- **vouloir** puede preceder a un sustantivo o a un infinitivo.

Ej.: **Pierre veut un nouvel appareil photo.**
*Pierre quiere una cámara fotográfica nueva.*
**Mes enfants veulent des disques de jazz.**
*Mis hijos quieren unos discos de jazz.*
**Nous voulions partir de bonne heure.**
*Queríamos irnos temprano.*

- Recuerde que en discurso indirecto **qu'est-ce que** se convierte en **ce que.**

Ej.: (discurso directo) **Qu'est-ce que tu veux?**
*¿Qué quieres?*
(discurso indirecto) **Dis-moi ce que tu veux.**
*Dime lo que quieres.*

- **est-ce que** se convierte en **si:**

**Est-ce qu'elles viennent?** *¿Van a venir?*
**Demande-leur si elles viennent.** *Pregúntales si van a venir.*

- Note la forma impersonal de **il reste ...**, que significa *queda ...*, sobra ... . Ej.:

**Il reste du pain.** *Queda algo de pan.*
**Il reste de la place.** *Todavía hay lugar.*
**Il reste des places.** *Quedan lugares.*
**Il ne me reste pas d'argent.** *Ya no tengo dinero.*
**Il ne nous reste pas beaucoup de temps.** *No nos queda mucho tiempo.*

## A4 TRADUCCIÓN

1. ¡Buenas tardes! ¿Gustan darle un vistazo al menú?
2. Quisiéramos probar su plato del día.
3. ¿Qué quieren tomar?
4. ¿Quieres otro poco de carne?
5. Quedan verduras, ¿quieres?
6. No, gracias, ya no quiero más.
7. ¿Qué quieres hacer después?
8. ¡Lo que quieras!
9. Voy a preguntarle a Hélène qué es lo que quiere hacer.
10. ¿Qué quieres decir?
11. Voy a preguntarle si quiere acompañarnos.
12. ¡No se puede hacer siempre lo que uno quiere!

## 37 Expliquez-nous ce que vous voudriez faire.

### B1 PRESENTACIÓN

■ Gramática

• El condicional de **vouloir:**

| | | | |
|---|---|---|---|
| **je, j'** | **voudrais** | *yo* | *quisiera* |
| **tu** | **voudrais** | *tú* | *quisieras* |
| **il, elle** | **voudrait** | *él, ella* | *quisiera* |
| **nous** | **voudrions** | *nosotros* | *quisiéramos* |
| **vous** | **voudriez** | *ustedes* | *quisieran* |
| **ils, elles** | **voudraient** | *ellos, ellas* | *quisieran* |

• El condicional se usa muchas veces:
— para pedir algo con más cortesía. Ej.:
**Je voudrais emprunter ce livre, voudriez-vous me le prêter?**
*Quisiera pedir prestado este libro, ¿me lo prestaría?*
— para expresar un deseo. Ej.:
**Je voudrais devenir célèbre.**
*Quisiera volverme famoso.*

■ Vocabulario

| | | | |
|---|---|---|---|
| **réussir** | *lograr, tener éxito* | **avenir** (masc.) | *futuro* |
| **attendre de** | *esperar de* | **succès** (masc.) | *éxito* |
| **atteindre** | *llegar a* | **but** (masc.) | *propósito, meta* |
| **gâcher** | *arruinar* | **heureux** | *feliz* |
| **ennui** (masc.) | *problema* | | |

### B2 EJEMPLOS *(Esperanzas)*

1. **Beaucoup de gens voudraient réussir dans la vie.**
2. **Ils voudraient aussi être heureux et faire ce qu'ils veulent.**
3. **Ils ne voudraient pas avoir d'ennuis.**
4. **Les uns voudraient ceci, les autres voudraient cela.**
5. **Certains voudraient tout avoir!**
6. **Et vous, que voudriez-vous faire? Si vous nous disiez ce que vous attendez de l'avenir?**
7. **Vous voudriez peut-être avoir du succès?**
8. **Expliquez-nous ce que vous voudriez faire.**
9. **Dites-nous le but que vous voudriez atteindre.**
10. **Parfois on voudrait pouvoir revenir en arrière.**
11. **On voudrait être et avoir été.**
12. **On ne voudrait pas gâcher sa vie!**

## B3 COMENTARIOS

■ Gramática

- Note las formas masculina y femenina:

**l'un... l'autre / l'une... l'autre** *uno/a... otro/a*
**les uns... les autres / les unes... les autres** *unos/as... otros/as*

- **si** seguido de un sustantivo y de un verbo en imperfecto significa *y si...*. Ej.:

**Si nous partions?** *¿Y si nos fuéramos?*
**Si on allait au cinéma?** *¿Y si fuéramos al cine?*

- Note que la expresión **vouloir bien** tiene un significado distinto según el tiempo verbal.

— **vouloir bien** en presente significa *consentir*
— **vouloir bien** en condicional significa *(me) gustaría*

Ej.: **Je veux bien t'accompagner.**
*Si quieres te acompaño.*
**Je voudrais bien t'accompagner.**
*Me gustaría acompañarte.*

## B4 TRADUCCIÓN

1. A mucha gente le gustaría tener éxito en la vida.
2. También le gustaría ser feliz y hacer lo que quiera.
3. No quisiera tener problemas.
4. Unos quisieran esto, otros quisieran aquello.
5. ¡Otros quisieran tenerlo todo!
6. Y usted, ¿qué quisiera hacer? ¿Si nos dijera lo que espera del futuro?
7. ¿Quizás le gustaría tener éxito?
8. Explíquenos lo que quisiera hacer.
9. Díganos la meta que quisiera alcanzar.
10. A veces uno quisiera poder dar marcha atrás.
11. Uno quisiera ser y haber sido.
12. ¡Uno no quisiera arruinar su vida!

# Exercices

## C1 EJERCICIOS

**A. Ponga la forma correcta de vouloir en los espacios en blanco:**

1. Mes étudiants ... voyager à l'étranger.
2. Sa fille ... louer un studio.
3. Téléphone-lui si tu ... discuter avec lui.
4. Que ... -il comme cadeau de Noël?
5. Je ... visiter ce musée hier.
6. Demande-leur s'ils ... sortir avec nous.
7. Que ... -vous faire aujourd'hui?
8. Nous ... passer par Paris.

**B. ●● Formule estas órdenes con más cortesía usando vouloir o pouvoir:**

1. Prêtez-moi votre stylo.
2. Donnez-lui le menu.
3. Passez-nous le sucre.
4. Ouvre-nous la porte!

**C. ●● Traduzca al francés:**

1. Pregúntales lo que quieren.
2. ¡Yo quisiera tener veinte años!
3. ¿Le gustaría vivir en Francia?
4. ¿Me prestarías tu cámara, por favor?

## C2 JE NE VOULAIS PAS ... / *NO QUERÍA ...*

- **Vouloir** en **imparfait** o en **passé composé,** en una negación, significa *no quería, no tenía la intención de.*

Ej.: **Il n'a pas voulu vous faire mal.**
*No quiso hacerle daño.*

**Je ne voulais pas vous déranger.**
*No quise molestarlo.*

**Je n'ai pas voulu la contrarier!**
*¡No quise enfadarla!*

## C3 RESPUESTAS

**A.** 1. Mes étudiants veulent/voudraient voyager à l'étranger.
2. Sa fille veut/voudrait louer un studio.
3. Téléphone-lui si tu veux discuter avec lui.
4. Que veut/voudrait-il comme cadeau de Noël?
5. Je voulais visiter ce musée hier.
6. Demande-leur s'ils veulent sortir avec nous.
7. Que voulez-vous faire aujourd'hui?
8. Nous voulons/voudrions passer par Paris.

**B.** 1. Pourriez-vous me prêter votre stylo?
Voudriez-vous me prêter votre stylo?
2. Pourriez-vous lui donner le menu?
Voudriez-vous lui donner le menu?
3. Pourriez-vous nous passer le sucre?
Voudriez-vous nous passer le sucre?
4. Pourriez-vous nous ouvrir la porte?
Voudriez-vous nous ouvrir la porte?

**C.** 1. Demande-leur ce qu'ils veulent.
2. Je voudrais avoir vingt ans!
3. Voudriez-vous habiter/vivre en France?
4. Voudrais-tu me prêter ton appareil photo s'il te plaît?

## C4 MÁS SOBRE QUERER Y DESEAR

- **en vouloir à**
  Ej.: **J'en veux à Pierre!** *¡Estoy resentido con Pierre!*
- **ne pas vouloir de**
  Ej.: **Je ne veux pas de ça!** *¡No quiero (nada de) eso!*

**désirer** *desear, ansiar* **désir** (masc.) *deseo*
**espérer** *esperar* **espoir** (masc.) *esperanza*
**souhaiter** *desear* **souhait** (masc.) *deseo*
**volonté** (fem.) *voluntad* **bonne volonté** *buena voluntad*
**vœu** (masc.) *deseo*

**volontiers** *con mucho gusto*
**volontairement** *intencionalmente / a propósito*
**involontairement** *sin querer*
**à volonté** *a discreción*
**bon gré mal gré** *por las buenas o por las malas*

# 38 Certains ne veulent pas que les voitures…

## A1 PRESENTACIÓN

### ■ Gramática

- Cuando **vouloir** precede a **que** + una frase subordinada, el verbo en la frase subordinada está en **presente del subjuntivo**.
  Ej.: **Nous voulons qu'ils écoutent.** *Queremos que ellos escuchen.*
- **Presente del subjuntivo**

| Verbos del 1er y 3er grupo | | Verbos del 2º grupo | |
|---|---|---|---|
| | -e | | -isse |
| | -es | | -isses |
| raíz + | -e | raíz + | -isse |
| | -ions | | -issions |
| | -iez | | -issiez |
| | -ent | | -issent |

### ■ Vocabulario

| | | | |
|---|---|---|---|
| **construire** | *construir* | **maire** (masc.) | *alcalde* |
| **organiser** | *organizar* | **école** (fem.) | *escuela* |
| **agrandir** | *agrandar* | **entrée** (fem.) | *entrada* |
| **interdire** | *prohibir* | **marché** (masc.) | *mercado* |
| **stationner** | *estacionarse* | **gratuit** | *gratuito* |
| **habitant** (masc.) | *habitante* | **au contraire** | *al contrario* |

## A2 EJEMPLOS *(La administración de una comunidad)*

1. **Les habitants de notre ville veulent que ça change!**
2. **Ils veulent que le maire se rende compte des problèmes.**
3. **Ils veulent que l'on construise un nouvel hôpital.**
4. **Ils voudraient qu'on finisse rapidement les travaux.**
5. **Ils voudraient qu'on agrandisse l'ancienne école.**
6. **Ils ne veulent pas qu'on la ferme.**
7. **Les jeunes voudraient qu'on organise des concerts.**
8. **Les familles voudraient que l'entrée à la piscine soit gratuite.**
9. **Beaucoup de gens voudraient qu'on interdise la circulation dans le centre ville.**
10. **Certains ne veulent pas que les voitures stationnent près du marché.**
11. **D'autres veulent, au contraire, qu'on agrandisse le parking.**
12. **Les commerçants voudraient qu'on agrandisse la zone piétonne.**

## A3 COMENTARIOS

■ Gramática

• Verbos irregulares (presente del subjuntivo):

| | | **être** | **avoir** | **pouvoir** |
|---|---|---|---|---|
| **(que)** | **je, j'** | **sois** | **aie** | **puisse** |
| **"** | **tu** | **sois** | **aies** | **puisses** |
| **"** | **il, elle** | **soit** | **ait** | **puisse** |
| **"** | **nous** | **soyons** | **ayons** | **puissions** |
| **"** | **vous** | **soyez** | **ayez** | **puissiez** |
| **"** | **ils, elles** | **soient** | **aient** | **puissent** |

• Note que **vouloir que**, cualquiera que sea el tiempo en que esté conjugado, siempre precede a un subjuntivo.

• Recuerde que **que l'on** se usa muchas veces en vez de **qu'on** en el habla elegante.

• El **presente del subjuntivo** se usa mucho en francés. Siempre aparece en frases subordinadas que expresan un deseo o voluntad, después de verbos como:

**souhaiter (que)** *desear*
**espérer (que)** *esperar*
**vouloir (que)** *querer*

## A4 TRADUCCIÓN

1. ¡Los habitantes de nuestra ciudad quieren que las cosas cambien!
2. Quieren que el alcalde se dé cuenta de los problemas.
3. Quieren que se construya un hospital nuevo.
4. Quisieran que las obras se terminaran rápidamente.
5. Quisieran que se agrandara la antigua escuela.
6. No quieren que la cierren.
7. Los jóvenes quisieran que se organizaran conciertos.
8. Las familias quisieran que la entrada a la alberca fuera gratis.
9. Mucha gente quisiera que se prohíba la circulación de automóviles en el centro de la ciudad.
10. Algunos no quieren que los autos se estacionen cerca del mercado.
11. Otros, al contrario, quieren que se agrande el estacionamiento.
12. Los comerciantes quisieran que se agrandara la zona peatonal.

# 38 On n'a pas de temps à perdre, il faut...

## B1 PRESENTACIÓN

### ■ Gramática

- El **presente del subjuntivo** siempre se usa después de la expresión **il faut que**.
  **Il faut que** expresa la idea de obligación, de necesidad. Es una expresión impersonal similar a *es necesario que.*
  Ej.: **Il faut que vous partiez.**
  *Usted debe irse.*
  **Il faut que les documents soient prêts à midi.**
  *Los documentos deben estar listos a las doce.*

### ■ Vocabulario

| | |
|---|---|
| **décider** | *decidir* |
| **correspondre aux besoins** | *satisfacer los requisitos* |
| **besoin** (masc.) | *necesidad* |
| **candidat** (masc.) | *candidato* |
| **expérience** (fem.) | *experiencia* |
| **CV (curriculum vitae)** (masc.) | *curriculum (vitae)* |
| **entretien** (masc.) | *entrevista* |
| **compétent** | *competente* |
| **efficace** | *eficaz* |
| **au moins** | *al menos* |

## B2 EJEMPLOS *(Un hombre que satisfaga nuestros requisitos)*

1. **Il faut que nous choisissions un nouveau directeur commercial.**
2. **On n'a pas de temps à perdre, il faut qu'on décide rapidement.**
3. **Il faut que la personne corresponde à nos besoins.**
4. **Il faut que le candidat ait au moins dix ans d'expérience.**
5. **Il faut qu'il soit compétent et efficace.**
6. **Il faut qu'il soit prêt à travailler en équipe.**
7. **Il ne faut pas qu'il ait plus de quarante-cinq ans.**
8. **Il ne faut pas qu'il soit trop jeune non plus.**
9. **S'ils sont intéressés, il faut que les candidats écrivent, il ne faut pas qu'ils téléphonent.**
10. **Il faut qu'ils envoient un CV et une photo.**
11. **Il faut qu'ils puissent se libérer d'ici à un mois.**
12. **Il faut que le P.-D.G. ait un entretien avec chaque candidat.**

## B3 COMENTARIOS

■ Gramática

- Note que **il faut** puede preceder a un infinitivo cuando no hay un sujeto específico.

  Ej.: **Il faut faire attention.**
  *Hay que tener cuidado.*

  o cuando se sobreentiende que el sujeto es **on** o **nous**.

  Ej.: **C'est trop loin, il faut prendre un taxi.**
  *Es demasiado lejos, hay que tomar un taxi.*

- En el condicional, **il faut** se convierte en **il faudrait** y precede a un subjuntivo.

  Ej.: **Il faudrait que nous partions de bonne heure.**
  *Deberíamos salir temprano.*

  o a un infinitivo.

  Ej.: **Il faudrait partir de bonne heure.**
  *Deberíamos salir temprano.*

**Il faudrait** se usa para dar consejos.

## B4 TRADUCCIÓN

1. Hay que escoger a un nuevo director comercial.
2. No hay tiempo qué perder, hay que decidir rápidamente.
3. La persona debe satisfacer nuestros requisitos.
4. El candidato debe tener por lo menos diez años de experiencia.
5. Debe ser competente y eficaz.
6. Debe estar dispuesto a trabajar en equipo.
7. No debe tener más de cuarenta y cinco años.
8. No debe ser demasiado joven tampoco.
9. Si están interesados, los candidatos deben escribir, no deben llamar por teléfono.
10. Deben mandar un curriculum y una foto.
11. Deben poder liberarse de aquí a un mes.
12. El director general debe entrevistarse con cada uno de los candidatos.

## C1 EJERCICIOS

**A. Ponga los verbos entre paréntesis en la forma correcta:**

1. Ma mère ne veut pas que je (parler) pendant des heures au téléphone. — 2. Les commerçants voudraient qu'il y (avoir) plus de zones piétonnes dans leur ville. — 3. Certains veulent qu'on (interdire) de fumer dans les avions. — 4. Je ne veux pas que tu te (lever) trop tard demain matin. — 5. La secrétaire voudrait que vous (choisir) vite le nouvel ordinateur. — 6. Le maire ne veut pas que nous (construire) de nouveaux immeubles ici. — 7. Tout le monde veut que la piscine (être) gratuite!

**B. Transforme las oraciones usando il faut o il ne faut pas, como en el ejemplo: Dépêche-toi. Il faut que tu te dépêches.**

1. Choisissez une carte. — 2. N'utilise pas la voiture.
3. Repose-toi un peu. — 4. Téléphonez au directeur de l'agence.
5. Attends quelques minutes. — 6. Ne soyez pas en retard!
7. Prépare-toi.

**C. ●● Traduzca al francés:**

1. Tengo que enviar mi curriculum lo más pronto posible. — 2. Deben organizar elecciones para tener un nuevo alcalde. — 3. No se estacione aquí, no debe dejar su auto delante del hospital. — 4. ¿Quiere usted que lo esperemos? — 5. Yo quisiera que ella evitara el centro de la ciudad.

## C2 J'EN DOUTE / *LO DUDO*

- Verbos o expresiones verbales que sugieren una idea de duda, deseo o pesar son seguidos por una frase subordinada en subjuntivo. Ej.:

**Je doute qu'elle soit mariée.**
*Dudo que esté casada.*

**Je ne crois pas qu'elle soit mariée.**
*No creo que esté casada.*

**Je ne pense pas qu'il ait plus de trente ans.**
*No creo que tenga más de treinta años.*

**Je n'ai pas l'impression que cela puisse correspondre à nos besoins.**
*No tengo la impresión de que eso pueda corresponder a nuestras necesidades.*

→ Note la negación para expresar la duda.

**Je souhaite qu'ils réussissent.** *Espero que tengan éxito.*
**Je regrette que vous soyez malade.** *Siento que usted esté enfermo.*

## C3 RESPUESTAS

**A.** 1. Ma mère ne veut pas que je parle pendant des heures au téléphone. — 2. Les commerçants voudraient qu'il y ait plus de zones piétonnes dans leur ville. — 3. Certains veulent qu'on interdise de fumer dans les avions. — 4. Je ne veux pas que tu te lèves trop tard demain matin. — 5. La secrétaire voudrait que vous choisissiez vite le nouvel ordinateur. — 6. Le maire ne veut pas que nous construisions de nouveaux immeubles ici. — 7. Tout le monde veut que la piscine soit gratuite!

**B.** 1. Il faut que vous choisissiez une carte. — 2. Il ne faut pas que tu utilises la voiture. — 3. Il faut que tu te reposes un peu. — 4. Il faut que vous téléphoniez au directeur de l'agence. — 5. Il faut que tu attendes quelques minutes. — 6. Il ne faut pas que vous soyez en retard. — 7. Il faut que tu te prépares.

**C.** 1. Il faut que j'envoie mon CV le plus rapidement possible. — 2. Il faut qu'ils organisent des élections pour avoir un nouveau maire. — 3. Ne stationnez pas ici, il ne faut pas que vous laissiez votre voiture devant l'hôpital. — 4. Voulez-vous que nous vous attendions? / Est-ce que vous voulez que nous vous attendions? — 5. Je voudrais qu'elle évite le centre ville.

## C4 QUELQUES PANNEAUX D'INTERDICTION ●●
### *ALGUNAS SEÑALES DE PROHIBICIONES*

| | |
|---|---|
| **Interdit de fumer.** | *Prohibido fumar.* |
| **Stationnement interdit.**<br>**Interdit de stationner.** → | *Prohibido estacionarse.* |
| **Entrée interdite.** | *Prohibida la entrada.* |
| **Jeux de ballons interdits.** | *Prohibido jugar a la pelota.* |
| **Feux interdits.** | *Prohibido hacer fogatas.* |
| **Il est interdit de marcher sur les pelouses.** | *Prohibido pisar el césped.* |
| **Ne pas se pencher au dehors.** | *Prohibido asomarse.* |
| **Défense d'entrer.** | *Prohibido entrar.* |
| **Défense d'afficher.** | *Prohibido fijar carteles.* |
| **Défense de déposer des ordures.** | *Prohibido depositar basura.* |

En 1968 podía leerse la siguiente inscripción en los muros de París:

**"Il est interdit d'interdire."** *"Prohibido prohibir."*

## 39 Pouvez-vous lui dire de me les apporter...

### A1 PRESENTACIÓN

■ Gramática

- Cuando hay dos o más pronombres personales (un objeto directo y un objeto indirecto) en una oración, los pronombres deben ser colocados delante de la forma verbal en un orden determinado: objeto indirecto + objeto directo. Ej.:

| | |
|---|---|
| **Pierre nous donne un livre.** | *Pierre nos da un libro.* |
| **Pierre nous le donne.** | *Pierre nos lo da.* |

- Cuando el pronombre del objeto indirecto es **lui** o **leur** esta regla no se aplica. El orden es objeto directo + objeto indirecto. Ej.:

| | |
|---|---|
| **Pierre donne un livre à son amie.** | *Pierre le da un libro a su amiga.* |
| **Pierre le lui donne.** | *Pierre se lo da.* |
| **Pierre donne un livre aux enfants.** | *Pierre les da un libro a los niños.* |
| **Pierre le leur donne.** | *Pierre se los da.* |

■ Vocabulario

| | | | |
|---|---|---|---|
| **envoyer** | *mandar* | **hebdomadaire** (masc.) | *semanario* |
| **montrer** | *enseñar* | **abonnement** (masc.) | *suscripción* |
| **rendre** | *entregar, devolver* | **rédacteur en chef** (masc.) | *redactor jefe* |
| **exemplaire** (masc.) | *ejemplar* | **article** (masc.) | *artículo* |
| **numéro** (masc.) | *número* | **d'urgence** | *urgentemente* |

### A2 EJEMPLOS *(Un semanario)*

1. **Un libraire demande dix exemplaires du dernier numéro.**
2. **Il faut les lui envoyer d'urgence.**
3. **Est-ce qu'on a envoyé un exemplaire du nouvel hebdomadaire à tous les clients?**
4. **Est-ce qu'on le leur a envoyé avec des formulaires d'abonnement?**
5. **Si le facteur apporte du courrier, vous devez le donner à Mme Martin.**
6. **Vous le lui donnerez dès qu'il sera arrivé.**
7. **Quand va-t-on montrer les photos au rédacteur en chef?**
8. **Il faut les lui montrer dès qu'elles arriveront.**
9. **Il faut que les journalistes nous rendent leurs articles avant cinq heures.**
10. **Il ne faut pas qu'il nous les rendent plus tard.**
11. **Pouvez-vous dire à la secrétaire de m'apporter les articles qu'elle a tapés?**
12. **Pouvez-vous lui dire de me les apporter immédiatement?**

## A3 COMENTARIOS

■ Gramática

- **Vous le lui donnerez dès qu'il sera arrivé.**

  El tiempo compuesto usado aquí se llama **futur antérieur**. Se usa en la frase subordinada cuando la frase principal está en futuro. Se refiere a una acción que va a pasar en el futuro, pero antes de la acción principal.

  Ej.: **Quand il aura fini, il rendra son article.**
  *Cuando haya terminado, nos entregará su artículo.*

- El **futur antérieur** se forma con:

| **avoir** o **être** en futuro | + el participio pasado del verbo |
|---|---|

- El **futur antérieur** se parece mucho al **passé composé**. **Avoir** se usa con la mayoría de los verbos, pero con algunos de ellos (ver la lista en la lección 25, C2) debe usarse **être.**

  Ej.: **Je lirai son roman quand il l'aura écrit.**
  *Leeré su novela cuando la haya escrito.*
  **Dès qu'il sera parti, quelqu'un prendra sa place.**
  *Tan pronto como él se haya ido, alguien ocupará su lugar.*

  Con **être**, el participio pasado concuerda con el sujeto.

  Ej.: **Dès qu'elle sera partie, quelqu'un prendra sa place.**
  *Tan pronto como ella se haya ido, alguien ocupará su lugar.*

## A4 TRADUCCIÓN

1. Un librero pide diez ejemplares del último número.
2. Hay que mandárselos urgentemente.
3. ¿Mandamos un ejemplar del nuevo semanario a todos los clientes?
4. ¿Les mandamos formularios de suscripción?
5. Si el cartero trae correo, debe usted dárselo a la Sra. Martin.
6. Se lo dará en cuanto llegue.
7. ¿Cuándo vamos a enseñarle las fotos al redactor jefe?
8. Hay que enseñárselas en cuanto lleguen.
9. Los periodistas deben entregarnos sus artículos antes de las cinco.
10. No deben entregárnoslos más tarde.
11. ¿Puede decirle a la secretaria que me traiga los artículos que pasó a máquina?
12. ¿Puede decirle que me los traiga inmediatamente?

# 39 Ne le leur dis pas, même s'ils insistent.

## B1 PRESENTACIÓN

■ Gramática

- Con el imperativo, los pronombres deben ser colocados después del verbo; el orden es: objeto directo / objeto indirecto.

  Ej.: **Envoyez-le moi.** *Mándemelo.*

- Cuando el imperativo es negativo, los pronombres se colocan delante del verbo y el orden es al revés.

  Ej.: **Ne me l'envoyez pas.** *No me lo mande.*
  **Ne nous les envoyez pas.** *No nos los mande.*

- Pero con **lui** y **leur** esta regla no se aplica; el orden debe ser
  **ne** + objeto indirecto + objeto directo + verbo.

  Ej.: **Ne le lui envoyez pas.** *No se lo mande.*
  **Ne le leur envoyez pas.** *No se los mande.*

■ Vocabulario

| | | | |
|---|---|---|---|
| **insister** | *insistir* | **réveillon** (masc.) | *fiesta/cena* |
| **aller** | *ir* | **(de Noël)** | *de nochebuena* |
| **renvoyer** | *devolver, volver a enviar* | **(du 1$^{er}$ de l'an)** | *fiesta/cena de año nuevo* |
| **plaire*** | *gustar* | **gilet** (masc.) | *chaleco, suéter* |
| **ne pas se gêner (pour)** | *no molestarse* | **même** | *aunque* |
| **ennuyer** | *molestar, fastidiar* | **en recommandé** | *por correo certificado* |

* ver C4

## B2 EJEMPLOS *(La abuelita y el abuelito no pueden venir en Navidad)*

1. **Nous ne pourrons pas venir pour Noël, explique-le aux enfants.**
2. **Explique-le leur.**
3. **Ne leur montre pas les cadeaux.**
4. **Ne les leur montre pas encore.**
5. **Ne leur dis pas ce que c'est.**
6. **Ne le leur dis pas, même s'ils insistent.**
7. **Donne-les-leur le soir du réveillon.**
8. **Essaye le gilet que je t'ai fait; s'il ne te va pas, renvoie-le-moi.**
9. **Ne me le renvoie pas trop tard, s'il te plaît.**
10. **S'il ne te plaît pas, dis-le-moi, ne te gêne pas.**
11. **N'oubliez pas de prendre des photos, envoyez-les-nous vite.**
12. **Envoyez-les-nous en recommandé, si cela ne vous ennuie pas.**

# 39 No se los digas, aunque insistan.

## B3 COMENTARIOS

### ■ Gramática

- **Ne leur dis pas ce que c'est. Ne le leur dis pas.**

  Note que en **Ne le leur dis pas,** *No se los digas,*
  **Dis-le-leur,** *Dícelos,*
  **Dis-le-moi,** *Dímelo,*
  **Dis-le-lui,** *Dícelo,*

  **le**, invariable, reemplaza a toda una oración. No debe ser omitido, aunque a veces oirá **Dis-lui** o **Dis-leur** en francés hablado.

- **Si cela ne vous ennuie pas.** *Si no es molestia (si no lo molesta).*

  Note la construcción de la expresión en francés.

- Para verbos que terminan en **-oyer** o **-uyer** en infinitivo (ej.: **envoyer, ennuyer**), hay un cambio en la ortografía cuando el final de la conjugación es una **e** muda: **e / es / ent**.

  Ej.: **Tu envoies, ennuies / il envoie, ennuie**
  **elles envoient, ennuient**

## B4 TRADUCCIÓN

1. No podremos venir en Navidad, explícalo a los niños.
2. Explícaselos.
3. No les enseñes los regalos.
4. No se los enseñes todavía.
5. No les digas lo que es.
6. No se los digas, aunque insistan.
7. Dáselos en Nochebuena.
8. Prueba el chaleco que te hice; si no te cabe, vuélvemelo a enviar.
9. No me lo mandes demasiado tarde por favor.
10. Si no te gusta, no dudes en decírmelo.
11. No olviden sacar fotos, envíenoslas rápido.
12. Envíenoslas por correo certificado, si no es molestia.

## C1 EJERCICIOS

**A. Reemplace los sustantivos por pronombres:**

1. Grand-mère raconte une histoire à ses petites-filles.
2. Il faut envoyer un formulaire aux étudiants.
3. Le journaliste doit donner son article au rédacteur en chef.
4. Tu peux rendre ces dossiers à la directrice aujourd'hui.
5. Je te renvoie un exemplaire du journal.
6. Pierre doit 300 F à Antoine.
7. Elle a oublié de me donner la date de la cérémonie.

**B. Haga el mismo ejercicio que en A:**

1. Ne montre pas cette lettre à ton fils.
2. Donnez les résultats des élections aux journalistes.
3. Ne vends pas ta voiture à cette personne.
4. Apporte ces fleurs à tes parents.
5. Ne loue pas cet appartement à cet homme.
6. Achetez-nous les billets.

**C. [●●] Traduzca al francés:**

1. Cuando usted haya terminado su artículo, iremos a ver al redactor jefe.
2. Si su artículo no le gusta mucho, se lo va a decir en seguida.
3. Mándeme una copia de su última novela, si no es molestia.
4. Voy a encontrarme con unos periodistas, me gustaría enseñárselos.

## C2 LA PRESSE / *LA PRENSA*

**quotidien** (masc.) — *diario*
**hebdomadaire** (masc.) — *semanario*
**revue** (fem.) — *revista*
**nouvelles** (fem.) — *noticias*
**faits divers** (masc.pl.) — *sucesos, gacetilla*
**titre** (masc.) — *título, titular*
**petites annonces** (fem.pl.) — *anuncios clasificados*
**dessin humoristique** (masc.) — *caricatura (de mensaje)*
**caricature** (fem.) — *caricatura (de diversión)*

## C3 RESPUESTAS

**A.** 1. Elle la leur raconte.
2. Il faut le leur envoyer.
3. Il doit le lui donner.
4. Tu peux les lui rendre aujourd'hui.
5. Je te le renvoie.
6. Il lui doit 300 F.
7. Elle a oublié de me la donner.

**B.** 1. Ne la lui montre pas.
2. Donnez-les-leur.
3. Ne la lui vends pas.
4. Apporte-les-leur.
5. Ne le lui loue pas.
6. Achetez-les-nous.

**C.** 1. Quand vous aurez fini votre article, nous irons voir le rédacteur en chef.
2. Si votre article ne lui plaît pas beaucoup, il vous le dira tout de suite.
3. Envoyez-moi un exemplaire de votre dernier roman, si cela ne vous ennuie pas.
4. Je vais rencontrer des journalistes, je voudrais le leur montrer.

## C4 CE LIVRE VOUS PLAÎT?
## *¿LE GUSTA ESTE LIBRO?*

- El verbo **plaire** se usa con frecuencia con el sentido de *gustar*.

| Ej.: | **Ce livre me plaît.** | *Este libro me gusta.* |
|---|---|---|
| | **Cet appartement leur plaît.** | *Les gusta este apartamento.* |
| | **Vous lui plaisez.** | *Usted le gusta.* |
| | **Il ne me plaît pas.** | *(Él) no me gusta.* |
| | **Est-ce que ça vous plaît?** | *¿Le gusta?* |

- **plaire** en distintos tiempos verbales:

| Ej.: | **Est-ce que ça vous a plu?** | *¿Le gustó?* |
|---|---|---|
| | **Vous lui plaisiez beaucoup.** | *Usted le gustaba mucho.* |
| | **Comme il vous plaira.** | *Como guste.* |

- También se encuentra, por supuesto, en **s'il te plaît, s'il vous plaît.**

## 40 Il faut un slogan simple pour que les gens...

### A1 PRESENTACIÓN

■ Gramática

- **Pour que, pour qu' ...** *para que.*
  **Bien que, bien qu' ...** *aunque.*
- Ambas conjunciones preceden a un **subjuntivo.**
  Ej.: **Je lui écris pour qu'elle vienne à Noël.**
  *Le escribo para que venga en Navidad.*
  **Bien qu'il soit très jeune, il a réussi son examen.**
  *Aunque sea muy joven, pasó su examen.*

■ Vocabulario

| | |
|---|---|
| **passer devant** | *pasar delante de* |
| **faire attention** | *fijarse* |
| **attirer l'attention** | *llamar la atención* |
| **se souvenir** | *recordar* |
| **remarquer** | *observar, notar* |
| **slogan** (masc.) | *lema publicitario, "slogan"* |
| **œuvre d'art** (fem.) | *obra de arte* |
| **efficace** | *eficaz* |
| **vif** (masc.)/**vive** (fem.) | *vivo/a, fuerte* |
| **presque** | *casi* |
| **donc** | *así que* |

### A2 EJEMPLOS *(Carteles)*

1. **Que faut-il pour que les affiches soient efficaces?**
2. **Bien qu'il y en ait presque partout dans les villes, les gens ne les voient pas toujours.**
3. **Bien qu'ils passent devant plusieurs fois par jour, ils n'y font pas attention.**
4. **Pour qu'on les voie que faut-il faire?**
5. **Que faut-il faire pour qu'on s'en souvienne?**
6. **Bien que les gens ne les regardent pas vraiment, elles doivent attirer leur attention.**
7. **Elles doivent attirer leur attention pour qu'ils achètent.**
8. **Il faut donc des couleurs vives pour qu'on les remarque.**
9. **Il faut un slogan simple pour que les gens s'en souviennent.**
10. **Pour qu'on puisse le lire vite et facilement.**
11. **Il vaut mieux qu'il soit drôle pour plaire à tous.**
12. **Bien qu'elles soient faites pour vendre, les affiches peuvent être des œuvres d'art.**

## A3 COMENTARIOS

### ■ Gramática

- Note que con **pour,** si el sujeto de la frase principal es el mismo que el de la frase subordinada se usa el infinitivo, no el subjuntivo. Ej.:

  **Il nous écrit pour donner des nouvelles.**
  *Nos escribe para dar noticias (suyas).*

pero **Il nous écrit pour que nous donnions de nos nouvelles.**
*Nos escribe para que demos noticias nuestras.*

- Recuerde que **être fait pour** es el equivalente en francés de *estar hecho para.*

  **C'est fait pour être vu.** *Está hecho para ser visto.*
  **Il n'est pas fait pour ce travail.** *No está hecho para este trabajo.*

- **vif, vive:** todos los adjetivos que terminan en **-f** en masculino terminan en **-ve** en femenino. Ej.: **naïf, naïve**.
- Ya vimos palabras francesas que son préstamos del inglés, y que muchas veces se usan también en español; **slogan** es otra; También **sandwich, barman, babysitter, interview ...**
  Pero algunas palabras que vienen del inglés tienen un sentido ligeramente diferente:

  **parking** *estacionamiento*
  **camping** *camping* (acampar)

## A4 TRADUCCIÓN

1. ¿Qué hace falta para que los anuncios sean eficaces?
2. Aunque los hay casi por todos lados en las ciudades, la gente no siempre se fija en ellos.
3. Aunque pasan delante varias veces al día, no se fijan en ellos.
4. ¿Qué hay que hacer para que se vean?
5. ¿Qué hay que hacer para que la gente los recuerde?
6. Aunque la gente no los mira realmente, deben llamar la atención.
7. Deben llamar su atención para que compren.
8. Es por eso que deben tener colores vivos para que llamen la atención.
9. Hace falta un lema sencillo para que la gente lo recuerde.
10. Para que pueda leerse rápida y fácilmente.
11. Es mejor que sea chistoso para gustarles a todos.
12. Aunque estén hechos para vender, los anuncios pueden ser obras de arte.

# 40 Ils joueront jusqu'à ce que tout le monde s'en aille.

## B1 PRESENTACIÓN

### ■ Gramática

- **avant que** significa *antes de que* cuando precede a una frase subordinada; **en attendant que, jusqu'à ce que** significan *mientras, hasta que.* Ambas conjunciones preceden a un **subjuntivo**.

  Ej.: **Je prépare tout avant qu'ils ne soient là.**
  *Lo preparo todo antes de que lleguen.*
  **Jouons aux cartes en attendant qu'ils viennent.**
  *Juguemos a las cartas mientras llegan.*

### ■ Vocabulario

| | | | |
|---|---|---|---|
| **décorer** | *decorar* | **tombée** (fem.) | *caída* |
| **bavarder** | *platicar* | **feu d'artifice** (masc.) | *fuegos artificiales* |
| **façade** (fem.) | *fachada* | **foule** (fem.) | *muchedumbre, gentío* |
| **drapeau** (masc.) | *bandera* | **bal** (masc.) | *baile* |
| **défilé** (masc.) | *desfile* | **fête** (fem.) | *fiesta* |
| **rang** (masc.) | *fila* | **en attendant** | *mientras* |

## B2 EJEMPLOS *(Día de la Bastilla, 14 de julio)*

1. **Les façades sont décorées de drapeaux avant que les cérémonies n'aient lieu.**
2. **Le matin, un défilé est organisé dans chaque ville; les gens sont déjà là avant qu'il ne commence.**
3. **Tout le monde se dépêche pour être au premier rang avant que passe le défilé.**
4. **Il ne commencera pas avant que le maire ne soit là.**
5. **Les gens bavardent en attendant.**
6. **Il y aura des feux d'artifice après la tombée de la nuit.**
7. **La foule se promène dans les rues en attendant qu'il fasse nuit.**
8. **S'il y a un orage on attendra jusqu'à ce qu'il ne pleuve plus!**
9. **Il y a aussi des bals presque partout; les musiciens bavardent en attendant que les gens arrivent.**
10. **Ils joueront jusqu'à ce qu'il n'y ait plus personne.**
11. **Ils joueront jusqu'à ce que tout le monde s'en aille.**
12. **On entendra de la musique jusqu'à ce que la fête finisse.**

## B3 COMENTARIOS

### ■ Gramática

- **Les façades sont décorées de drapeaux. Un défilé est organisé.**
  Estas oraciones están en voz pasiva.
  Su construcción es: sujeto + **être** + participio pasado.
  Esta forma no se usa con mucha frecuencia en francés, ya que **on** y la voz activa también expresan la misma idea de un sujeto impersonal.
  Ej.: **On a volé un tableau célèbre.**
  *Robaron un cuadro famoso.*
  Sin embargo, la voz pasiva se usa en francés para subrayar el resultado de una acción.
- **avant que passe le défilé:** note que el verbo puede preceder al sustantivo.
- **avant qu'il ne commence, avant que le maire ne soit là.**
  Note que incluso en una afirmación puede colocarse **ne** entre el sujeto y la forma verbal en frases subordinadas introducidas por **avant que**.
- Note que **en attendant que** precede a un subjuntivo.
  Ej.: **En attendant qu'il vienne.**
  **en attendant de** precede a un infinitivo.
  Ej.: **En attendant de partir.**

## B4 TRADUCCIÓN

1. Las fachadas son decoradas con banderas antes de que tengan lugar las ceremonias.
2. En la mañana se organiza un desfile en cada ciudad; la gente viene desde antes de que empiece.
3. Todos se apuran para estar en la primera fila antes de que pase el desfile.
4. No empezará antes de que llegue el alcalde.
5. Mientras, la gente platica.
6. Habrá fuegos artificiales cuando oscurezca.
7. La muchedumbre se pasea en las calles mientras oscurece.
8. Si hay una tormenta, ¡hay que esperar hasta que ya no llueva!
9. También hay bailes en casi todos lados; los músicos platican mientras llega la gente.
10. Van a tocar hasta que no haya nadie.
11. Van a tocar hasta que todos se vayan.
12. Se oirá la música hasta que se acabe la fiesta.

# Exercices

## C1 EJERCICIOS

**A. Ponga el verbo en la forma correcta:**

1. Téléphone-leur avant qu'ils ne (partir) de chez eux. — 2. Le client doit attendre jusqu'à ce qu'on lui (donner) sa carte de crédit. — 3. Restons là en attendant qu'il (faire) beau. — 4. J'envoie un colis aujourd'hui pour qu'elle l'(avoir) avant mardi. — 5. Bien qu'elle n'(aller) pas très loin, elle prendra l'avion.

**B. Transforme la oración usando jusqu'à ce que y una forma verbal:**

1. Nous attendrons jusqu'à la fin du spectacle. — 2. Ils restent ici jusqu'à la tombée de la nuit. — 3. Il faut que les portes soient fermées jusqu'à leur arrivée. — 4. Ne vous levez pas jusqu'à l'arrêt du bus.

**C. Ponga el verbo en la forma correcta:**

1. Une nouvelle étoile vient d'être (découvrir). — 2. Ces lettres ont été (écrire) il y a cent ans. — 3. Une église va être (construire) près de la gare. — 4. La circulation devrait être (interdire) ici. — 5. Est-ce que la piscine est (ouvrir) le dimanche? — 6. Les listes n'ont pas encore été (faire).

**D. Traduzca al francés:**

1. Ella debería tomar un taxi para llegar a la estación antes de que salga el tren. — 2. Sería mejor que firmara sus artículos para que la gente sepa quién los escribió. — 3. Él llama a la agencia de viajes diez veces al día para saber si sus boletos están listos.

## C2 IL ÉTAIT UNE FOIS ... / *HABÍA UNA VEZ ...*

**Plusieurs fois par jour** es el equivalente de *varias veces al día.* Note la presencia de **par** y la ausencia de artículo (literalmente: *varias veces por día).* Expresiones similares:

| | |
|---|---|
| **Une fois par an** | *Una vez al año* |
| **Deux fois par semaine** | *Dos veces a la semana* |
| **Dix fois par jour** | *Diez veces al día* |

Otras expresiones:

| | |
|---|---|
| **Combien de fois?** | *¿Cuántas veces?* |
| **Encore une fois** | *Otra vez* |
| **À la fois** | *Al mismo tiempo* |
| **Pour une fois** | *Por una vez* |
| **Une fois pour toutes** | *De una vez por todas* |

## C3 RESPUESTAS

**A.** 1. Téléphone-leur avant qu'ils ne partent de chez eux.
2. Le client doit attendre jusqu'à ce qu'on lui donne sa carte de crédit.
3. Restons là en attendant qu'il fasse beau.
4. J'envoie un colis aujourd'hui pour qu'elle l'ait avant mardi.
5. Bien qu'elle n'aille pas très loin, elle prendra l'avion.

**B.** 1. Nous attendrons jusqu'à ce que le spectacle finisse.
2. Ils restent ici jusqu'à ce que la nuit tombe.
3. Il faut que les portes soient fermées jusqu'à ce qu'ils arrivent.
4. Ne vous levez pas jusqu'à ce que le bus s'arrête.

**C.** 1. Une nouvelle étoile vient d'être découverte.
2. Ces lettres ont été écrites il y a cent ans.
3. Une église va être construite près de la gare.
4. La circulation devrait être interdite ici.
5. Est-ce que la piscine est ouverte le dimanche?
6. Les listes n'ont pas encore été faites.

**D.** 1. Il faudrait qu'elle prenne un taxi pour arriver à la gare avant que le train ne parte / avant le départ du train.
2. Il vaudrait mieux signer vos articles pour que les gens sachent qui les a écrits.
3. Il téléphone à l'agence de voyages dix fois par jour pour savoir si ses billets sont prêts.

## C4 PRENDRE CONGÉ ...
*DESPEDIRSE ...*

Además de **au revoir,** éstas son otras expresiones para despedirse de alguien:

| | |
|---|---|
| **Je vous laisse, je vous quitte.** | *Lo(s) dejo.* |
| **Adieu** | *Adiós* |
| **À bientôt** | *Hasta luego* |
| **Au plaisir de vous revoir** | *Espero que nos volvamos a ver.* |

# RESUMEN GRAMATICAL

Contenido | Páginas

## 1 - AFIRMACIONES

Hay pocas diferencias entre la estructura de una afirmación sencilla en francés y en español.

Ej.: **Pierre est français.** *Pierre es francés.*
**Il habite à Paris.** *Vive en París.*

Por supuesto, las estructuras pueden ser más complicadas, y este resumen gramatical va a ayudarle a construirlas.

## 2 - NEGACIONES

Las frases negativas se construyen colocando **ne ... pas** de uno y otro lado del verbo.

Ej.: **Je ne fume pas.** *No fumo.*
**Ce n'est pas* difficile.** *No es difícil.*

* **n' ... pas** se usa cuando el verbo empieza con una vocal o una **h**.

**Ne/n' ... rien,** *nada* **ne/n' ... plus,** *ya no* **ne/n' ... jamais,** *nunca,*
se usan del mismo modo.

Ej.: **Je n'achète rien.** *No compro nada.*
**Nous ne travaillons plus.** *Ya no trabajamos.*
**Ils ne sortent jamais.** *No salen nunca.*

## 3 - PREGUNTAS

Para transformar una afirmación en una pregunta:

1. Puede simplemente modificar la entonación de la afirmación, sin cambiar la estructura (ver lección 3, A3).
   Ej.: **Tu chantes?** *¿Cantas?*
2. Se puede colocar **est-ce que** al inicio de la afirmación.
   Ej.: **Est-ce que tu chantes?** *¿Estás cantando?*
   **Est-ce que c'est cher?** *¿Es caro?*
3. Cuando el sujeto es un pronombre, el sujeto y el verbo pueden ser invertidos (más comúnmente con **vous, il, elle, ils, elles**).
   Ej.: **Chantez-vous?** *¿Está usted/están ustedes cantando?*
   **Prennent-ils le train?** *¿Toman el tren?*
   Cuando el verbo está invertido, se une al pronombre por medio de un guión.
   Ej.: **Parlez-vous français?** *¿Habla usted francés?*
   Cuando el verbo termina en vocal, hay que añadir una **t** entre el verbo e **il** o **elle**.
   Ej.: **Parle-t-elle français?** *¿Habla francés?*

4. En un francés más elegante, encontrará tanto un sujeto como un pronombre que lo recuerda, detrás del verbo:

Ej.: **Pierre va-t-il parler?** *¿Pierre va a hablar?*
**Ta sœur vient-elle demain?** *¿Tu hermana viene mañana?*

## 4 - SUSTANTIVOS

### ■ GÉNERO

- Como en español, todas las palabras son o masculinas o femeninas. En el caso de personas o animales, por supuesto, el sexo determina el género.
- Para cosas y conceptos no hay una regla que permita conocer el género. Tampoco corresponde siempre al género en español. Por ejemplo, *la bicicleta* es un masculino **(le vélo)** y *el auto* es un femenino **(la voiture)**. Lo mejor es aprenderse el artículo junto con el sustantivo. En este libro siempre se indica el género, para ayudarle a memorizarlo.

  Para sustantivos que indican personas o animales, el femenino se forma de las siguientes maneras:

  **1.** añadiendo una **e** al masculino.

  Ej.: **ami - amie** (la pronunciación no cambia);
  **client - cliente, candidat - candidate** (en femenino se pronuncia la consonante final);
  **chat - chatte** (en femenino la consonante final es doble y se pronuncia);

  **2.** cambiando el final.

  Ej.: **directeur - directrice** *director/a*
  **chanteur - chanteuse** *cantante*

- Algunas palabras son iguales en masculino y en femenino.

  Ej.: **secrétaire, journaliste, artiste.**
  *secretario/a, periodista, artista.*

- Algunas son totalmente diferentes.

  Ej.: **homme - femme** *hombre - mujer*
  **mari - femme** *esposo - esposa*
  **frère - sœur** *hermano - hermana*

### ■ NÚMERO

- El plural de los sustantivos se forma por lo general añadiendo una **s** al singular:

  **un ami - des amis - une amie - des amies,**
  *un amigo - amigos - una amiga - amigas*
  **un livre - des livres**
  *un libro - libros*

- Casi todas las palabras que terminan con **-eau**, **-eu** forman su plural con **x** en vez de **s.**

  Ej.: **un oiseau - des oiseaux** **un cheveu - des cheveux**
  *un pájaro - pájaros* *un pelo - pelos*

- Casi todos los sustantivos que terminan en **-al** o **-ail** forman su plural con **-aux.**

Ej.: **un cheval - des chevaux** *un caballo - caballos*
**un travail - des travaux** *un trabajo - trabajos*

- Los sustantivos que terminan en **-s**, **-z** y **-x** no cambian en plural.

Ej.: **un nez - des nez** *una nariz - narices*
**un repas - des repas** *una comida - comidas*
**un prix - des prix** *un precio - precios*

## 5 - ARTÍCULOS

### ARTÍCULOS DEFINIDOS E INDEFINIDOS

| | Indefinido | | Definido | | |
|---|---|---|---|---|---|
| | masc. | fem. | masc. | fem. | contraído (con **à** y **de**) masc. y fem. |
| sing. | **un** | **une** | **le (l')** | **la (l')** | **à + le = au**<br>**de + le = du** |
| pl. | **des** | | **les** | | **à + les = aux**<br>**de + les = des** |

Recuerde que es casi imposible usar un sustantivo solo en francés. Casi siempre es necesario un artículo (o un partitivo, posesivo, demostrativo, numeral, etc.).

### ARTÍCULOS PARTITIVOS

La construcción partitiva necesita: **de** + el artículo definido singular adecuado:

| AFIRMATIVO | | NEGATIVO |
|---|---|---|
| fem. | masc. | masc. fem. |
| **de la** salade<br>**de l'**eau | **du** vin<br>**de l'**argent | pas **de** café<br>pas **d'**eau |

En plural hay una sola posibilidad:

**des légumes** **pas de légumes**
**des enfants** **pas d'enfants**

¡Recuerde que no se puede omitir este artículo partitivo!

Ej.: **Nous avons du vin et de l'eau.**
*Tenemos vino y agua.*

## 6 - NÚMERO Y CANTIDAD

- Para hacer una pregunta sobre un número o una cantidad la palabra interrogativa es: **combien de/d'** *cuánto/a, cuántos/as*

Sustantivos enumerables

| Para un gran número | Para un número pequeño |
|---|---|
| **beaucoup de/d'** + pl. *mucho/a, muchos/as* | **peu de/d'** + pl. *poco/a, pocos/as* |
| | **quelques** *algunos/as* |

Sustantivos no enumerables

| Para una gran cantidad | Para una cantidad pequeña |
|---|---|
| **beaucoup de/d'** + sing. *mucho/a, muchos/as* | **peu de/d', un peu de/d'** + sing. *poco/a, pocos/as, un poco de* |

- Una estimación subjetiva sobre un número o una cantidad puede ser expresada por:

| | |
|---|---|
| **trop de/d'** | *demasiado/a, demasiados/as* |
| **assez de/d'** | *suficiente(s)* |
| **pas assez de/d'** | *no ... suficiente(s)* |

Ej.: **beaucoup d'amis, peu d'amis, quelques amis, beaucoup de courage, peu de courage, pas assez de courage.**

## 7 - ADJETIVOS

### ■ CONCORDANCIA

- Como en español, el adjetivo concuerda en género y en número con el sustantivo que acompaña.

Ej.: **un hiver froid, une nuit froide**
*un invierno frío, una noche fría*
**des hivers froids, des nuits froides**
*inviernos fríos, noches frías*

- Cuando un adjetivo se refiere a varios sustantivos, y por lo menos uno de ellos es un masculino, la forma del adjetivo será masculino plural.

### ■ FEMENINO

- Para formar un adjetivo femenino por lo general se añade una **e** a la forma masculina.

Ej.: **joli - jolie** *guapo/a*
**bleu - bleue** *azul*

(La pronunciación no cambia.)

- Cuando el adjetivo masculino termina en **e** no sufre modificación en el femenino.

  Ej.: **jeune** *joven*
  **moderne** *moderno/a*

- Cuando el adjetivo masculino termina con una consonante que no se pronuncia, se añade una **e** muda para el femenino y se pronuncia la consonante que la precede.

  Ej.: **grand - grande** *grande*
  **intelligent - intelligente** *inteligente*

- Si la consonante final es **-x**, por lo general se convierte en **-se** en femenino.

  Ej.: **joyeux - joyeuse** *alegre*
  **délicieux - délicieuse** *delicioso/a*

- Si la consonante final es **-f**, por lo general se convierte en **-ve** en femenino.

  Ej.: **vif - vive** *listo/a*
  **neuf - neuve** *nuevo/a*

- Otros pequeños cambios de ortografía (p. ej. la repetición de la consonante final en **gentil, gentille**) son indicados sistemáticamente cuando aparece un adjetivo nuevo en las lecciones.
- Éstos son algunos adjetivos con una forma femenina particular:

  **beau - belle** *bello/a*
  **nouveau - nouvelle** *nuevo/a*
  **vieux - vieille** *viejo/a*

## ■ PLURAL

- Para formar el plural de un adjetivo por lo general se le añade una **s** al singular, ya sea masculino o femenino.

  Ej.: **joli - jolis** *lindo - lindos*
  **jolie - jolies** *bonita - bonitas*
  **triste - tristes** *triste - tristes*

  (Recuerde que la consonante final es muda.)

- Adjetivos que terminan en **-eau** en singular añaden una **x** en vez de **s** en plural.

  Ej.: **beau - beaux** *bello - bellos*
  **nouveau - nouveaux** *nuevo - nuevos*

- Adjetivos que terminan en **-s** o **-x** en singular no sufren modificación en el plural.

  Ej.: **gris - gris** *gris - grises*
  **vieux - vieux** *viejo - viejos*

## ■ LUGAR

La mayoría de los adjetivos se colocan después del sustantivo al que acompañan.
Sin embargo, algunos adjetivos cortos y de uso frecuente se colocan antes del sustantivo. Éstos son los que encontrará más seguido:

| masc. | fem. | |
|---|---|---|
| **bon** | **bonne** | *bueno/a* |
| **cher** | **chère** | *caro/a* |
| **grand** | **grande** | *grande* |
| **jeune** | **jeune** | *joven* |
| **joli** | **jolie** | *bonito/a, lindo/a* |
| **long** | **longue** | *largo/a* |
| **mauvais** | **mauvaise** | *malo/a* |
| **petit** | **petite** | *pequeño/a* |
| **vieux/vieil** | **vieille** | *viejo/a* |
| **nouveau** | **nouvelle** | *nuevo/a* |

# 8 - ADVERBIOS

La mayoría de los adverbios se forman añadiéndole **-ment** al adjetivo femenino.

| Ej.: | masc., sing. | fem., sing. | adverbio |
|---|---|---|---|
| | **lent** *(lento)* | **lente** | **lentement** *(lentamente)* |
| | **rapide** *(rápido)* | **rapide** | **rapidement** *(rápidamente)* |

Pero no todos los adverbios terminan en **-ment,** sobre todo los adverbios de:

| | | |
|---|---|---|
| tiempo: | **souvent** | *frecuentemente* |
| | **maintenant** | *ahora* |
| | **parfois** | *a veces* |
| lugar: | **ici** | *aquí* |
| | **là** | *allá* |
| | **loin** | *lejos* |
| y | **bien** | *bien* |
| | **mal** | *mal* |

Todos los adverbios son invariables.

## ■ LUGAR

Los adverbios suelen colocarse detrás del verbo que modifican.

Ej.: **Elle parle lentement.**
*Ella habla despacio.*
**Ils viennent souvent.**
*Ellos vienen frecuentemente.*
**Tu danses bien.**
*Bailas bien.*

## 9 - COMPARATIVOS Y SUPERLATIVOS

### ■ COMPARATIVOS

Para adjetivos y adverbios la forma comparativa es la siguiente:

| | | |
|---|---|---|
| + **plus** | adjetivo/adverbio | **que/qu'** |
| = **aussi** | adjetivo/adverbio | **que/qu'** |
| – **moins** | adjetivo/adverbio | **que/qu'** |

Ej.: **Pierre est plus jeune que Louis.**
*Pierre es más joven que Louis.*
**Il est plus intelligent que Louis.**
*Es más inteligente que Louis.*
**Anne est aussi jolie qu'Hélène.**
*Anne es tan linda como Hélène.*
**Louis est moins riche que Pierre.**
*Louis es menos rico que Pierre.*

El pronombre que le sigue a **que/qu'** debe ser tónico: **moi, toi, lui, elle, eux.**

Ej.: **Pierre est plus petit que moi.** *Pierre es más pequeño que yo.*

Para sustantivos la forma comparativa es la siguiente:

| | | |
|---|---|---|
| + **plus** | **de/d'** | + sustantivo |
| = **autant** | **de/d'** | ........................ |
| – **moins** | **de/d'** | ........................ |

Ej.: **plus d'argent, autant d'argent, moins d'argent**
*más dinero, tanto dinero, menos dinero*

### ■ SUPERLATIVOS

El superlativo se forma colocando:

**le, la, les plus...** *el, la, los más*
**le, la, les moins...** *el, la, los menos*

delante del adjetivo.

Ej.: **C'est la plus intelligente.**
*Es la más inteligente.*
**C'est le plus drôle.**
*Es el más chistoso.*
**Ce livre est le moins cher.**
*Este libro es el menos caro.*

Después de un superlativo, el complemento se introduce con **de** o con la forma contraída **du.**

Ej.: **le plus grand immeuble de la ville**
*el edificio más grande de la ciudad*
**la plus belle fille du monde**
*la muchacha más bella del mundo*

## ■ COMPARATIVOS Y SUPERLATIVOS IRREGULARES

**bon** *(bueno)*
**meilleur** (masc. sing.) **... que** = *mejor que ...*
**meilleurs** (masc. pl.) **... que** = *mejores que ...*
**meilleure** (fem. sing.) **... que** = *mejor que ...*
**meilleures** (fem. pl.) **... que** = *mejores que ...*

**le, la, les meilleur(e)(s)** = *el/la (los/las) mejor(es)*

**bien** *(bien)* **mieux que** = *mejor que*
**le mieux** = *el mejor*

**mauvais** *(malo)* **pire que** = *peor que* (tanto masc. como fem.)
**le pire** = *el peor*

# 10 - DEMOSTRATIVOS

## ■ ADJETIVOS

| | masc. | fem. | |
|---|---|---|---|
| sg. | **ce** | **cette** | *este, ese; esta, esa* |
| pl. | **ces** | | *estos, esos; estas, esas* |

Ej.: **ce garçon** *este (ese) niño*
**cette femme** *esta (esa) mujer*
**ces amis** *estos (esos) amigos*

**Ce** se convierte en **cet** delante de una vocal o **h: cet ami, cet homme.**

## ■ PRONOMBRES

(masc. sg.) **celui** (fem. sg.) **celle**
(masc. pl.) **ceux** (fem. pl.) **celles**

Se le puede añadir **-ci** al pronombre

**celui-ci** **celle-ci** *éste, ésta*
**ceux-ci** **celles-ci** *éstos, éstas*

También se le puede añadir **-là** al pronombre

**celui-là** **celle-là** *ése, ésa*
**ceux-là** **celles-là** *ésos, ésas*

Ej.:
**Est-ce que vous utilisez un ordinateur?** **Oui, celui-ci.**
*¿Usa(n) usted(es) una computadora?* *Sí, ésta.*
**Est-ce que vous avez une voiture?** **Oui, c'est celle-ci.**
*¿Tiene(n) usted(es) un auto?* *Sí, es éste.*

**Ceci** equivale a *esto.*

**Cela** equivale a *eso* o *aquello.*
En francés **cela** muchas veces se convierte en **ça.**

Ej.: **Je n'aime pas cela/ça.** *No me gusta eso.*

## 11 - POSESIÓN

Como en español, la posesión suele expresarse con la preposición **de** seguida del nombre del que posee.

Ej.: **la voiture de Pierre** *el auto de Pierre*
**le sac de la secrétaire** *el bolso de la secretaria*

**À qui?** es el equivalente de *¿de quién?*

Ej.: **À qui est la voiture?** *¿De quién es el auto?*
**À qui sont ces vêtements?** *¿De quién es esta ropa?*

**Être à** se usa comúnmente para responder a una pregunta que empieza con **À qui.**

Ej.: **À qui est ce livre?** *¿De quién es este libro?*
**Il est à Pierre.** *Es de Pierre.*

### ■ ADJETIVOS POSESIVOS

El adjetivo posesivo concuerda en género y en número con el sustantivo al que acompaña:

| masc. sg. | fem. sg. | masc. & fem. plural | |
|---|---|---|---|
| **mon** | **ma** | **mes** | *mi, mis* |
| **ton** | **ta** | **tes** | *tu, tus* |
| **son** | **sa** | **ses** | *su, sus* |
| **notre** | **notre** | **nos** | *nuestro/a, nuestros/as* |
| **votre** | **votre** | **vos** | *su, sus* |
| **leur** | **leur** | **leurs** | *su, sus* |

**ma, ta, sa** se transforman en **mon, ton, son** cuando preceden a una vocal o una **h.**

Ej.: **mon amie, son histoire** *mi amiga, su historia*

(**amie, histoire** son sustantivos femeninos.)

## PRONOMBRES POSESIVOS

| | | |
|---|---|---|
| **le mien, la mienne**<br>**les miens, les miennes** | à moi | *mío/a* |
| **le tien, la tienne**<br>**les tiens, les tiennes** | à toi | *tuyo/a* |
| **le sien, la sienne**<br>**les siens, les siennes** | à lui, à elle | *suyo/a* |
| **le nôtre, la nôtre**<br>**les nôtres** | à nous | *nuestro/a* |
| **le vôtre, la vôtre**<br>**les vôtres** | à vous | *suyo/a* |
| **le leur, la leur, les leurs** | à eux, à elles | *suyo/a* |

Ej.:

**Ce livre est à elle; c'est le sien.** *Es el suyo.*
**Ces livres sont à elle; ce sont les siens.** *Son los suyos.*
**Ce livre est à nous; c'est le nôtre.** *Es el nuestro.*
**Ces livres sont à nous; ce sont les nôtres.** *Son los nuestros.*

## 12 - PRONOMBRES PERSONALES

| | | Sujeto | Objeto directo | Objeto indirecto sin preposición | Objeto indirecto con preposición |
|---|---|---|---|---|---|
| SING. | 1e | **je/j'** | **me, m'** | **me** | **moi** |
| | 2e | **tu** | **te, t'** | **te** | **toi** |
| | 3e | **il**<br>**elle**<br>**on**** | **le, l', se*, s'***<br>**la, l', se*, s'***<br>**le, la, l', se*, s'*** | <br>**lui, se**<br>**en, y** | **lui**<br>**elle**<br>**lui, elle, soi** |
| PLUR. | 1e | **nous** | **nous** | **nous** | **nous** |
| | 2e | **vous** | **vous** | **vous** | **vous** |
| | 3e | **ils**<br>**elles** | <br>**les, se, s'** | **leur, se**<br>**en, y** | **eux**<br>**elles** |

* **se/s'** es un pronombre reflexivo.
Ej.: **Il se lave.** *Él se lava.*

** **on** es un pronombre impersonal que se usa cuando el sujeto es desconocido o cuando la persona que habla tiene más interés en lo que *se está/estaba haciendo* que en *quién lo hace/hizo;* por lo tanto, es con frecuencia el equivalente de la voz pasiva en español.

Ej.: **On vient.** *Alguien viene.*
**On a ouvert un nouveau musée.** *Se abrió un nuevo museo.*

En francés hablado se usa frecuentemente **on** en vez de **nous.**

Ej.: **On part à cinq heures.** *Nos vamos a las cinco.*

- Recuerde que **quelqu'un** = *alguien* y **personne** = *nadie* son pronombres personales indefinidos.
- **En** y **y** pueden ser pronombres personales indefinidos usados como objetos indirectos.

Ej.: **Il parle de sa femme, il en parle.**
*Habla de ella.*
**Il pense à son avenir, il y pense.**
*Piensa en ello.*

## ■ LUGAR Y ORDEN

| 1 | 2 | 3 | |
|---|---|---|---|
| **je, tu** | **me, m', te, t'** | **le, la, les** | |
| | **nous, vous** | **en** | |
| **on, il, elle** | **le, la, les** | **lui, leur, en** | verbo |
| **nous, vous** | **lui, leur** | **en** | |
| **ils, elles** | **m', t', nous, vous** | | |

Ej.: **Je te le donne, nous le lui donnons, elles vous les donnent**
*Yo te lo doy, nosotros se lo damos, ellos se los dan*

Para el orden en el imperativo, ver lección 39, B1, B3.

## 13 - PRONOMBRES RELATIVOS

Los pronombres relativos más usados son:

| | formas sencillas | | formas compuestas | |
|---|---|---|---|---|
| sujeto | **qui** | *que* | **ce qui** | *lo que* |
| objeto directo | **que/qu'** | *que* | **ce que** | *lo que* |

**qui** y **que** pueden referirse a un sustantivo tanto masculino como femenino, singular o plural. Ambos pueden usarse tanto para personas como para cosas. Ej.:

**Écoute l'homme qui parle.** *Escucha al hombre que está hablando.*
**L'homme que vous voyez est péruvien.** *El hombre que ve(n) es peruano.*
**Donne-moi le livre qui est là.** *Dame el libro que está allí.*
**Où est le livre qu'Anne lisait?** *¿Dónde está el libro que Anne estaba leyendo?*
**Regarde ce qui est ici.** *Mira lo que está aquí.*
**Regarde ce que j'ai.** *Mira lo que tengo.*

## 14 - PALABRAS INTERROGATIVAS

### ■ ADJETIVOS

| | | | | |
|---|---|---|---|---|
| masc. sing. | **quel** | fem. sing. | **quelle** | *qué, cuál* |
| masc. pl. | **quels** | fem. pl. | **quelles** | *qué, cuáles* |

- Recuerde que los adjetivos deben concordar con el sustantivo que acompañan.

Ej.: **Quel livre lis-tu?** *¿Qué libro estás leyendo?*
**Quels livres lis-tu?** *¿Qué libros estás leyendo?*
**Quelle voiture préfères-tu?** *¿Cuál auto prefieres?*
**Avec quelles amies pars-tu?** *¿Con cuáles amigas te vas?*

### ■ PRONOMBRES

| | personas | cosas |
|---|---|---|
| sujeto | **qui?** *¿quién?* | **qu'est-ce qui?** *¿qué?* |
| objeto directo | **qui?** *¿quién?* | **que?** *¿qué?* |
| objeto indirecto (con preposición) | **qui?** *¿quién?* | **quoi?** *¿qué?* |

Ej.: **Qui est-ce?** *¿Quién es?*
**Qui est-ce qui parle?** *¿Quién está hablando?*
**Qui regardent-ils?** *¿A quién miran?*
**Qui est-ce que tu préfères?** *¿A quién prefieres?*
**A quoi est-ce que vous pensez?** *¿En qué está(n) pensando?*
**Que manges-tu?** / **Qu'est-ce que tu manges?** → *¿Qué estás comiendo?*

- El pronombre interrogativo que corresponde a **quel** es **lequel:**

| | | | |
|---|---|---|---|
| masc. sing. | **lequel** | fem. sing. | **laquelle** |
| masc. pl. | **lesquels** | fem. pl. | **lesquelles** |

Ej.: **Lequel préfères-tu?** *¿Cuál prefieres?*
**Lesquelles préfères-tu?** *¿Cuáles prefieres?*

### ■ ADVERBIOS

**combien?** *¿cuánto?*
**comment?** *¿cómo?*
**où?** *¿dónde?*
**pourquoi?** *¿por qué?*
**quand?** *¿cuándo?*

## 15 - VERBOS

Los verbos regulares pertenecen a:

1er. grupo, con terminación en **-er: parler;**
2º. grupo, con terminación en **-ir: finir;**
3er. grupo, otras terminaciones: **répondre, entendre, ouvrir.**

Los verbos que pertenecen al mismo grupo se conjugan de la misma manera.

- **Présent**

| | 1er. grupo | 2º. grupo | 3er. grupo | | |
|---|---|---|---|---|---|
| | **Parler** *(hablar)* | **Finir** *(terminar)* | **Voir** *(ver)* | **Entendre** *(oír)* | **Ouvrir** *(abrir)* |
| je, j' | parle | finis | vois | entends | ouvre |
| tu | parles | finis | vois | entends | ouvres |
| il, elle, on | parle | finit | voit | entend | ouvre |
| nous | parlons | finissons | voyons | entendons | ouvrons |
| vous | parlez | finissez | voyez | entendez | ouvrez |
| ils, elles | parlent | finissent | voient | entendent | ouvrent |

El presente francés puede traducirse de dos maneras al español:

**je parle** *yo hablo, estoy hablando*

- **Impératif**

Sólo tres personas, sin sujeto (ver lecciones 1 y 2).
Ej.: **parle! parlons! parlez!**

## ■ PARA REFERIRSE A UN EVENTO PASADO

- **Imparfait**

Es un tiempo pasado que se usa para expresar algo que tuvo lugar o solía pasar.
Se forma restándole la terminación **-ons** a la 1ª persona plural del tiempo presente y añadiendo:
**-ais**
**-ais**
**-ait**
**-ions**
**-iez**
**-aient**

a la raíz.

Ej.: **je marchais, tu finissais, nous prenions.**

Es igual para todos los verbos, salvo **être**.

- **Passé composé**

  Es el tiempo más comúnmente usado para referirse a un evento pasado. Puede corresponder tanto al imperfecto como al pretérito perfecto en español. En la mayoría de los casos se forma con el tiempo presente de

  **avoir** + participio pasado

  Ej.: **Il a travaillé hier.** *Él trabajó ayer.*

  **Il n'a jamais travaillé.*** *Nunca ha trabajado.*

* En los tiempos compuestos, la negación se coloca de uno y otro lado del auxiliar.

- Algunos verbos (ver lección 25, C2) forman su **passé composé** con

  **être** + participio pasado

  Ej.: **Il est resté, il est parti.**

Con este auxiliar, el participio pasado concuerda con el sujeto.

  Ej.: **Elle est restée, elle est partie.**

- **Plus-que-parfait**

  Se forma como el **passé composé** con

  el **imparfait** de **être** o **avoir** + participio pasado

  Su uso es el mismo que en español.

  Ej.: **Il avait fini quand elle a appelé.**
  *Él había terminado cuando ella llamó.*
  **Nous étions partis quand vous êtes arrivés.**
  *Nos habíamos ido cuando usted(es) llegó/llegaron.*

  Al igual que en **passé composé**, el participio pasado concuerda con el sujeto cuando el auxiliar es **être**.

  Las terminaciones del participio pasado son:

  **-é** para todos los verbos que terminan en **-er** **(parler, parlé)**
  **-i** para todos los verbos que terminan en **-ir** **(finir, fini)**
  **-u** para la mayoría de los verbos que terminan en **-oir** o **-re** **(voir - vu, entendre - entendu)**

  Pero algunos verbos son irregulares.

## ■ PRINCIPALES PARTICIPIOS PASADOS IRREGULARES

**aller** → allé
**apprendre** → appris
**asseoir (s')** → assis
**attendre** → attendu
**avoir** → eu
**boire** → bu
**choisir** → choisi
**comprendre** → compris
**conduire** → conduit
**connaître** → connu
**construire** → construit
**croire** → cru
**découvrir** → découvert
**devenir** → devenu
**devoir** → dû
**dire** → dit
**dormir** → dormi
**écrire** → écrit
**entendre** → entendu
**être** → été
**faire** → fait
**falloir** → fallu
**finir** → fini
**interdire** → interdit
**lire** → lu
**mettre** → mis
**mourir** → mort
**offrir** → offert
**ouvrir** → ouvert
**partir** → parti
**perdre** → perdu
**permettre** → permis
**plaire** → plu
**pleuvoir** → plu
**pouvoir** → pu
**prendre** → pris
**recevoir** → reçu
**répondre** → répondu
**réussir** → réussi
**rire** → ri
**savoir** → su
**sentir** → senti
**sortir** → sorti
**vendre** → vendu
**venir** → venu
**vivre** → vécu
**voir** → vu
**vouloir** → voulu

## PARA EXPRESAR UNA ACCIÓN FUTURA

- **Aller** + infinitivo.
  Es el equivalente de **ir a...** + infinitivo.
  Ej.: **Je vais acheter une nouvelle voiture.**
  *Voy a comprar un auto nuevo.*

- **Futur**
  Se construye añadiendo **-ai** al infinitivo.
  **-as**
  **-a**
  **-ons**
  **-ez**
  **-ont**

  Ej.: **Je sortirai, tu parleras, il jouera, nous finirons.**
  Cuando el infinitivo termina en **-re**, desaparece la **e**.
  Ej.: **conduire - je conduirai** *conduciré*
  **prendre - tu prendras** *cogerás*

- El **futur antérieur** se usa para una acción futura que precede a otra acción futura (ver lección 39).
  Ej.: **Dès qu'il sera parti, quelqu'un prendra sa place.**
  *Cuando él se vaya, otra persona ocupará su lugar.*
  Se forma con
  **être** o **avoir** en futuro + el participio pasado

- **Conditionnel**
  El condicional se forma a partir del infinitivo + **-ais**
  **-ais**
  **-ait**
  **-ions**
  **-iez**
  **-aient**

  Ej.: **Il parlerait, nous dormirions.**

- Cuando el infinitivo termina en **-e**, ésta desaparece en el condicional.
  Ej.: **lire** **je lirais**
  **prendre** **je prendrais**

- El tiempo presente del condicional se usa cuando la condición se expresa en **imparfait**.
  **si/s'** + frase subordinada + frase principal
  Ej.: **Si vous veniez à midi, nous déjeunerions ensemble.**
  *Si viniera(n) a mediodía, comeríamos juntos.*

- **Présent du subjonctif**

| | 1$^{er}$. y 3$^{er}$. grupo | | 2º. grupo |
|---|---|---|---|
| | **-e** | | **-isse** |
| | **-es** | | **-isses** |
| raíz + | **-e** | raíz + | **-isse** |
| | **-ions** | | **-issions** |
| | **-iez** | | **-issiez** |
| | **-ent** | | **-issent** |

Ej.: **Que vous parliez, que tu finisses, qu'ils entendent.**

Se usa principalmente después de **vouloir que/qu'** *querer que*
**il faut que/qu'** *es necesario que*

después de conjunciones como

**avant que/qu'** *antes de que*
**en attendant que/qu'** *mientras*
**pour que/qu'** *para que*
**bien que/qu'** *a pesar de que*

y para expresar una idea de *duda, deseo* o *pesar* (ver lecciones 38, 39, 40).

Ej.: **Je veux que vous veniez.** *Quiero que venga(n).*
**Il faut que vous partiez.** *Es necesario que se vaya(n).*

## 16 - CONJUGACIONES

■ PRIMER GRUPO - **Aimer** *(amar, querer)*

| INDICATIF | | SUBJONCTIF |
|---|---|---|
| **Présent** | **Passé composé** | **Présent** |
| j' aime | j' ai aimé | que j' aime |
| tu aim**es** | tu as aimé | que tu aim**es** |
| il aime | il a aimé | qu' il aime |
| nous aim**ons** | nous avons aimé | que nous aim**ions** |
| vous aim**ez** | vous avez aimé | que vous aim**iez** |
| ils aim**ent** | ils ont aimé | qu' ils aim**ent** |
| **Imparfait** | **Plus-que-parfait** | **IMPÉRATIF** — **Présent** |
| j' aim**ais** | j' avais aimé | |
| tu aim**ais** | tu avais aimé | aime |
| il aim**ait** | il avait aimé | aim**ons** |
| nous aim**ions** | nous avions aimé | aim**ez** |
| vous aim**iez** | vous aviez aimé | |
| ils aim**aient** | ils avaient aimé | |
| **Futur** | **PARTICIPE** | **CONDITIONNEL** — **Présent** |
| j' aimer**ai** | **Participe passé** | j' aimer**ais** |
| tu aimer**as** | aimé | tu aimer**ais** |
| il aimer**a** | **Participe présent** | il aimer**ait** |
| nous aimer**ons** | | nous aimer**ions** |
| vous aimer**ez** | aimant | vous aimer**iez** |
| ils aimer**ont** | | ils aimer**aient** |

## ■ SEGUNDO GRUPO - **Finir** *(terminar)*

| INDICATIF | | | | | SUBJONCTIF | |
|---|---|---|---|---|---|---|
| **Présent** | | **Passé composé** | | | **Présent** | |
| je | finis | j' | ai | fini | que je | finisse |
| tu | finis | tu | as | fini | que tu | finisses |
| il | finit | il | a | fini | qu' il | finisse |
| nous | finissons | nous | avons | fini | que nous | finissions |
| vous | finissez | vous | avez | fini | que vous | finissiez |
| ils | finissent | ils | ont | fini | qu' ils | finissent |
| **Imparfait** | | **Plus-que-parfait** | | | **IMPÉRATIF** | |
| | | | | | **Présent** | |
| je | finissais | j' | avais | fini | | |
| tu | finissais | tu | avais | fini | | |
| il | finissait | il | avait | fini | | finis |
| nous | finissions | nous | avions | fini | | finissons |
| vous | finissiez | vous | aviez | fini | | finissez |
| ils | finissaient | ils | avaient | fini | | |
| | | **PARTICIPE** | | | **CONDITIONNEL** | |
| **Futur** | | **Participe passé** | | | **Présent** | |
| je | finirai | fini | | | je | finirais |
| tu | finiras | | | | tu | finirais |
| il | finira | **Participe présent** | | | il | finirait |
| nous | finirons | | | | nous | finirions |
| vous | finirez | finissant | | | vous | finiriez |
| ils | finiront | | | | ils | finiraient |

## ■ TERCER GRUPO - **Ouvrir** *(abrir)*

| INDICATIF | | | | | SUBJONCTIF | |
|---|---|---|---|---|---|---|
| **Présent** | | **Passé composé** | | | **Présent** | |
| j' | ouvre | j' | ai | ouvert | que j' | ouvre |
| tu | ouvres | tu | as | ouvert | que tu | ouvres |
| il | ouvre | il | a | ouvert | qu' il | ouvre |
| nous | ouvrons | nous | avons | ouvert | que nous | ouvrions |
| vous | ouvrez | vous | avez | ouvert | que vous | ouvriez |
| ils | ouvrent | ils | ont | ouvert | qu' ils | ouvrent |
| **Imparfait** | | **Plus-que-parfait** | | | **IMPÉRATIF** | |
| | | | | | **Présent** | |
| j' | ouvrais | j' | avais | ouvert | | |
| tu | ouvrais | tu | avais | ouvert | | |
| il | ouvrait | il | avait | ouvert | | ouvre |
| nous | ouvrions | nous | avions | ouvert | | ouvrons |
| vous | ouvriez | vous | aviez | ouvert | | ouvrez |
| ils | ouvraient | ils | avaient | ouvert | | |
| | | **PARTICIPE** | | | **CONDITIONNEL** | |
| **Futur** | | **Participe passé** | | | **Présent** | |
| j' | ouvrirai | ouvert | | | j' | ouvrirais |
| tu | ouvriras | | | | tu | ouvrirais |
| il | ouvrira | **Participe présent** | | | il | ouvrirait |
| nous | ouvrirons | | | | nous | ouvririons |
| vous | ouvrirez | ouvrant | | | vous | ouvririez |
| ils | ouvriront | | | | ils | ouvriraient |

## ■ VERBOS AUXILIARES

- **Être** *(ser, estar)*

| INDICATIF | | | | | SUBJONCTIF | |
|---|---|---|---|---|---|---|
| **Présent** | | **Passé composé** | | | **Présent** | |
| je | suis | j' | ai | été | que je | sois |
| tu | es | tu | as | été | que tu | sois |
| il | est | il | a | été | qu' il | soit |
| nous | sommes | nous | avons | été | que nous | soyons |
| vous | êtes | vous | avez | été | que vous | soyez |
| ils | sont | ils | ont | été | qu' ils | soient |
| **Imparfait** | | **Plus-que-parfait** | | | **IMPÉRATIF** | |
| | | | | | **Présent** | |
| j' | étais | j' | avais | été | | |
| tu | étais | tu | avais | été | | sois |
| il | était | il | avait | été | | soyons |
| nous | étions | nous | avions | été | | soyez |
| vous | étiez | vous | aviez | été | | |
| ils | étaient | ils | avaient | été | | |
| | | **PARTICIPE** | | | **CONDITIONNEL** | |
| **Futur** | | **Participe passé** | | | **Présent** | |
| je | serai | été | | | je | serais |
| tu | seras | | | | tu | serais |
| il | sera | **Participe présent** | | | il | serait |
| nous | serons | | | | nous | serions |
| vous | serez | étant | | | vous | seriez |
| ils | seront | | | | ils | seraient |

- **Avoir** *(haber, tener)*

| INDICATIF | | | | | SUBJONCTIF | |
|---|---|---|---|---|---|---|
| **Présent** | | **Passé composé** | | | **Présent** | |
| j' | ai | j' | ai | eu | que j' | aie |
| tu | as | tu | as | eu | que tu | aies |
| il | a | il | a | eu | qu' il | ait |
| nous | avons | nous | avons | eu | que nous | ayons |
| vous | avez | vous | avez | eu | que vous | ayez |
| ils | ont | ils | ont | eu | qu' ils | aient |
| **Imparfait** | | **Plus-que-parfait** | | | **IMPÉRATIF** | |
| | | | | | **Présent** | |
| j' | avais | j' | avais | eu | | |
| tu | avais | tu | avais | eu | | aie |
| il | avait | il | avait | eu | | ayons |
| nous | avions | nous | avions | eu | | ayez |
| vous | aviez | vous | aviez | eu | | |
| ils | avaient | ils | avaient | eu | | |
| | | **PARTICIPE** | | | **CONDITIONNEL** | |
| **Futur** | | **Participe passé** | | | **Présent** | |
| j' | aurai | eu | | | j' | aurais |
| tu | auras | | | | tu | aurais |
| il | aura | **Participe présent** | | | il | aurait |
| nous | aurons | | | | nous | aurions |
| vous | aurez | ayant | | | vous | auriez |
| ils | auront | | | | ils | auraient |

## ■ VERBOS IRREGULARES

### • Aller *(ir)*

| INDICATIF | | | | | SUBJONCTIF | |
|---|---|---|---|---|---|---|
| **Présent** | | **Passé composé** | | | **Présent** | |
| je | vais | je | suis | allé | que j' | aille |
| tu | vas | tu | es | allé | que tu | ailles |
| il | va | il | est | allé | qu' il | aille |
| nous | allons | nous | sommes | allés | que nous | allions |
| vous | allez | vous | êtes | allés | que vous | alliez |
| ils | vont | ils | sont | allés | qu' ils | aillent |

| **Imparfait** | | **Plus-que-parfait** | | | IMPÉRATIF |
|---|---|---|---|---|---|
| | | | | | **Présent** |
| j' | allais | j' | étais | allé | |
| tu | allais | tu | étais | allé | va |
| il | allait | il | était | allé | allons |
| nous | allions | nous | étions | allés | allez |
| vous | alliez | vous | étiez | allés | |
| ils | allaient | ils | étaient | allés | |

| **Futur** | | PARTICIPE | CONDITIONNEL | |
|---|---|---|---|---|
| | | **Participe passé** | **Présent** | |
| j' | irai | allé | j' | irais |
| tu | iras | | tu | irais |
| il | ira | **Participe présent** | il | irait |
| nous | irons | | nous | irions |
| vous | irez | allant | vous | iriez |
| ils | iront | | ils | iraient |

### • Boire *(beber)*

| INDICATIF | | | | | SUBJONCTIF | |
|---|---|---|---|---|---|---|
| **Présent** | | **Passé composé** | | | **Présent** | |
| je | bois | j' | ai | bu | que je | boive |
| tu | bois | tu | as | bu | que tu | boives |
| il | boit | il | a | bu | qu' il | boive |
| nous | buvons | nous | avons | bu | que nous | buvions |
| vous | buvez | vous | avez | bu | que vous | buviez |
| ils | boient | ils | ont | bu | qu' ils | boivent |

| **Imparfait** | | **Plus-que-parfait** | | | IMPÉRATIF |
|---|---|---|---|---|---|
| | | | | | **Présent** |
| je | buvais | j' | avais | bu | |
| tu | buvais | tu | avais | bu | bois |
| il | buvait | il | avait | bu | buvons |
| nous | buvions | nous | avions | bu | buvez |
| vous | buviez | vous | aviez | bu | |
| ils | buvaient | ils | avaient | bu | |

| **Futur** | | PARTICIPE | CONDITIONNEL | |
|---|---|---|---|---|
| | | **Participe passé** | **Présent** | |
| je | boirai | bu | je | boirais |
| tu | boiras | | tu | boirais |
| il | boira | **Participe présent** | il | boirait |
| nous | boirons | | nous | boirions |
| vous | boirez | buvant | vous | boiriez |
| ils | boiront | | ils | boiraient |

## ■ VERBOS IRREGULARES (continuación)

### • Connaître *(conocer)*

| INDICATIF | | | | | SUBJONCTIF | |
|---|---|---|---|---|---|---|
| **Présent** | | **Passé composé** | | | **Présent** | |
| je | conn**ais** | j' | ai | connu | que je | conn**aisse** |
| tu | conn**ais** | tu | as | connu | que tu | conn**aisses** |
| il | conn**aît** | il | a | connu | qu' il | conn**aisse** |
| nous | conn**aissons** | nous | avons | connu | que nous | conn**aissions** |
| vous | conn**aissez** | vous | avez | connu | que vous | conn**aissiez** |
| ils | conn**aissent** | ils | ont | connu | qu' ils | conn**aissent** |
| **Imparfait** | | **Plus-que-parfait** | | | **IMPÉRATIF** | |
| | | | | | **Présent** | |
| je | conn**aissais** | j' | avais | connu | | |
| tu | conn**aissais** | tu | avais | connu | | conn**ais** |
| il | conn**aissait** | il | avait | connu | | conn**aissons** |
| nous | conn**aissions** | nous | avions | connu | | conn**aissez** |
| vous | conn**aissiez** | vous | aviez | connu | | |
| ils | conn**aissaient** | ils | avaient | connu | | |
| | | **PARTICIPE** | | | **CONDITIONNEL** | |
| **Futur** | | **Participe passé** | | | **Présent** | |
| je | conn**aîtrai** | connu | | | je | conn**aîtrais** |
| tu | conn**aîtras** | | | | tu | conn**aîtrais** |
| il | conn**aîtra** | **Participe présent** | | | il | conn**aîtrait** |
| nous | conn**aîtrons** | | | | nous | conn**aîtrions** |
| vous | conn**aîtrez** | connaissant | | | vous | conn**aîtriez** |
| ils | conn**aîtront** | | | | ils | conn**aîtraient** |

### • Devoir *(deber)*

| INDICATIF | | | | | SUBJONCTIF | |
|---|---|---|---|---|---|---|
| **Présent** | | **Passé composé** | | | **Présent** | |
| je | dois | j' | ai | dû | que je | doive |
| tu | dois | tu | as | dû | que tu | doives |
| il | doit | il | a | dû | qu' il | doive |
| nous | devons | nous | avons | dû | que nous | devions |
| vous | devez | vous | avez | dû | que vous | deviez |
| ils | doivent | ils | ont | dû | qu' ils | doivent |
| **Imparfait** | | **Plus-que-parfait** | | | **IMPÉRATIF** | |
| | | | | | **Présent** | |
| je | devais | j' | avais | dû | | |
| tu | devais | tu | avais | dû | | dois |
| il | devait | il | avait | dû | | devons |
| nous | devions | nous | avions | dû | | devez |
| vous | deviez | vous | aviez | dû | | (NO SE USAN) |
| ils | devaient | ils | avaient | dû | | |
| | | **PARTICIPE** | | | **CONDITIONNEL** | |
| **Futur** | | **Participe passé** | | | **Présent** | |
| je | devrai | dû | | | je | devrais |
| tu | devras | | | | tu | devrais |
| il | devra | **Participe présent** | | | il | devrait |
| nous | devrons | | | | nous | devrions |
| vous | devrez | devant | | | vous | devriez |
| ils | devront | | | | ils | devraient |

- **Dire** *(decir)*

| INDICATIF | | | | | SUBJONCTIF | |
|---|---|---|---|---|---|---|
| **Présent** | | **Passé composé** | | | **Présent** | |
| je | dis | j' | ai | dit | que je | dise |
| tu | dis | tu | as | dit | que tu | dises |
| il | dit | il | a | dit | qu' il | dise |
| nous | disons | nous | avons | dit | que nous | disions |
| vous | dites | vous | avez | dit | que vous | disiez |
| ils | disent | ils | ont | dit | qu' ils | disent |
| **Imparfait** | | **Plus-que-parfait** | | | **IMPÉRATIF** | |
| | | | | | **Présent** | |
| je | disais | j' | avais | dit | | |
| tu | disais | tu | avais | dit | | |
| il | disait | il | avait | dit | | dis |
| nous | disions | nous | avions | dit | | disons |
| vous | disiez | vous | aviez | dit | | dites |
| ils | disaient | ils | avaient | dit | | |
| | | **PARTICIPE** | | | **CONDITIONNEL** | |
| **Futur** | | **Participe passé** | | | **Présent** | |
| je | dirai | dit | | | je | dirais |
| tu | diras | | | | tu | dirais |
| il | dira | **Participe présent** | | | il | dirait |
| nous | dirons | | | | nous | dirions |
| vous | direz | disant | | | vous | diriez |
| ils | diront | | | | ils | diraient |

- **Écrire** *(escribir)*

| INDICATIF | | | | | SUBJONCTIF | |
|---|---|---|---|---|---|---|
| **Présent** | | **Passé composé** | | | **Présent** | |
| j' | écris | j' | ai | écrit | que j' | écrive |
| tu | écris | tu | as | écrit | que tu | écrives |
| il | écrit | il | a | écrit | qu' il | écrive |
| nous | écrivons | nous | avons | écrit | que nous | écrivions |
| vous | écrivez | vous | avez | écrit | que vous | écriviez |
| ils | écrivent | ils | ont | écrit | qu' ils | écrivent |
| **Imparfait** | | **Plus-que-parfait** | | | **IMPÉRATIF** | |
| | | | | | **Présent** | |
| j' | écrivais | j' | avais | écrit | | |
| tu | écrivais | tu | avais | écrit | | |
| il | écrivait | il | avait | écrit | | écris |
| nous | écrivions | nous | avions | écrit | | écrivons |
| vous | écriviez | vous | aviez | écrit | | écrivez |
| ils | écrivaient | ils | avaient | écrit | | |
| | | **PARTICIPE** | | | **CONDITIONNEL** | |
| **Futur** | | **Participe passé** | | | **Présent** | |
| j' | écrirai | écrit | | | j' | écrirais |
| tu | écriras | | | | tu | écrirais |
| il | écrira | **Participe présent** | | | il | écrirait |
| nous | écrirons | | | | nous | écririons |
| vous | écrirez | écrivant | | | vous | écririez |
| ils | écriront | | | | ils | écriraient |

## ■ VERBOS IRREGULARES (continuación)

- **Faire** *(hacer)*

| **INDICATIF** | | | | | **SUBJONCTIF** | |
|---|---|---|---|---|---|---|
| **Présent** | | **Passé composé** | | | **Présent** | |
| je | fais | j' | ai | fait | que je | fasse |
| tu | fais | tu | as | fait | que tu | fasses |
| il | fait | il | a | fait | qu' il | fasse |
| nous | faisons | nous | avons | fait | que nous | fassions |
| vous | faites | vous | avez | fait | que vous | fassiez |
| ils | font | ils | ont | fait | qu' ils | fassent |
| **Imparfait** | | **Plus-que-parfait** | | | **IMPÉRATIF** | |
| je | faisais | j' | avais | fait | **Présent** | |
| tu | faisais | tu | avais | fait | | |
| il | faisait | il | avait | fait | | fais |
| nous | faisions | nous | avions | fait | | faisons |
| vous | faisiez | vous | aviez | fait | | faites |
| ils | faisaient | ils | avaient | fait | | |
| | | **PARTICIPE** | | | **CONDITIONNEL** | |
| **Futur** | | **Participe passé** | | | **Présent** | |
| je | ferai | fait | | | je | ferais |
| tu | feras | | | | tu | ferais |
| il | fera | **Participe présent** | | | il | ferait |
| nous | ferons | | | | nous | ferions |
| vous | ferez | faisant | | | vous | feriez |
| ils | feront | | | | ils | feraient |

- **Mettre** *(poner)*

| **INDICATIF** | | | | | **SUBJONCTIF** | |
|---|---|---|---|---|---|---|
| **Présent** | | **Passé composé** | | | **Présent** | |
| je | mets | j' | ai | mis | que je | mette |
| tu | mets | tu | as | mis | que tu | mettes |
| il | met | il | a | mis | qu' il | mette |
| nous | mettons | nous | avons | mis | que nous | mettions |
| vous | mettez | vous | avez | mis | que vous | mettiez |
| ils | mettent | ils | ont | mis | qu' ils | mettent |
| **Imparfait** | | **Plus-que-parfait** | | | **IMPÉRATIF** | |
| je | mettais | j' | avais | mis | **Présent** | |
| tu | mettais | tu | avais | mis | | |
| il | mettait | il | avait | mis | | mets |
| nous | mettions | nous | avions | mis | | mettons |
| vous | mettiez | vous | aviez | mis | | mettez |
| ils | mettaient | ils | avaient | mis | | |
| | | **PARTICIPE** | | | **CONDITIONNEL** | |
| **Futur** | | **Participe passé** | | | **Présent** | |
| je | mettrai | mis | | | je | mettrais |
| tu | mettras | | | | tu | mettrais |
| il | mettra | **Participe présent** | | | il | mettrait |
| nous | mettrons | | | | nous | mettrions |
| vous | mettrez | mettant | | | vous | mettriez |
| ils | mettront | | | | ils | mettraient |

• **Pouvoir** *(poder)*

| INDICATIF | | | | | SUBJONCTIF | |
|---|---|---|---|---|---|---|
| **Présent** | | **Passé composé** | | | **Présent** | |
| je | peux/puis | j' | ai | pu | que je | puisse |
| tu | peux | tu | as | pu | que tu | puisses |
| il | peut | il | a | pu | qu' il | puisse |
| nous | pouvons | nous | avons | pu | que nous | puissions |
| vous | pouvez | vous | avez | pu | que vous | puissiez |
| ils | peuvent | ils | ont | pu | qu' ils | puissent |
| **Imparfait** | | **Plus-que-parfait** | | | **IMPÉRATIF** | |
| | | | | | **Présent** | |
| je | pouvais | j' | avais | pu | | |
| tu | pouvais | tu | avais | pu | | |
| il | pouvait | il | avait | pu | | |
| nous | pouvions | nous | avions | pu | NO HAY | |
| vous | pouviez | vous | aviez | pu | | |
| ils | pouvaient | ils | avaient | pu | | |
| | | **PARTICIPE** | | | **CONDITIONNEL** | |
| **Futur** | | **Participe passé** | | | **Présent** | |
| je | pourrai | pu | | | je | pourrais |
| tu | pourras | | | | tu | pourrais |
| il | pourra | **Participe présent** | | | il | pourrait |
| nous | pourrons | | | | nous | pourrions |
| vous | pourrez | pouvant | | | vous | pourriez |
| ils | pourront | | | | ils | pourraient |

• **Prendre** *(tomar, coger)*

| INDICATIF | | | | | SUBJONCTIF | |
|---|---|---|---|---|---|---|
| **Présent** | | **Passé composé** | | | **Présent** | |
| je | prends | j' | ai | pris | que je | prenne |
| tu | prends | tu | as | pris | que tu | prennes |
| il | prend | il | a | pris | qu' il | prenne |
| nous | prenons | nous | avons | pris | que nous | prenions |
| vous | prenez | vous | avez | pris | que vous | preniez |
| ils | prennent | ils | ont | pris | qu' ils | prennent |
| **Imparfait** | | **Plus-que-parfait** | | | **IMPÉRATIF** | |
| | | | | | **Présent** | |
| je | prenais | j' | avais | pris | | |
| tu | prenais | tu | avais | pris | | |
| il | prenait | il | avait | pris | | prends |
| nous | prenions | nous | avions | pris | | prenons |
| vous | preniez | vous | aviez | pris | | prenez |
| ils | prenaient | ils | avaient | pris | | |
| | | **PARTICIPE** | | | **CONDITIONNEL** | |
| **Futur** | | **Participe passé** | | | **Présent** | |
| je | prendrai | pris | | | je | prendrais |
| tu | prendras | | | | tu | prendrais |
| il | prendra | **Participe présent** | | | il | prendrait |
| nous | prendrons | | | | nous | prendrions |
| vous | prendrez | prenant | | | vous | prendriez |
| ils | prendront | | | | ils | prendraient |

## ■ VERBOS IRREGULARES (continuación)

- **Savoir** *(saber)*

| INDICATIF | | | | | SUBJONCTIF | |
|---|---|---|---|---|---|---|
| **Présent** | | **Passé composé** | | | **Présent** | |
| je | sais | j' | ai | su | que je | sache |
| tu | sais | tu | as | su | que tu | saches |
| il | sait | il | a | su | qu' il | sache |
| nous | savons | nous | avons | su | que nous | sachions |
| vous | savez | vous | avez | su | que vous | sachiez |
| ils | savent | ils | ont | su | qu' ils | sachent |
| **Imparfait** | | **Plus-que-parfait** | | | **IMPÉRATIF** | |
| | | | | | **Présent** | |
| je | savais | j' | avais | su | | |
| tu | savais | tu | avais | su | | |
| il | savait | il | avait | su | | sache |
| nous | savions | nous | avions | su | | sachons |
| vous | saviez | vous | aviez | su | | sachez |
| ils | savaient | ils | avaient | su | | |
| | | **PARTICIPE** | | | **CONDITIONNEL** | |
| **Futur** | | **Participe passé** | | | **Présent** | |
| je | saurai | su | | | je | saurais |
| tu | sauras | | | | tu | saurais |
| il | saura | **Participe présent** | | | il | saurait |
| nous | saurons | | | | nous | saurions |
| vous | saurez | sachant | | | vous | sauriez |
| ils | sauront | | | | ils | sauraient |

- **Tenir** *(tener cogido, retener)*

| INDICATIF | | | | | SUBJONCTIF | |
|---|---|---|---|---|---|---|
| **Présent** | | **Passé composé** | | | **Présent** | |
| je | tiens | j' | ai | tenu | que je | tienne |
| tu | tiens | tu | as | tenu | que tu | tiennes |
| il | tient | il | a | tenu | qu' il | tienne |
| nous | tenons | nous | avons | tenu | que nous | tenions |
| vous | tenez | vous | avez | tenu | que vous | teniez |
| ils | tiennent | ils | ont | tenu | qu' ils | tiennent |
| **Imparfait** | | **Plus-que-parfait** | | | **IMPÉRATIF** | |
| | | | | | **Présent** | |
| je | tenais | j' | avais | tenu | | |
| tu | tenais | tu | avais | tenu | | |
| il | tenait | il | avait | tenu | | tiens |
| nous | tenions | nous | avions | tenu | | tenons |
| vous | teniez | vous | aviez | tenu | | tenez |
| ils | tenaient | ils | avaient | tenu | | |
| | | **PARTICIPE** | | | **CONDITIONNEL** | |
| **Futur** | | **Participe passé** | | | **Présent** | |
| je | tiendrai | tenu | | | je | tiendrais |
| tu | tiendras | | | | tu | tiendrais |
| il | tiendra | **Participe présent** | | | il | tiendrait |
| nous | tiendrons | | | | nous | tiendrions |
| vous | tiendrez | tenant | | | vous | tiendriez |
| ils | tiendront | | | | ils | tiendraient |

Todos los verbos terminados en **-enir** tienen la misma conjugación.

- **Vivre** *(vivir)*

| INDICATIF | | | | | SUBJONCTIF | |
|---|---|---|---|---|---|---|
| **Présent** | | **Passé composé** | | | **Présent** | |
| je | vis | j' | ai | vécu | que je | vive |
| tu | vis | tu | as | vécu | que tu | vives |
| il | vit | il | a | vécu | qu' il | vive |
| nous | vivons | nous | avons | vécu | que nous | vivions |
| vous | vivez | vous | avez | vécu | que vous | viviez |
| ils | vivent | ils | ont | vécu | qu' ils | vivent |
| **Imparfait** | | **Plus-que-parfait** | | | **IMPÉRATIF** | |
| | | | | | **Présent** | |
| je | vivais | j' | avais | vécu | | |
| tu | vivais | tu | avais | vécu | | vis |
| il | vivait | il | avait | vécu | | vivons |
| nous | vivions | nous | avions | vécu | | vivez |
| vous | viviez | vous | aviez | vécu | | |
| ils | vivaient | ils | avaient | vécu | | |
| | | **PARTICIPE** | | | **CONDITIONNEL** | |
| **Futur** | | **Participe passé** | | | **Présent** | |
| je | vivrai | vécu | | | je | vivrais |
| tu | vivras | | | | tu | vivrais |
| il | vivra | **Participe présent** | | | il | vivrait |
| nous | vivrons | | | | nous | vivrions |
| vous | vivrez | vivant | | | vous | vivriez |
| ils | vivront | | | | ils | vivraient |

- **Voir** *(ver)*

| INDICATIF | | | | | SUBJONCTIF | |
|---|---|---|---|---|---|---|
| **Présent** | | **Passé composé** | | | **Présent** | |
| je | vois | j' | ai | vu | que je | voie |
| tu | vois | tu | as | vu | que tu | voies |
| il | voit | il | a | vu | qu' il | voie |
| nous | voyons | nous | avons | vu | que nous | voyions |
| vous | voyez | vous | avez | vu | que vous | voyiez |
| ils | voient | ils | ont | vu | qu' ils | voient |
| **Imparfait** | | **Plus-que-parfait** | | | **IMPÉRATIF** | |
| | | | | | **Présent** | |
| je | voyais | j' | avais | vu | | |
| tu | voyais | tu | avais | vu | | vois |
| il | voyait | il | avait | vu | | voyons |
| nous | voyions | nous | avions | vu | | voyez |
| vous | voyiez | vous | aviez | vu | | |
| ils | voyaient | ils | avaient | vu | | |
| | | **PARTICIPE** | | | **CONDITIONNEL** | |
| **Futur** | | **Participe passé** | | | **Présent** | |
| je | verrai | vu | | | je | verrais |
| tu | verras | | | | tu | verrais |
| il | verra | **Participe présent** | | | il | verrait |
| nous | verrons | | | | nous | verrions |
| vous | verrez | voyant | | | vous | verriez |
| ils | verront | | | | ils | verraient |

## ■ VERBOS IRREGULARES (continuación)

- **Vouloir** *(querer)*

| INDICATIF | | SUBJONCTIF |
|---|---|---|
| **Présent** | **Passé composé** | **Présent** |
| je veux<br>tu veux<br>il veut<br>nous voulons<br>vous voulez<br>ils veulent | j' ai voulu<br>tu as voulu<br>il a voulu<br>nous avons voulu<br>vous avez voulu<br>ils ont voulu | que je veuille<br>que tu veuilles<br>qu' il veuille<br>que nous voulions<br>que vous vouliez<br>qu' ils veuillent |
| | | **IMPÉRATIF** |
| **Imparfait** | **Plus-que-parfait** | **Présent** |
| je voulais<br>tu voulais<br>il voulait<br>nous voulions<br>vous vouliez<br>ils voulaient | j' avais voulu<br>tu avais voulu<br>il avait voulu<br>nous avions voulu<br>vous aviez voulu<br>ils avaient voulu | veux (veuille)<br>voulons (veuillons)<br>voulez (veuillez) |
| | **PARTICIPE** | **CONDITIONNEL** |
| **Futur** | **Participe passé** | **Présent** |
| je voudrai<br>tu voudras<br>il voudra<br>nous voudrons<br>vous voudrez<br>ils voudront | voulu<br>**Participe présent**<br>voulant | je voudrais<br>tu voudrais<br>il voudrait<br>nous voudrions<br>vous voudriez<br>ils voudraient |

## ■ VERBOS IMPERSONALES

- **Falloir** (para expresar una necesidad u obligación)

| INDICATIF | | SUBJONCTIF |
|---|---|---|
| **Présent**<br>il faut | **Passé composé**<br>il a fallu | **Présent**<br>qu' il faille |
| **Imparfait**<br>il fallait | **Plus-que-parfait**<br>il avait fallu | **IMPÉRATIF**<br>Pas d'impératif |
| | **PARTICIPE** | **CONDITIONNEL** |
| **Futur**<br>il faudra | **Participe passé**<br>fallu | **Présent**<br>il faudrait |

- **Pleuvoir** *(llover)*

| INDICATIF | | SUBJONCTIF |
|---|---|---|
| **Présent**<br>il pleut | **Passé composé**<br>il a plu | **Présent**<br>qu' il pleuve |
| **Imparfait**<br>il pleuvait | **Plus-que-parfait**<br>il avait plu | **IMPÉRATIF**<br>Pas d'impératif |
| | **PARTICIPE** | **CONDITIONNEL** |
| **Futur**<br>il pleuvra | **Participe passé**<br>plu<br>**Participe présent**<br>pleuvant | **Présent**<br>il pleuvrait |

# VOCABULARIO

# ÍNDICE GRAMATICAL Y TEMÁTICO

Esta obra se terminó de imprimir y encuadernar en mayo de 1999
en Impresora Carbayón, S.A. de C.V., Calz. de la Viga núm. 590,
Col. Santa Anita, México 08300, D. F.

La edición consta de 5 000 ejemplares